FBI秘録

ロナルド・ケスラー
［著］

中村佐千江
［訳］

The Secrets of the FBI

Ronald Kessler

原 書 房

ＦＢＩ秘録

ロナルド・ケスラー

中村佐千江訳

パムとレイチェルとグレッグに

謝辞

妻のパメラ・ケスラーは、執筆活動と実人生の両方における、私のパートナーだ。かつてワシントン・ポスト紙の記者であった彼女は、アメリカの首都で繰り広げられたスパイ活動の舞台を紹介する『アンダーカバー・ワシントン（*Undercover Washington*）』の著者でもある。本書の取材にあたって、パメラはFBI本部やFBIアカデミー、ワシントン支局、FBI研究所で行なわれた重要なインタビューに同行し、執筆にあたっては、生き生きとした豊かな表現力を提供してくれた。また、原稿の予備編集も行なってくれた。彼女の愛情と、賢明な判断力と、ゆるぎない支えを得ることができて、幸運に思う。

成長した子どもたち、レイチェルとグレッグの愛情と支えにも感謝している。義理の息子マイク・ホワイトヘッドも、私たち家族の忠実で愛情深い一員である。

前作『シークレットサービス――大統領警護の舞台裏』（吉本晋一郎訳、並木書房）と同様に、クラウン社の出版部長メアリー・チョテボースキーが優れた示唆を与えてくれ、最終稿の編集に尽力してくれた。書籍の出版にかけて、メアリーのチームに並ぶ者はない。

エージェントのトライデント・メディア会長、ロバート・ゴットリーブが支援してくれたのも幸運だった。一九九一年以来、ロバートは常に作家として進むべき道を私に示し続け、誠実な支援と深い見識を与え続けてくれた。

本書のために、FBIが過去に例を見ない立ち入った取材を許可してくれたことについて、FBI長官ロバート・S・ミュラー三世に深く感謝する。FBI広報担当次官マイケル・コータンと、FBI広報官スーザン・マッキーも、格別な協力を与えてくれた。

元FBI捜査官協会の計らいで、一三五人もの元FBI捜査官から、第二次世界大戦後に暗躍したソ連のスパイ、ルドルフ・アベルにまでさかのぼる話を聞くことができた。ショーン・マクウィーニーとクレイグ・ドットロに感謝する。

本書のために、何百人もの現役FBI捜査官や元捜査官らが、自身の体験と識見を語ってくれた。彼らにも、感謝の意を表したい。

目次

ＦＢＩ秘録

プロローグ

クリスマスの日の、正午直前のことだった。七面鳥がオーブンに入れられ、いいにおいが家じゅうに漂い始めたとき、アーサー・M・「アート」・カミングス二世の携帯電話が鳴った。

それはFBI司令部からの電話だった。盗聴防止機能付き電話でかけ直せ、と言う。指示通りにかけ直すと、ノースウェスト航空二五三便で爆破未遂事件が発生したと知らされた。アムステルダム発デトロイト行きの航空機がアメリカ領空に入り目的地に近づいたとき、乗客の一人が複数の爆発物を起爆させようとしたのである。

五〇歳になるカミングスは、FBIの国家保安部担当次官として、テロ対策課と防諜課の指揮を執っていた。テロ計画や外国の諜報活動の探知と阻止に関する直接責任者である。彼ほど多くの秘密を知る人物は、政府内にも少なかった。

カミングスにとってテロリストの追跡は、知力と知力の戦いだった。この戦いにおいて、彼は捕食者であり、テロリストは獲物である。犯人に裏をかかれはしなかったか？　この情報は信頼できるだろうか？　手掛かりを見落としはしなかったか？　そんな疑念に苛まれ、眠れない夜もある。そのようにして、彼はＦＢＩを変貌させてきた。起きてしまった犯罪を告発する機関から、犯罪を計画段階で阻止する機関へと。

テロリストたちを捕らえるため、カミングスは日常的に戦術作戦部隊（ＴａｃＯｐｓ）と協議を行なっていた。ＴａｃＯｐｓとは、司法公認のＦＢＩの極秘侵入部隊である。彼らの使命は、住宅や事務所、大使館などに密かに押し入り、隠しマイクやビデオカメラを設置し、コンピュータに侵入すること。テロリストの他、マフィアや悪徳議員、スパイ、ロシアや中国の情報部員などがターゲットになる場合もある。

極秘侵入を行なう際、ＴａｃＯｐｓはさまざまな手を尽くして番犬をおとなしくさせる。建物の占有者や警備員に足止めを食わせるために、交通事故や通行止めや、公共施設の事故などを偽装する場合もある。錠前を破り警報装置を解除する捜査官の姿を隠すために、偽の玄関や茂みを作り上げてしまうこともある。なにしろ極秘侵入中に発見されれば、強盗と勘違いされて住人に銃で撃たれる恐れもあるのだ。

カミングスはアルカイダを追跡する傍ら、ライバル関係にある官僚組織とも戦わねばならなかった。ニューヨーク市警は、アルカイダ協力者のナジブラ・ザジが計画したニューヨーク市地下鉄爆破事件の捜査で、ＦＢＩとの協定を破り、先走った行動に出た。国土安全保障省は、入国者の管理という自らの責任を全うすることもままならないのに、ＦＢＩの権限であるテロ対策の決定について、広範囲にわたって口出ししようとした。さらに、国家情報長官室はＦＢＩを過小評価し、しばしば邪魔立てしてきた。

官僚的内輪もめに加え、ＦＢＩの独立性を損ないかねない要求にも対処しなければならなかった。司法省は、同時多発テロの起案者とされるハリド・シェイフ・モハメドの審理をニューヨーク市で行なう決定を発表した後で、その裁判が市に及ぼす安全保障上の脅威を評定するよう要請してきた。しかし、カミングスは要請をはねつけた。ＦＢＩがそのような評定を行なえば、民主党にも共和党にも、政治目的で利用されることが目に見えている。いずれにせよ、ニューヨーク市の意向は無責任であり、実行されることはまずないだろうと判断したのだ。

オバマ政権当局者らが公式発言で婉曲表現を使用するよう努めていること、すなわちテロ事件を「人為的災害」と言い換え、犯人の描写に「イスラム教徒」や「イスラム聖戦士」という言葉を使用しないことについて、カミングスは苦々しく思っていた。彼に言わせれば、そうした思想は「非常に恐ろしい」ことである。「今日のテロを支配しているのは、イスラム教徒に他ならない」とカミングスは断言する。

その一方で、オバマ、ブッシュの両政権がテロリストに被告の権利を知らせるよう求めていることに関しては、カミングスは何の異存もない。ＦＢＩはほとんどの事件について、ミランダ警告［容疑者の逮捕や取り調べに際し、黙秘権や弁護士と相談する権利があることをあらかじめ通告すること］をはじめとする法体制の枠組みの中でも、将来のテロ計画の阻止に必要な情報を入手することができると考えているからだ。そのためには、拘留前に容疑者と対面し、自白に導くインセンティブを与え、信頼関係を築くことが重要である。

カミングス自身、悪人に罪を認めさせる天才だった。アイコンタクトの達人で、後退した生え際が、眼差しの強さをいっそう際立たせている。人を引き付ける青い目が、聞き手に熱意を注ぎ込む。

「要するに、相手との裏のかき合いだね」とカミングスは言う。「敵がどれだけ手掛かりを残し、私がそれをどれだけ拾い上げられるか？　どうすれば答えにたどり着き、どうすれば真実を知ることができるのか？　方法はたくさんあるが、抜群に優れたやり方は、テーブルを挟んで向かい合うことだ。こちらは相手の首筋に牙を立てているのに、そいつはニコニコ笑っている、というのが最高だね。それが一番自分の利益になると、そいつは思い込んでいる――実際には大間違いなんだが」

FBI国家保安部担当次官アーサー・M・「アート」・カミングス2世ほど多くの秘密を知る人間は少ない。（写真提供＝アーサー・M・カミングス2世）

クリスマス爆弾犯について知らされたカミングスは、すばやくチョコレート・バーとコーラを手に取った。それが彼の二〇〇九年のクリスマス・ディナーである。クランベリーソースをかけた七面鳥は、妻のエレンと三人のティーンエイジャーの子どもたちの胃に収まることになる。

今このときから、カミングスは、ウマル・ファルーク・アブドゥルムタッラブの事件の責任者となった。それはＦＢＩの事件で最も物議を醸し、最も大きな被害をもたらす可能性を秘めたテロのひとつである。

カミングスはＦＢＩの公用車、ダッジ・チャージャーに飛び乗った。サイレンを鳴らし、青と赤のライトを点滅させると、ＦＢＩ本部に急行した。

第1章
戦術作戦部隊

盗聴機器を設置するためにターゲットの自宅やオフィスに侵入する際、TacOps捜査官は裏口を使わないように気をつける。裏口は普段利用されていないので、罠が仕掛けられている可能性があるためだ。そこで、麻薬密売組織のアジトの隠れ蓑となっているフィラデルフィアの電子機器会社に盗聴器を仕掛けることになったときも、堂々と正面玄関から侵入することに決まった。

捜査官らは、侵入に最も適した時間帯を深夜○時から二時までと判断した。それ以降はごみ収集業者が仕事を始めるため、侵入を目撃される恐れがある。唯一の問題は、通りの向かいに、テラス席のあるバーが営業していることだった。FBIの極秘侵入チームがビルの正面玄関の錠前を破り、警報装置を解除しているところを、バーの常連客に目撃される可能性がある。

そこでTacOps捜査官らは市バスを一台借り、電子機器会社に乗りつけた。バスを正面玄関前に停車させ、故障したように装ったのである。運転手に扮した一人がボンネットを開けた隙に、捜査官たちはすばやくバスを降りて玄関扉を解錠し、屋内に侵入した。通りの向かいにいる傍観者からは、バスの裏側は見えなかった。

捜査官たちが内部に侵入したのを見届けると、バスは走り去った。やがて盗聴器を仕掛け終えた頃、バスは捜査官たちを迎えに戻ってきた。しかしそのとき、近くのバス停でバスを待っていたバーの常連客二人の前を、勢いよく通過してしまったのだ。腹を立てて追いかけてきた二人の酔客は、電子機器会社の前で停車したバスに飛び乗った。作戦に携わった捜査官の多くはさまざまな支局から集められていたので、この二人も関係者だろうと、当初は皆が考えていた。

「二、三ブロックほど走ったところで、我々は装備を脱ぎ捨て始めた」と、TacOpsに携わって一二年になるFBI捜査官、ルイス・E・グレーヴァーが言う。「全員、武器や無線機器を携帯していた。ぼさっと座っていたその二人は、『何だこりゃ!』と目を剥いたよ。そして必死に降車ベルを鳴らし始めた。リンリン! 降ろしてくれ! リンリン! バスを運転していたのは地元支局の人間だったんだが、運転があまりうまくなかった。せいぜい、二〇分程度練習しただけだったんだろう。角を曲がるときに、ごみ箱をひっかけて倒したりしていたね。そいつはイライラと二人にどなり返した。『おい、ベルで遊ぶのはやめろ! こっちはバスを運転するだけで手一杯なんだ!』」

他の捜査官たちは、降車ベルを鳴らし続けている二人がFBI関係者ではないことに、そろそろ気付き始めていた。任務の前は必ず、作戦に携わる捜査官全員の顔合わせをする。この二人が意図せざる闖入者であることは、いまや明らかだった。

「捜査官の一人が立ち上がった。たまたま、そいつは背中にショットガンを背負っていた。彼はつかつかと二人の前に歩いていき、こう訊ねた。『あんたらも仲間かい?』」

「二人はもう、死にものぐるいでベルを鳴らし続けた。リンリンリンリンリン! そこで我々にも、この二人が関係者ではないことがわかった。それで運転手にこう叫んだ。『おいフィル、バスを止めろ! お客さんが二人乗っているぞ!』」

運転手は振り向き、バーの客を見て、彼らが捜査官ではないことに気付いた。そして悪態をつきながらバスを止め、ドアを開けた。

「バスを降りた二人からは、その後なんの音沙汰もない」とグレーヴァーは言う。「彼らには、いったい何が行なわれていたのか、さっぱりわからなかったことだろう。たまたま運悪く、妙なバスに乗り合わせたわけだ」

ここで時代は一九九二年にさかのぼる。青い目と赤毛のクルーカットが特徴のグレーヴァーは、当時はＴａｃＯｐｓの存在さえ知らなかった。しかし、ミシシッピ州ジャクソン支局における上司のビラップス・「ビル」・アレンが、グレーヴァーにＴａｃＯｐｓへの加入を打診してきたのだ。グレーヴァーがＦＢＩに入局して四年目のことだった。彼自身は、ニューヨークかロサンゼルス支局への転属を期待していたのだが。

ＴａｃＯｐｓの活動内容に関して、アレンは口が重かった。その代わり、グレーヴァーをＴａｃＯｐｓに所属する元海兵隊員のマイク・マクデヴィットに引き合わせた。

「家庭生活は円満か?」とマクデヴィットはグレーヴァーに訊ねた。

唐突な質問に面食らいつつも、グレーヴァーは答えた。「はい」

「子どもはいるのか」

「はい」

「任務で子どもたちと離れて過ごすことになっても平気か」

「はい、任務のためならば何ごとも厭いません」

「よろしい。君に関する記録は、すでに見せてもらった」とマクデヴィットは言った。「もし君にその意志があり、要求される水準を満たし、厳しい競争に勝ち抜くことができるなら、このTacOpsに迎えられるかもしれない」


ヴァージニア州クアンティコにあるFBIアカデミーの構内で、グレーヴァーはTacOpsメンバーと顔合わせをした。そのとき初めて、職務の内容を知らされたのである。それは司法公認の極秘侵入であり、住宅やオフィス、自動車、ヨット、飛行機、そして大使館などに隠しマイクやビデオカメラを設置し、コンピュータや机の中を覗きまわることだった。TacOpsが行なういわゆる極秘侵入の回数は、年間四〇〇件にものぼる。その八〇パーセントは、テロ事件や対敵諜報活動に関わる国家安全保障問題が対象である。残りは組織犯罪や知的犯罪、政治家の汚職事件などが対象になっている。

後に明らかになったところでは、グレーヴァーが採用されたのは、大学在学中にあるエンジニアリング会社でアクセスコントロールと電子セキュリティの仕事をした経験を買われたためだった。グレーヴァーは支局のSWAT（特殊火器戦術部隊）チームに所属しており、かつて警察官をしていたこともあった。アレンを通じてグレーヴァーに声をかける前に、TacOpsは彼の経歴を徹底的に調べ上げていた。

「彼らはとりわけ、私がチームワークを大切にできる人間かどうかを念入りにチェックしていた」とグレーヴァーは言う。「TacOpsのように緊密な集団内で生活の大半を送る場合、その数々の試練に耐えられるかどうか、確認する必要がある。貯蔵庫の中やエレベーターの天井のような狭い場所に、仲間と一緒に長時間閉じ込められることもあり得るからね。それに、二重生活を強いられ、家族にも友人にも仕事の話をすることはできない。非常識としか言いようのない仕事だ」

グレーヴァーの言葉を借りれば、彼は「政府のお墨付きを得た押し込み強盗」となった。それぞれ約一〇人の捜査官からなる七つのチームの一員として、全国にわたって司法公認の家宅侵入

FBI科学技術部担当次官ルイス・E・グレーヴァーは、12年間「政府公認の押し込み強盗」としてマフィアやテロリスト、汚職議員、スパイ、外国の情報部員の自宅やオフィスに盗聴器を仕掛けた。もし見つかれば、不法侵入者として銃撃されていたかもしれない。（写真提供＝FBI）

を行なったのだ。彼が遂行あるいは監督した極秘侵入は、およそ一〇〇〇件にのぼる。

経歴を理由に、当初グレーヴァーは警報システムの解除を専門とする監督官となった。後に彼は戦術作戦部隊という、故意に曖昧な名称をつけられたFBIの一部門を統率することになる。FBIのウェブサイトに掲載されているグレーヴァーの略歴を見ると、この部門は「国家的優先プログラムに技術的サポートを提供する認可を与えられた実行組織」としか説明されていない。二〇〇八年一〇月、FBI長官ロバート・S・ミュラー三世は、グレーヴァーをFBIの科学技術部担当次官に任命した。これにより、グレーヴァーはFBI研究所、指紋・バイオメトリクス研究、そして作戦技術課の責任者となった。

嘱託も含めれば一〇〇〇人もの職員を抱える作戦技術課には、TacOpsとクアンティコにある工学研究施設の両方が含まれる。そこでは、FBI特注の盗聴装置や追跡装置、センサー、そして犯罪者を監視し行動を記録できる監視カメラなどが作られている。また、コンピュータへの侵入方法や、錠前や警報装置やアクセスコントロールシステムを解除する方法も、ここで開発されている。

アート・カミングスは今年五〇歳になるグレーヴァーと、手強いターゲットの会話を傍受する革新的技法について日常的に議論し、国家安全保障問題における優先的課題を明確にすることにしている。

「彼がひとつの解決策に一〇万ドル費やす前に、我々は裁判所命令を受けていることを教えてやる。そして、我々のニーズに基づいた優先順位をつけられるよう協力しているんだ」とカミング

ヴァージニア州クアンティコの工学研究施設では、電話の盗聴の手配や、
ターゲットの行動を見張り記録する特注の盗聴器付き追跡装置やセンサー、
監視カメラなどの開発が行なわれている。ここは住居やオフィスや大使館に
潜入し盗聴器を設置する捜査官チームの配置に携わるTacOps計画の中核的施設だ。
（写真提供＝FBI）

スは言う。

カミングスは、テロ行為の阻止にはＴａｃＯｐｓが不可欠だと考えている。「ＴａｃＯｐｓは、テロがまだ計画段階にあり、テロリストたちも警戒を強めていないうちに情報を収集する。だからこそ、テロの実情を把握することが可能になるんだ」とカミングスは言う。「情報源の開拓や他の記録の精査、物理的監視など、さまざまな情報収集技術を併用する中で、ＴａｃＯｐｓは必要不可欠な要素だ。ＴａｃＯｐｓのおかげで、テロの脅威を深く多次元的に理解した、総合的な情報収集計画が可能になる」

例えばＦＢＩが固定電話や携帯電話に簡単な盗聴器を取り付けたり、Ｅメールアカウントを傍受したりする必要がある場合は、作戦技術課に所属するグレーヴァーの部下の技術者が、直接プロバイダーと交渉する。通常なら、電話会社はコンピュータにターゲットの番号を入力するだけで、ものの数分で裁判所が認可した盗聴器を取り付け、暗号化されたブロードバンド・リンクを通じてＦＢＩの全支局にターゲットの会話を転送することができる。しかし、物理的な侵入が必要になった場合は、ＴａｃＯｐｓの出番だ。

グレーヴァーをはじめとする現役のＴａｃＯｐｓ捜査官や元捜査官らとのインタビューを通じて、ＦＢＩのトップシークレットであり、最も厳重に守られた技術である極秘侵入の方法が、史上初めて明らかにされた。たとえ連邦議会議員であろうと、機密情報取扱許可を持つ政府当局者であろうと、この作戦に立ち入ることはできないのだ。

場合によっては、ＦＢＩは侵入せずとも会話を傍受することができる。パラボラマイクやレーザー光線を用い、窓から漏れる音の振動を受信すればよいのだ。同様の手法による傍受を防ぐため、ＦＢＩ本部の七階にあるグレーヴァーのオフィスは、中庭に面している。これも、外部の人間に会話を盗聴されないための用心だ。このような遠隔操作を介した盗聴は、「遠隔収集」と呼ばれている。盗聴器を設置したり、コンピュータや記録を覗いたりするための技術や極秘侵入は、「接近攻撃」と呼ばれる。

ＦＢＩは代理人を雇い、ターゲットとの会話の相手をさせたり、ターゲットの自宅やオフィスで働かせたりすることもある。彼らを介して、「トロヤ」というほとんど目につかない盗聴装置を埋め込んだランプなどを、本物とすり替えるのだ。そのための小物のレプリカは、窓越しに、あるいは捜査官が害虫駆除業者や衛生指導員や電話修理人などに扮して潜入し、撮影した写真をもとにして、ターゲットのオフィスや自宅にあるものと寸分違わぬものを作り上げる。

しかし、ほとんどの場合では極秘侵入が必要だ。この作戦は最大の収穫をもたらす一方で、最大のリスクも伴う。住人や警備員、警察官、あるいは外国の諜報部員に発見され、強盗と間違われて銃撃される恐れがあるのだ。

TacOpsの捜査官を選抜する際、FBIは関連分野の経験を持つ者や秘密捜査経験者を探す。なぜなら、そうした捜査官たちはうわべを取り繕うことに長けているからだ。また、チームにはあらゆる民族的背景を持つ捜査官が所属しており、どのような土地柄にも融け込むことができるよう配慮されている。

FBIの捜査官一万三八〇七人のうち、およそ二〇パーセントが女性だ。彼女らは極秘侵入の遂行や周辺監視任務、さらには危険な状況を鎮圧する「緊急事態対応チーム」など、TacOpsのあらゆる活動に携わっている。

捜査官にもっともらしいカモフラージュを与えるため、男女の捜査官が手を取り合って歩くこともある。しかし、「ジェームズ・ボンドの映画とはちがって、我々の女性捜査官は色仕掛けで容疑者を操ったりコントロールしたりすることを許されていないし、要請されもしない」とグレーヴァーは言う。「ここぞというときに気を引いたり微笑みかけたりするのは構わないが、肉体関係は許されない」

監視を行なう際は、捜査官は中古トラックやロールスロイス、米国郵政公社のトラックまで、あらゆる種類の車両を利用する。

捜査官の任務の割り当ては、ランダムに行なわれる。「ロバート・ハンセン事件を担当することになるかもしれないし、オルドリッチ・エイムズや、ジョン・ゴッティや、ウマル・アブドゥルムタッラブや、ザカリアス・ムサウイの事件を任されるかもしれない」とグレーヴァーは語る。

FBIは長年、ロシアや中国の大使館や、その他の公的外交機関への極秘侵入を成功させてきただけでなく、外交官や諜報部員の自宅にも秘密裏に侵入してきた。そうした行為は明らかに非常にデリケートな問題を孕んでいるので、グレーヴァーをはじめ現役のFBI職員は、作戦について語ろうとしない。大使館に侵入する際、FBIは手引きをしてくれる内部協力者を求めるのかもしれない。ひとたび侵入が行なわれれば、外国の大使館で使用されているコードブックや電子暗号のキーは、非常に重要な獲物である。

TacOpsチームの捜査官は、いわゆる偽名を使っている。例えば運転免許証や社会保障ナンバーを調べられた場合にも、当該機関が彼らの架空の身元を保証してくれるのだ。

「我々の工作員は、自宅で家族と過ごしている間は特別捜査官の一人に過ぎない。だが、ひとたび自宅を離れて任務を遂行するとなると、ジム・ブラウンや、ヘクター・ガルシアや、アンドレア・シモンズなどと名乗ることになる。偽名の運転免許証やパスポート、クレジットカードなどの書類も、偽の家族や仕事や経歴などの身の上話も、完璧な裏付けを備えたものが用意されている」とグレーヴァーは言う。

秘密捜査官は、自宅に帰る際には尾行されていないことを確認する。スピード違反で車を止められたとしても、自分が捜査官であることを決して明かさない。

極秘侵入作戦の手配は、ステージハンド（裏方）というコードネームで呼ばれるFBIプログラムによって行なわれる。もし見せ金として現金二〇〇万ドルが必要になれば、ステージハンドが準備する。ヨットや飛行機などが必要な場合も、犯罪事件で没収されたものを、ステージハンドが提供する。

ステージハンドは架空の会社も設立しており、捜査官らはその会社の名刺を渡すこともできる。それらの会社には実際にオフィスがあり、FBI職員が従業員として働いている。このような会社を設立するのは、ターゲットに接近する手段を捜査官らに与えるためでもある。

「ある日は配管業者となって、白い作業トラックや、会社のロゴ、作業服、電話番号などを全て準備する」とグレーヴァーは語る。「電話が鳴れば、FBI職員が『毎度ありがとうございます、ジョーの配管修理店です』と言って対応する。またある日には、土地測量採掘業者になって、同様の裏付け工作を行なうんだ」

TacOpsサポートセンターのワードローブには、約五〇種類のさまざまな業者の制服が取り揃えられている。グラフィックスの専門家が特注の制服や偽のIDやバッジなどをデザインし、偽の会社名をトラックに貼りつける。捜査官らはエレベーター検査官や、消防士や、電気工事作業員に扮する。または、半ズボン姿で記念撮影をしている旅行者を装うこともある。あるいは、ぼろをまとったホームレスに化ける場合もある。変装する際は、極秘侵入に使う道具を隠し持つために、大きめの衣装を選ぶ。そして、侵入する際には必ず銃を手にしている。

「通常は、前もって話の辻褄を合わせる練習をしておく」とグレーヴァーは言う。「でないと、問い質されたときに間違ったことをしゃべってしまうかもしれないからね」

道義的問題を避けるため、ＴａｃＯｐｓ捜査官は聖職者やジャーナリストに変装することはしない。また、電話修理人や宅配業者に扮する場合も、実在の会社の従業員を名乗ることは避ける。もし疑われた場合、「地元の業者に電話で問い合わせられれば、すぐに化けの皮が剝がれてしまう」とグレーヴァーは言う。

ＴａｃＯｐｓ捜査官は、法廷で極秘侵入に関する証言を求められて身元がばれてしまった場合、二度と極秘侵入の仕事をすることはできない。

各侵入作戦の戦略や緊急事態対応策は、作戦命令の中に明記されている。どのような行為が許され、どのような行為が許されないかを正確に把握するため、捜査官たちは極秘侵入を認可した裁判所命令を読むことが求められている。

ＴａｃＯｐｓ捜査官らがいわゆる「仕事」を成功させるには、何週間もかけて計画を練る必要がある。ターゲットの生活スケジュールや習慣を特定し、警報装置や監視システムを研究し、脱出戦略を構想しなければならない。

ＴａｃＯｐｓと地元支局から集められた捜査官たちは、四つのグループに分けられる。現場をくまなく調査し、コントロールする調査グループ。錠前を破り金庫や郵便物を開けるメカニックグループ。コンピュータや携帯電話の取り扱いが専門のエレクトロニクスグループ。そして、「フラップ・アンド・シール（開封と封印）」グループである。このグループの専門は、ターゲットが侵入者を察知するために施した特殊な措置への対応だ。また、「現場の回復」も担当し、捜査官が侵入した痕跡を一切残さないよう気を配る。このように、一回の作戦に一〇〇人以上の捜査官が関わる場合もある。

「捜査官を送り込むと、彼らは何日もかけてターゲットを見張り、生活パターンを監視する。昼も夜も、平日も休日も」とグレーヴァーは言う。「我々が知りたいのは、人々の睡眠習慣だ。大きな音を立てても、目を覚まさないほど深く眠っている時間帯を調べる。そのために、ありとあらゆることを監視する——大げさなことを言うつもりはないが、自分たちの命がかかっているのだからね」

懸賞当選を偽って、ターゲットを自宅から遠ざけることもある。

「旅に出て珍しい体験をする機会を与えるんだ。『おめでとうございます、あなたは懸賞に当選しました！　豪華旅行とお食事にご招待！　数多く寄せられた名刺の中から、あなたが選ばれたのです！』。もちろん、それは幸運のおかげなんかじゃない。ターゲットにチャンスを与えるよう、我々が仕組んだんだ」

侵入時の物音をごまかし、人々の注意をそらすために、ゴミ収集車を運転してゴミ箱を叩いて回ることもある。木材破砕機を作動させたり、あらかじめ現場の道路に捨てておいたコンクリート片を削岩機で砕いたりもする。高水圧洗浄機で歩道を掃除し、通行人を追い散らすこともある。地元警察に協力を求め、現場付近にライトを点滅させたパトカーを駐車してもらう場合もある。警察車両があれば、梯子を上ってアパートやオフィスに侵入しようとしている人間を見ても、誰も押し込み強盗とは思わない。

監視カメラの画像を遠隔操作で停止させ、侵入者を見張る警備員に気付かれないようにする場合もある。作戦中は、少なくとも一人は窓やドアの外の見張り専門の捜査官を置き、誰も近づいてこないことを確認させる。建物内部に侵入しているか、ロックシステムの解除にあたっている時間を、ＴａｃＯｐｓ捜査官らは「露出時間」と呼んでいる。

警備員も厄介だが、「我々が最も恐れるのは、率直に言って、善意の第三者だ。例えば、建物の鍵と銃を持っている近所の住人などだね」とグレーヴァーは言う。容疑者が週末に家を留守にする場合には、隣近所に鍵を預けていくこともあるのだ。

「その相手がお節介な閑人だったとしよう。何か不審な物音が聞こえれば、そいつは警察に通報する代わりに、銃で隣人の財産を守ろうとする。逃走用のテニスシューズが役に立つのは、そんなときだ」

近所の住民が警察を呼んだとしても、必ずしも困った事態にはならない。ＦＢＩは警察官の派遣を監視しているうえ、通常は合同捜査本部に加わっている地元警察に協力を仰いでいるからだ。パトカーが現場に急行する代わりに、ＦＢＩと結託した警察官が現れて、調書を取るふりをする。その頃には、すでに捜査官たちは引き揚げてしまっている。

安全対策として、捜査官たちはドアの下から建物の内部を覗く装置を携帯している。爆発物や放射性物質、あるいは生物兵器の危険性をチェックするためだ。ときには、容疑者が爆弾や大量破壊兵器を製造しているかどうか確認するために極秘侵入を行なうこともある。炭疽菌郵便事件の捜査などが、その例だ。

麻薬密売人は、商売敵や泥棒が侵入してこないように、罠を仕掛けることもある。電球に細工をし、点灯すれば爆発してガソリンやダイナマイトに引火するようにしてある可能性もある。

夜中にオフィスや政府の施設に忍び込む代わりに、いわゆる「ロックイン」を行なう場合もある。人々が帰宅する夕刻まで建物内部に隠れていて、ターゲットのオフィスに侵入するのだ。その際、ＴａｃＯｐｓ捜査官らは配線収納庫やエレベーターの天井などに身を隠す。テロ事件に関連したある作戦では、エレベーターの天井に潜んだ捜査官らは、何時間も上昇と下降を繰り返すはめになった。

「夜になって、ようやくそのビルは閉館した」とグレーヴァーは回想する。「調査グループが、ビルの外と、前もって周辺の高層ビルに借りた部屋から当直の警備員の動きを監視し、報告を寄こした。我々は適当なタイミングを見計らい、エレベーターをターゲットのオフィスの真下の階まで動かした。エレベーターの制御回路を遠隔操作でコントロールしてね。あらかじめ用意しておいた制御キーでエレベーターの内側からドアを開け、人知れずターゲットのオフィスに侵入し、仕事にとりかかった」

作業終了後、捜査官らは再びエレベーターの天井に潜み、建物が開館する朝を待った。

「我々はビジネススーツに着替え、その朝オフィスビルを訪れた人々に紛れて、悠々と外に出たんだ」とグレーヴァーは言う。

ときには密閉された輸送コンテナに捜査官を隠し、ターゲットの施設に配達することもある。真夜中になると、まるでトロイの木馬に潜む戦士のように捜査官らが姿を現し、施設内部に忍び込むのだ。個人宅に侵入する場合は、捜査官を入れた冷蔵庫の箱が玄関前に配達される。箱が目隠しの役割を果たし、解錠作業中も通行人に目撃されることはない。

「コンテナは通常、どんなに疑い深い輸送業者や港湾作業員も簡単に開けられない仕組みになっている」とグレーヴァーは言う。「また、実際に開けようとすれば、緊急事態対応チーム――レイドジャケットを着たFBI捜査官――が急行し、その場を丸く収めるんだ」

発覚を確実に防ぐため、TacOpsは支局の捜査官や特別監視チームに、ターゲットの住宅やオフィスの占有者を尾行させる。つまり、「キーホルダー」と呼ばれる占有者が戻ってこないかどうか、見張らせるのだ。もし彼らが戻ってきそうな素振りを見せれば、尾行中の捜査官は彼らが到着するまでの推定所要時間を無線で連絡する。極秘侵入チームには、道具を片付け、痕跡を残さずに立ち去るために必要な「撤収時間」がわかっている。

「一五分間の撤収時間が必要なのにターゲットが五分で戻ってきてしまうという場合は、足止め作戦を発動させる。こっちは自分の家の裏庭にいるようなものだから、警察や消防、公衆衛生や公衆安全当局者、アメリカ合衆国郵政公社を抱き込むことなどお手の物だ」

もしかすると、突然「交通渋滞」が起きるかもしれない、とグレーヴァーは言う。あるいは、「ターゲットの目前で交通事故が起きたり、ターゲットの車が交通違反で止められたりすることもある。局地的な小さな自然災害――消火栓から水があふれて道路が冠水し、迂回を余儀なくされるかもしれない」。タイヤの空気を抜くのも、ひとつの方法だ。

極秘侵入では、捜査官の一人は全てが元通りになっていることを確認する責任を負う。作戦を開始する前に、後で全ての物品を元の位置に戻せるように、部屋の様子を撮影しておくのだ。ソファーや椅子を動かす場合は、あらかじめ床に椅子の足の位置を示す目印のテープを貼っておく。「訓練を積んだ外国の諜報部員は、ドアを一定の角度で開ける、あるいは一定の順番で雑誌を並べるなどの罠を仕掛けて、侵入を察知する」とグレーヴァーは言う。机の特定の引き出しに細工を施し、侵入者がうっかり開ければ中の物が倒れてしまうようにしてあることもある。

ＣＩＡと合同で亡命者にインタビューを行ない、ＦＢＩの侵入を見破る敵のノウハウも研究している。グレーヴァーは隔週でＣＩＡの担当者と会合を開き、最新の盗聴機器や監視装置に関する情報を交換している。

現場には何ひとつ置き忘れてこないように、作戦中に使用する器具には全て番号と目印が付けられ、使用した捜査官を特定できるようになっている。引き揚げる前、捜査官らは置き忘れがないか、全ての器具を点検する。カーペットに靴跡が残っている場合に備えて、毛足を整える小さな熊手も携帯している。

「埃の乱れをチェックするためのライトも持っている」とグレーヴァーは言う。「補充用の埃まで準備しているんだ。全てを元通りにするために、必要なら少しばかり追加してやれるようにね」

第2章

沈黙の掟

住宅やオフィスや大使館に侵入するＴａｃＯｐｓ捜査官にとって、最大の脅威は犬だ。番犬だろうとペットだろうと、犬というものは全て、トラブルの種である。

「うるさく吠える犬は、大音量で鳴り響く警報と同じくらい厄介だ」とルイス・グレーヴァーは言う。「動物への対処法はいくつかあるが、その第一は、できるだけ関わり合いにならないことだ」

何週間も餌をやり続けて犬を手なずけることもあれば、作戦の間は餌と水を備え付けた防音箱に閉じ込めておく場合もある。あるいは、麻酔銃で鎮静剤を打っておとなしくさせることもある。作戦終了後、注射で覚醒させるのだ。薬剤の投与量は、嘱託の獣医によって前もって定められている。

「犬の写真や特徴書きを獣医に提供すると、犬の大きさや年齢から判断して適正な薬の分量を知らせてくれる。我々はあらゆる種類の麻酔剤や鎮静剤を取り揃えたキットを用意している。重要なのは、当然ながら、犬を殺してしまわないことだ。侵入に気付かれてしまう恐れがあるからね」

特に攻撃的な犬に対しては、消火器を使って黙らせる訓練もする。消火器の噴射でおびえさせ、鼻を凍らせてしまうのだ。数回噴射すれば、消火器を見せただけで尻尾を巻いて逃げていくようになる。ニューヨークでマフィアの社交クラブに侵入したとき、消火器を使いきってしまったことがあった。ある捜査官が機転を利かせ、消火器の噴射音を口真似したところ、その音だけで十分犬をおとなしくさせることができた。

別の獰猛な犬の場合は、繰り返し消火器を噴射されておとなしくなった後で、捜査官たちと遊びたがるようになってしまった。作業中の捜査官の傍におもちゃや縫いぐるみを運んできては、投げてくれとせがむのである。

「唯一の問題は、犬が縫いぐるみを食いちぎってボロボロにしてしまったことだった。おかげで、引き揚げる前に掃除機で全部きれいに掃除してやるはめになった」とグレーヴァーは言う。「我々のバックパックには、高価で非常に音の静かな掃除機が入っていて、作戦中に掃除をすることができる。だが、あまりきれいにしすぎてもいけない。生活感を維持しておきたいのでね」

ある大物麻薬密売人のアパートに、盗聴器を仕掛けることになった。その部屋の錠前が、フレンチ・フィシェと呼ばれるタイプと判明した。鍵の長さが約一〇センチもあり、ピッキングに時間がかかる。その間に他の部屋の住人が出てきて、捜査官を目撃する恐れがあった。そこでマイク・マクデヴィットと相棒のマイク・アターロが、夜の闇に紛れて四階建てのアパートの屋根に上り、最上階にある麻薬密売人の部屋のベランダにロープを伝って下りることになった。仲間から「二人のマイク」と呼ばれるＴａｃＯｐｓ捜査官たちは、屋根に上ったために真っ黒に汚れていた。そして、麻薬密売人のアパートには、真っ白なカーペットが敷いてあった。そこで、二人は部屋に侵入する前に、スニーカーを脱ぐことにした。そのとき、アターロは誤って片方のスニーカーを落としてしまった。スニーカーは四階から地面まで転がり落ちていった。

「犬が激しく吠え、警備員が現れた」とマクデヴィットが言う。二〇〇〇回以上も極秘侵入を行なった後、ＴａｃＯｐｓのリーダーとなった人物だ。「それを見た監視チームの一人が、わざと茂みをガサガサ鳴らして逃げた。それで警備員は、犬は茂みの中に潜んでいた人物に吠えたと思い込んだんだ」

また別の作戦では、ある組織犯罪の大物の自宅で飼われている犬を捕らえる罠を準備して出かけた。ところが、無事に犬を捕獲したと思った途端、猫が逃げ出してしまったのだ。

「たった今、猫が逃げた。現在裏通りを西に向かって逃走中」と、捜査官の一人が無線で連絡する。「色はグレーで、体重はおよそ七キロ弱だ」

「了解、こちらで対処する」と、別の捜査官が応答した。

暗視ゴーグルを装着したＴａｃＯｐｓ捜査官たちは、仲間が猫を発見できたか気になって、窓の外を見つめ続けていた。もし猫が見つからなければ、ターゲットがＦＢＩの侵入に気付き、作戦全体が失敗しかねない。一時間後、捜査官の一人が無線で連絡を寄こした。「猫を無事拘束した」

しかし、その猫を家の中に入れたところ、犬が吠え始め、猫もシャーっとうなり声をあげた。捜査官たちは、二匹はよそ者の侵入に動揺しているのだろうと考えた。

「侵入チームはホテルに帰ってベッドに潜り込んだ」とグレーヴァーは言う。「一晩中働いて、休息が必要だった。そんなとき最悪なのは、問題が生じたと電話が入ることだね。たいていは翌日、日勤の連中がやってきて、隠しマイクやカメラを起動させる頃だ。彼らが最初に行なう仕事のひとつは、ターゲットが自宅で財布を拾うとか、椅子の位置が変わっているのに気付くとかして、不審を感じていないかどうか探ることだよ」

この作戦では、侵入チームに招集がかかり、問題があることを告げられた。

「君たちは全て完璧にやり遂げた」とターゲットの自宅の監視にあたっている捜査官が言った。「ただひとつの点を除けばな。君らは猫違いをしたんだよ」

「この猫はすぐさまカーテンによじ登り、上からぶら下がった。犬は猫が疲れて落ちてきたところを再び追いかけようとして、下でぐるぐる走り回りながら待ち構えていた」とグレーヴァーは言う。

翌日、旅行から帰ってきた住人は、見知らぬ猫が家に入り込んでいるのを発見した。

「何者かが侵入して猫を逃がしたあげく、別の猫を連れてきて何も盗らずに逃げたとは、誰も思いもしないだろう」とグレーヴァーは指摘する。「猫は犬用の小さな扉から外に出たんだろうと、住人たちは考えた。この知らない猫も犬用の扉から入ってきたんだろう、よくあることだ、と納得してしまったんだ」

タンパで行なわれた作戦では、ターゲットの自宅に侵入する最適の時間帯は、午後二時半から三時半の間だった。容易に目撃される恐れがあるため、捜査官らはトレーラーを現場に乗り付け、向かいの住人の視界を遮る目隠しに使うことにした。ところが住宅の敷地に入ったとき、トレーラーの天井が電話線に引っかかってしまったのだ。運転していた捜査官は、無線で監視チームに連絡した。トレーラーから電話線を外すべく監視チームが駆けつけたちょうどそのとき、子どもたちを満載したスクールバスが現れた。

一方、近所に住んでいるターゲットの友人が、その敷地から車を出そうとしていた。売り家になっているターゲットの家の通用口に、五人の捜査官が立っているのを見かけた彼は、何をしているのかと訊ねた。この住宅の購入を検討しているのだとマイク・アターロが答えると、ターゲットの友人はこう言った。「大の男が五人掛かりで、家の下見かね?」

「この物件は状態が悪いから、エンジニアと家屋調査士に見てもらっているんだ。三時に不動産業者と約束してるんでね」とアターロは言った。

まだ不審そうな顔をしながらも、男は立ち去った。捜査官たちは無事その家に侵入し、捜査を行なうことができたのである。

住宅に侵入する際は、毒蛇や檻に入った野獣と遭遇することもある。「ある場所に侵入したとき、銃を抜いたまま歩いていくと、オランウータンの檻がふたつあった。そいつらは、私を見て騒ぎ出した」と、アターロの相棒のマイク・マクデヴィットは言う。「物音が聞こえたので、私は口にくわえていたペンライトの光をそちらに向けた。すると、オレンジ色の目玉がふたつ、こっちをにらんでいた。それは、檻に入れられたジャガーだった」

別の作戦では、腹の上にピストルを、床の上にライフルとウイスキーのボトルを置いて、カウチで眠っている男を発見した。

「その男はすっかり酔いつぶれていた」とマクデヴィットは言う。「その晩、その光景を見て、男が目を覚ましたらどうしようと気が気じゃなかった。自己紹介するわけにもいかんだろう。男は泥酔していたから、こっちがひと押しするだけでぶっ倒れてくれることを祈るのみだったよ」

四〇〇〇回以上も極秘侵入を行なったアタローロは、三・六メートルもの高さの竹馬に乗って、天井のタイルに電線を取り付けたことがある。そのときに足を滑らせ、危うく窓を突き破ってニューヨークのクライスラー・ビルの最上階から転落するところだった。また、マクデヴィットは、誤ってブロンクスの電線を切断してしまい、派手に火花を散らしたことがある。

ニューヨークでの別の作戦では、マクデヴィットがあるマフィアのアパートに侵入した。その男は殺人を計画しており、ピストルやライフルやショットガンがソファーの上に転がっていた。マクデヴィットとニューヨーク支局の技術捜査官が作戦を行なっているとき、ドアの外で物音がした。後でわかったところでは、アパートの外にいた人物はマフィアに雇われた殺し屋で、まさに鍵を開けて部屋に入ろうとしているところだった。

身を隠す場所もなかったので、マクデヴィットと技術捜査官は浴室に駆け込み、ドアを閉めた。その部屋の住人になりすますことに決めたのである。

もっともらしく演出するため、技術捜査官はシャツを脱いで洗面所の水を流した。マクデヴィットは浴槽に飛び込んでシャワーカーテンを閉めた。カーテンの隙間から浴室の鏡で状況をうかがいつつ、銃を構える。

水音を聞きつけた殺し屋は、浴室のドアをノックした。技術捜査官がドアを細目に開けた。

「あんた誰だ?」と殺し屋が訊ねた。

「そっちこそ何だ」と技術捜査官が応じる。

「俺はショットガンのカートリッジを届けにきたんだ」と殺し屋が言った。

「そいつは後ろを向いて、『鍵はあんたが出るときに閉めといてくれ』と言った」とマクデヴィットは言う。

「わかった」と技術捜査官が答えると、殺し屋は立ち去った。捜査官の二人は作業を続行し、無事に監視カメラと盗聴器を設置することができたのである。

盗聴器を仕込んだ物品を運び込む代わりに、壁に小さな穴を開け、極小のマイクとカメラを設置することもある。その後、壁と全く同じ色調の特殊な速乾性ペンキを塗って、穴を隠してしまうのだ。

「コンピュータのペンキの色合わせ手順に従い、その場でペンキを調合して壁を塗り直すんだ」とグレーヴァーは言う。

隠しマイクや隠しカメラを設置する際、人間の髪の毛ほどの細さの光ファイバーで音声や画像を送信することがある。そのため、盗聴器解除の専門家にも、電子の放出を検知されることはない。傍受した会話を転送するケーブルを這わせる場所としては、エレベーターシャフトが最適だ。

盗聴機器はＦＢＩの工学研究施設で作られる場合もあれば、サンディア国立研究所などの、新しい通信傍受技術を開発している施設に外注する場合もある。

音声や画像は、暗号化された無線送信によって遠隔監視されている。金銭の受け渡し場面を撮影できる他、コンピュータのキーボード上の操作をビデオで記録することもできる。また、ターゲットのコンピュータに、データの暗号化を阻止する隠しソフトをインストールする場合もある。通常、盗聴機器は遠隔操作可能だ。ときには盗聴器解除の専門家がオフィスや住居を一掃している音が聞こえてくることもあるが、ほとんどの場合、発見されることはない。

「盗聴機器の撤去が行なわれることがあらかじめわかっていれば、避けるのは簡単だ」とグレーヴァーは言う。「彼らが捜しているのは、電波など、電子機器の存在を示すはっきりとした証拠だ。遠隔操作で装置の電源を切ってもいいし、建物を破壊しなければ発見できないほど深く装置を埋め込んでおくのもいい」

ひとつの仕事が終われば、捜査官らはサポートセンターの仲間に報告し、全員で作戦の分析を行なう。

この計画が開始された当初は資金が乏しく、ピッキング器具を購入するにも煩瑣な官僚的手続きが必要だった。ジェームズ・コールストーム捜査官は、ニューヨーク支局時代も、後にワシントン支局のエンジニア部長となってからも、必要な資金を獲得するために本部と戦ってきた。マクデヴィットによれば、コールストームは「必要なものを言ってくれ。我々が何とかする」と捜査官たちによく言っていたそうだ。

一九八〇年代初期にニューヨーク支局で、あるマフィアの自宅に早急に盗聴器を仕掛ける必要が生じた。ところが盗聴器が手に入らなかったので、別の場所に設置されている盗聴器を外して利用することにした。その場所とは、タイムズスクエアにあるホテルの、ボナンノ一家の構成員が借りている部屋だった。

ただし、ひとつ問題があった。その部屋はマフィアの避難所として利用されており、常に誰かが隠れているのだ。そこで、監督官のジョー・カンタメッサが一計を案じた。彼はマクデヴィットの助手としてTacOpsを率いるアターロに、マフィアに扮してホテルの部屋をノックするよう命じた。果たしてマフィアの男はドアを開けた。上半身裸だった。

アターロは貸した金を返せと男に文句を言った。彼はシチリア島出身で、シチリア語を効果的に交えながら話すことができた。

「私は幼馴染のイタリア人の名前を出し、金を返してもらいに来た、と言った」とアターロは言う。「男は、何の事かわからんがトニーに話してみろ、と言った。なかなか親切なやつだったよ」

数分間のやりとりの後、アターロは立ち去った。その後、カンタメッサが男の部屋をノックした。カンタメッサはFBI証を見せ、ついさっきドアをノックした男を確認してほしいと要請した。

マフィアの男は同意した。カンタメッサは男を表通りに連れ出した。そこでは捜査官らが一芝居打ち、アターロを少々手荒に逮捕するふりをしていた。

「壁に叩きつけられ、向こうずねを蹴っ飛ばされたよ」とアターロは言う。「私は警察の不当な暴力を訴え、お前らみんな刑務所送りにしてやる、と怒鳴ってやった」

その間に、他の捜査官たちはまんまと男の部屋に忍び込み、必要な盗聴機器を回収したのである。

TacOps捜査官らが午前二時にCIA幹部のオルドリッチ・エイムズの自宅に侵入した際には、侵入を防ぐ用心のつもりか、地下室のドアの鍵穴に詰め物がしてあった。捜査官らは詰め物を取り除き、警報システムを解除することができた。用心深いエイムズとは対照的だったのが、

FBI捜査官のロバート・ハンセンだ。彼は自宅に防犯システムを備えてはいたが、昼間にTacOps捜査官が侵入したところ、外出前に警報をセットすることさえしていなかった。唯一厄介だったのは、彼の大勢の子どもたちが家に出入りする時間帯を把握しておくことだった。

極秘侵入が事件のターニング・ポイントとなることも多い。

「一部の組織犯罪容疑者に対しては、何年もかけてもっともらしい理由を作り、極秘侵入を裁判所に認可させる」とグレーヴァーは言う。「我々は隠しマイクを設置する。普段は彼らも油断しているから、安心して何でも包み隠さずしゃべっている。法廷では法を順守する協力的な市民を装っていても、そうした会話を聞き、会合の様子を見れば、彼らの腹の中はすぐに読めるんだ」

適当な理由ができるまでの長い年月を経て、FBIはガンビーノ一家のボス、ジョン・ゴッティの根城であるマンハッタンのレヴナイト・社交クラブに隠しマイクを設置した。

「あの作戦について覚えているのは、夜になって『ターゲットが開店した』という電話が入り始めたことだ。我々は至急、人員を配置した」とグレーヴァーは言う。

捜査官らは、クラブの奥にある小部屋のテーブル付近の壁や、廊下や、上階のアパートの照明に、隠しマイクを設置した。コンセントや照明設備に盗聴装置を仕掛けることには、電力の供給が得られるのでバッテリー交換のために再度侵入する必要がないという利点がある。

盗聴テープには、マフィアの構成員を相手に、自分の強さとこれまでに「バラした」人物について語るゴッティの声が録音されていた。ゴッティはガンビーノ一家の手下だったルイ・ディボーノの殺害を命じた理由について、彼が単純なミスを犯したためと説明していた。つまり、ボスに敬意を払わなかったのだ。

「あいつが死なねばならん理由がわかるかね?」。高価な服装から「ダッパー(粋な)・ドン」と呼ばれたゴッティは、一九九〇年のディボーノ暗殺を事前に示した盗聴テープの会話の中で、相談役にこう語っている。「俺が呼んだときに、部屋に入ろうとしなかったせいだ。それ以外は何の落ち度もない」

それから間もなく、ディボーノの遺体が発見された。頭部に三発銃弾を受けていた。

「三〇日間で、『テフロン・ドン』を落とすのに十分な会話を傍受できた」とグレーヴァーは言う。「我々FBIについてひとつ言えるのは、必要とあれば実に忍耐強くなれるということだ」

一九九〇年一二月一一日、FBI捜査官とニューヨーク市警の刑事らはレヴナイト・社交クラブに強制捜査を行ない、ゴッティを逮捕した。ゴッティは連邦刑務所内の病院で二〇〇二年に癌で死亡した。

一方でグレーヴァーは、「ときどき、不法行為の内報を受けて調査した結果、その情報に正当な根拠がないと明らかになることがある。その場合、我々はすぐさま疑いを捨て、絶対に深追いすることはない」と言う。

FBIの最も大きな手柄のひとつは、一九八九年一〇月二九日に行なわれたあるマフィアの入会儀式を盗聴し、そのような組織犯罪が実際に存在することを、はっきりと証明したことである。

「ボストンの技術捜査官から、土曜日の午前九時半頃に電話がかかってきた」とマクデヴィットは語る。「彼はこう言った。『マイク、君の部下を二、三人、何とかこっちに寄こしてくれないか?

今夜マフィアの入会儀式が行なわれるという、確かな筋の情報があるんだ』」

マクデヴィットとアターロはFBI専用機でボストンに飛んだ。パトリアルカ一家の入会儀式が、翌日の晩、マサチューセッツ州メドフォードのギルド・ストリートにある住宅の地下室で行なわれることになっていた。

通りには民家が密集しており、目撃されずに通用口からターゲットの家に侵入するのは困難だった。捜査官の一人は隣家の夫婦を見張っていた。彼らの家の窓から、通用口がはっきりと見えるのだ。

ピッキングは時間がかかりすぎる恐れがある。それに、錠前を破れば元通りに鍵をかけるまで解錠された状態になり、警備員がそれに気付けば、極秘侵入がばれてしまうかもしれない。さらに、例えば大使館などで後から侵入を疑われた場合も、科学的に分析されればピッキングが発覚してしまう。捜査官は侵入後に再度ピッキングして、施錠し直さなければならないのだ。こうした問題を解決するために、商業ベースには乗せられない、ある装置が開発された。それは、錠前の構造を解読して複製を作り、そこから合い鍵を作る装置だ。問題が発生した場合やバッテリーを交換するときに再度侵入できるよう、作製した合い鍵は支局に残していく。

入会儀式が行なわれる予定の住宅に盗聴器を設置し、マクデヴィットとアターロは既存の電話回線でその音声を送った。儀式の翌日、二人は地元支局の捜査官から、四人の男がロードアイランドを縄張りとする組織犯罪のボス、レイモンド・L・「ジュニア」・パトリアルカの配下に入ったことが明らかになったと知らされた。

四回にわたり、ビアジオ・ディジアコモは宣誓を行なった。「家族と友人全てを守るために、組織への入会を望みます。秘密を守り、愛とオメルタを持って服従することを誓います」

オメルタとは、マフィアの構成員《メイド・マン》が従うべき沈黙の掟を指す。オメルタを破る者には、死の制裁が待っている。

「組織に入れば、抜ける方法はただひとつ、死あるのみ」とFBIの盗聴テープでディジアコモは語っている。「秘密を漏らした者に希望はない。キリストも、聖母マリアも、救うことはできない」

入会者の人差し指から血を採った後、パトリアルカ一家の守護聖人が描かれたカードが燃やされた。この盗聴テープによって、入会儀式に参加した一七人全員が刑務所に送られた。

TacOpsに配属されていた間、グレーヴァーは年間一七〇日も出張に出ていた。感謝祭やクリスマス、大晦日やイースターなどの休暇中にも働かなければならないことが多かった。なぜなら、それらの休日は――ラマダーンも加えて――見咎められずに住宅やオフィスに侵入できる絶好の機会だからだ。その一方、仕事のスケジュールは柔軟で、任務の合間を縫って休暇を取ることができた。特別にデリケートな任務を成功させたときに、奨励賞を与えられたこともある。捜査官らは自分の仕事にしばしば関係してくる事務手続きを嫌うものだが、極秘侵入の遂行という仕事には、事務作業はほとんどない。

「ふたつの州を除いて、アメリカ全土を回ったよ。休暇を過ごすのに最適なリゾートも、全て下見した。それというのも、作戦が行なわれるのはそのような場所が多いのでね」とグレーヴァーは言う。「自宅に電話が入り、旅行鞄をさっと手にとって『行ってくるよ！　ＦＢＩが、アメリカが私を必要としているんだ！』と家族に告げるときの気分は最高だね」

捜査官はＦＢＩや国防総省の飛行機に乗る機会が多い。

「着陸すると、待っていた人々が『来てくださって、感謝します！』と出迎えてくれる。そんなときは、風にスカーフをなびかせたヒーローのような気分だ。極秘任務で悪役のオフィスに侵入する、ジェームズ・ボンドになった気がするよ」

難点と言えば、住宅やオフィスに侵入する際に、銃で撃たれる恐れがあることだ。これまでのところ、捜査官が銃撃される事態は発生していない。しかし、そうした理由で、武装した捜査官しか極秘侵入に参加できないのだ。

「実に幸運なことに、侵入を発見されて銃撃を受けたことはない」とグレーヴァーは言う。「以前、監視カメラに撮影されたことはあった。しかし、不審な点が何もなくて、支障もなければ、警報は鳴らない。だいたい、監視カメラのテープなどいちいちチェックされないからね」

「もし見つかったら、何はともあれ逃走する」とグレーヴァーは言う。「第二の選択肢は、我々の身分を明かして説得することだ」。しかし、強盗にＦＢＩだと言われて信じる人はほとんどいない。そこで、発見されたときの用心として、捜査官は電気ショックを与えるテーザー銃を携帯している。

防護服の着用を選択することもできるが、「ＴａｃＯｐｓメンバーのほとんどは、服の下に防弾チョッキを着ているのがわかれば警戒されるとか、身体の動きが制限されるとか、あるいはその両方だと考えている」とグレーヴァーは言う。「大切なのは発見されないことであり、武力対決は避けるべきだというのが、大方の意見だ」

しかし、最悪の事態が発生した場合は、ＴａｃＯｐｓ捜査官には殺傷武器を使用する許可が与えられている。

「政府がその場に立ち入ることを合法的に認める裁判所命令を受けているんだ」とグレーヴァーは言う。「殺傷武器で脅された場合、捜査官は自分の財産を守っていると思い込んでいる相手に対し、殺傷武器を使用することができる。連邦政府が多くの法的責任を負うことになろうと、個々の捜査官は、良心に従って行動する限り責任を問われない。だが、それは本当に最後の手段だ」

第3章

赤いドレス

J・エドガー・フーヴァーが長官を務めていた初期の時代、FBIは大使館への侵入を極めてデリケートな問題と見なしていたので、敢えて長官に極秘侵入を行なう許可を申請しようとする者はいなかった。もし何か問題が発生すれば、捜査官も監督官も責めを負わねばならないからだ。そこで捜査官らは大使館に侵入して盗聴器を仕掛け、コードブックを盗んだ後で、フーヴァーに極秘侵入の許可を求めるメモを書き、末尾に「安全を保証します」と書き添えた。それを読んだFBI職員は、極秘侵入がすでに滞りなく成功したことを理解した。そこで彼らは安心してメモに署名し、フーヴァーに転送したのである。

このような見え透いた茶番劇は、フーヴァーのFBI運営方法を象徴するものだ。一方で、フーヴァーは完璧主義者だった。ワシントン南東部のスワード・スクエアの家で過ごした少年時代には、毎朝メイドがトーストの上にポーチド・エッグを載せた朝食を用意していた。卵の形が崩れていようものなら、フーヴァーは決して手をつけず、必ず作り直させた。不格好な方の卵は、愛犬のエアデール・テリア「スピー・デ・ボゾ」に与えてしまうのだ。

完璧を強く求めたフーヴァーは、研究所の中で犯罪を解明する技術を、時代に先駆けて利用した。コンピュータが導入される以前に、フーヴァーはファイリングや検索のシステムを作り上げ、膨大な量の情報を効率的に管理した。彼は指紋登録制度を確立した。ＦＢＩは実質的に、フーヴァーが作り上げた機関だったのである。

しかし、フーヴァーの弱点と奇行は伝説的だった。捜査官として恥ずべき行為をした者がいれば、フーヴァーは自分自身が中傷されたように感じた。フーヴァーは自らの哲学を「局を辱めるな」という言葉で表したが、そこには「私を辱めるな」という意味も含まれていたのだ。フーヴァーに関する限り、彼自身がＦＢＩだった。そして部下の捜査官たちは、彼の家族だったのである。

フーヴァーが捜査官たちに非常に恐れられていたことを示す例として、フーヴァーのメモの逸話がある。ある回報に「ボーダーに注意のこと！」と走り書きされていたことから、本部の職員たちはメキシコかカナダの国境《ボーダー》で問題が発生したと思い込んだ。

「『我々の知らないことがあるなら教えてくれって、率直にフーヴァーに訊ねればいいじゃないか』と言う者もいた」と、フーヴァーの主任補佐官を務めたカーサ・Ｄ・「ディーク」・デローチは回想する。「だが、自分の無知を曝すようなまねは、誰もしたがらなかった」

デローチによれば、捜査官たちは税関に問い合わせてみたものの、国境付近で事件は何も発生していなかった。数日後、メモを見直していたある監督官が、そのメモが書かれた回報は、ぎりぎりまで余白を詰めてタイプされていることに気付いた。常に細心の注意を払うフーヴァーは、ペンを取ってこう走り書きしたのだ。「行間《ボーダー》に注意のこと！」

　他にもフーヴァーの奇行として、職場でコーヒーを飲むことや、色つきのシャツを着ることを禁じた例が挙げられる。コーヒーを飲んだりすれば、決して休息しない勤勉なスーパーマンというFBI捜査官のイメージが損なわれるというのである。こうしたフーヴァーのご託宣の結果、捜査官らは自分のデスクでコーヒーを飲む代わりに、わざわざ時間を割いて喫茶店を探しに出かけねばならなかった。

　しかしさらに重大な点は、フーヴァーがマフィア問題に目をつぶっていたことである。禁酒法のために、マフィアが酒類業を支配し、警察に賄賂を贈ってお目こぼしをもらっていた。暗黒街の殺人で恐怖を浸透させることによって、マフィアはほとんどの主要都市で、全米トラック運転手組合などの労働組合を乗っ取り、建設業やごみ収集業、衣服製造業や輸送業などの主要産業を牛耳った。犯罪組織が勢力を増すにつれ、政治にも影響を及ぼすようになっていった。マフィアは裁判官や警察署長の任命にも決定権を持っていた。こうした癒着によって、組織犯罪は触れてはならない問題と見なされていたのである。マフィアが国家に対する支配力を強めているにもかかわらず、組織犯罪は合衆国に対する唯一最大の犯罪的脅威であるという周知の事実を、フーヴァーは否定し続けた。フーヴァーは、マフィアの構成員は地方のチンピラに過ぎず、全国的犯罪組織に関与していないと主張していたのだ。

　しかし一九五七年一一月一四日、ニューヨーク州警察は、多くの州から集まった六三人のマフィア首領らが会合を開くことを突き止めた。場所は、ニューヨーク州アパラチン村郊外の人里離れた丘にある、ジョゼフ・バーバラ・シニアの屋敷だ。もはや組織犯罪は地元の問題だと言い張れなくなったフーヴァーは、しぶしぶマフィアへの取り締まりを開始した。しかし、フーヴァー時代のFBIにおける成功の指標は、事件の質ではなく統計的数値だった。

「当時のFBIには、全ての事件は平等であるというナンセンスが根強くまかりとおっていたからね」と、ニューヨークの組織犯罪捜査に当たった捜査官、ダン・ライリーは語る。「ホイールキャップ泥棒を二人捕まえる方が、史上最大の詐欺師バーナード・マドフを逮捕するより高く評価されるんだ。また、その頃のFBIには、軍隊上がりのタフで荒っぽい人間が大勢いた。連中に言わせれば、知的犯罪は女々しいやつのすることだった。彼らが好んだのは、現金輸送車強盗とか、銀行強盗とか、誘拐犯たちだ。一九六〇年代後半には、ニューヨーク支局にさえ、マフィアの追跡をくだらない仕事と見なす風潮があった」

当時ニューヨーク支局には組織犯罪捜査班がふたつ存在し、ひとつは違法宝くじを、もうひとつはノミ行為を取り締まっていた。一九七〇年代後半になると、一五人から二〇人の捜査官からなる特捜班が五つ組織され、ニューヨークに存在する五つのマフィア一家の追及に乗り出した。捜査官らは、マフィア構成員の背景——生年月日、シチリア島からの不法入国者であるかどうか、犯罪歴の有無、親戚関係——の洗い出しに取り組んだ。

「徐々にではあるが、ニューヨーク市警の第一線で働く刑事たちの惜しみない協力のもとに、FBIはマフィアの主要人物を突き止め、捜査の的を絞り始めた」とライリーは言う。「そして、それらの人物に事情聴取を行なった当時、FBIは絶大な信頼性を有していた。これらの人物に関するFBIの知識は、秘密犯罪社会の人間にとって、脅威そのものだったんだ」

警察の腐敗も蔓延していた。

「警察署のお偉方に、面と向かって自慢されたことがある。自分たちは賭博運営からのクリーンな金しか受け取らない、麻薬取引の汚れた金には指一本触れはしない、と」とライリーは言う。「私は内心ぞっとした。連中の横っ面をひっぱたいてこう言ってやりたかったよ。『麻薬取引をやっている連中が、賭博を仕切っているんだ』と」

コロンボ一家のボスは毎日、自分の白いロールスロイスをブルックリン消防署の正面にあるバス停に駐車していた。

「そこが彼専用の駐車場だった」とライリーは言う。「誰もその場所に車を停めることはできなかった。そして地元警察は、こうした事態をFBI捜査官から直々に知らされていた。だが、その車に違反チケットが切られたり、レッカー移動させられたりしているところを、私は一度も見たことがない」

腐敗は政界にも浸透していた。コロンボ一家の一人がライリーに語ったところによると、彼は禁酒法時代、元大統領ジョン・F・ケネディの父親ジョセフ・P・ケネディと、酒の密売で争ったという。名門ケネディ家の始祖は、酒を密輸入するための船舶を多数所有していたのである。

後に標準的手法となるのだが、FBIは一九七二年、企業から金を強請るマフィアを逮捕する目的で、ブロンクスにごみ収集会社を設立することを決定した。その一方で、マフィア内部に情報提供者を育成した。その中には、コロンボ一家の構成員グレゴリー・スカルパもいた。

「スカルパは情報提供者であると同時に、百科事典でもあった」とライリーは言う。「組織犯罪に関することなら、いつでも、どんなことでも教えてくれた。スカルパ担当の捜査官を通じて質問すれば、ものの数分でデスクまで答えが届けられるか、電話がかかってきた。そして、その情報は常に一〇〇パーセント正確だった」

あるとき別の情報提供者が、ジェノヴェーゼ一家がFBI捜査官の殺害を計画していると知らせてきた。ライリーはジェノヴェーゼ一家のボスの自宅前まで歩いていって、メッセージを伝えた。ライリーはボスをニックネームで呼び、こう言った。「ファンジ、このところ妙な噂を聞くんだ。お前たちが、FBI捜査官を殺す計画を立てているってな。今のところ、FBIは一日の半分しか仕事をしていない。アーカンソーやオレゴンから来た捜査官たちは、残りの半日を、どうやって郷里に帰ろうかと考えて過ごしているんだ。もしお前らがFBI捜査官を殺れば、俺たちはフルタイムどころか、残業までして働くことになるだろう。そうなれば、この先数か月間は、逮捕や有罪判決がどっと増えることになるぞ」

一九七二年にフーヴァーが他界すると、ようやくFBIは重い腰を上げ、マフィア一家のボスを全員逮捕するための長期的戦略を立て始めた。しかし、その頃にはマフィアは非常に強い勢力を持つに至っており、撲滅することは困難だった。

フーヴァーが組織犯罪捜査に取り組むことを嫌った理由については、これまでに多くの説が唱えられている。アンソニー・サマーズは、著書『大統領たちが恐れた男——FBI長官フーヴァーの秘密の生涯』（水上峰雄訳、新潮社）の中で、フーヴァーが組織犯罪を追及しなかったのは、マフィアに弱みを握られていたためだと主張している。サマーズはシェンレー社の会長ルイス・S・ローゼンスティールの前妻スーザン・L・ローゼンスティールの言葉を引用し、一九五八年にプラザホテルで開催されたパーティーで、スーザンの当時の夫とジョー・マッカーシー上院議員の元主任顧問ロイ・コーンの前に、女装をしたフーヴァーが現れたと書いている。

「スカートに襞飾りがついている、ひらひらした——やたらにひらひらした、黒のドレスにレースのストッキング、ハイヒールとカールしたブルネットの鬘、という格好でした」と、サマーズはスーザンの言葉を引用している。「メーキャップをしていて、付けまつげまでもしているのがわかりました」（前掲『大統領たちが恐れた男』）

スーザンの主張によると、一年後に再びプラザホテルでフーヴァーを目撃したという。このときは、FBI長官は赤いドレスを着て、首に黒い毛皮の襟巻をしていた。彼は聖書を抱えており、金髪の少年に優しく抱かれながら、もう一人の少年に聖書の一節を読めと命じていたというのだ。

かつて酒類の密売業者だったルイス・ローゼンスティールは、マフィアと親交があった。しかし、二〇〇九年に死亡したスーザンは、信頼に足る目撃者とは言えなかった。実際のところ、一九七一年に彼女自身が偽証罪でライカーズ島刑務所に送られている。

「スージー・ローゼンスティールには、完全に裏の意図があった」と、司法省で組織犯罪の告発に携わったウィリアム・G・ハンドレーは言う。「私の部下の一人が彼女と話をしたところ、あれ（フーヴァーが女装していたという話）は、まったくのでっちあげだった。彼女はフーヴァーを嫌っていた。彼が何らかの悪事を行なったと申し立てていたんだ。何より、彼女の話は到底信じられるものではない」

副長官のクライド・トールソンとの関係に関する憶測は常に付きまとっていたが、フーヴァーが女装していたという噂は、ＦＢＩの内外を問わず全く存在しない。元ＦＢＩ副長官補のオリヴァー・「バック」・レヴェルは、もしマフィアがフーヴァーについて何かつかんでいたとしたら、その内容は、アパラチン会議以後、犯罪組織に仕掛けられるようになった盗聴器で傍受されていたに違いない、と述べている。しかし、そのような報告は一切なかったとレヴェルは言う。

フーヴァーはたいていの大統領よりも有名だった。そのフーヴァーが、プラザホテルのように大勢の目撃者がいる場所でそんな振る舞いをしながら、噂が一切流れないということはあり得ない。

その一方で、いずれも独身を通したフーヴァーとトールソンは、切り離すことのできない仲だった。毎日昼食を共にし、夕食もほとんど一緒にとった。休暇中も一緒に過ごし、隣同士の部屋に滞在し、親しみのこもった写真を撮り合った。

一九五〇年代から、ＦＢＩはワシントン支局から定期的に捜査官を数名派遣し、身辺警護としてフーヴァーとトールソンを控えめに尾行させていた。この任務は「フーウォッチ」と呼ばれ、かつて任務に携わった捜査官Ｒ・ジーン・グレイによると、二台のＦＢＩ公用車に分乗した捜査官が、一日の終わりに司法省から退出するフーヴァーとトールソンを尾行するというものだった。二人は捜査官らに監視されていることは知っていたが、通常は彼らに気付くことはなかった。

「我々は二人が夕食をとるレストランまで後をつけた」とグレイは言う。「その後、トールソン

FBI長官J・エドガー・フーヴァー（写真右）は、
副長官クライド・トールソン（同左）と夫婦同然の関係にあった。
フーヴァーは休暇をトールソンと過ごし、財産も彼に遺した。（写真提供＝AP通信）

をカテドラル通りにあるアパートに送り、そこでトールソンは車を降りる。それからフーヴァーの自宅に向かい、そこで夜を明かす。翌朝フーヴァーに随行してトールソンを迎えに行き、ロッククリーク・パークを抜けてコンスティテューション通りに出、司法省に出勤した」

「二人の関係について、さまざまに憶測したものだ」とグレイは言う。「しかし、もし長官が何かスキャンダルを起こせば、ものの三〇分で全国のFBI支局に知れ渡っていたはずだ」

それでも、フーヴァーが私生活を男性と過ごし、愛情を込めて写真を撮り合ったという事実は、彼がホモセクシュアルであったことを示している。フーヴァーは四三歳で母親を亡くすまで、彼女とともに実家で暮らした。彼は財産をトールソンに遺した。フーヴァーが自分の性的嗜好を認めなかったか、認めていても抑圧していた可能性はあるが、トールソンと性的関係を持っていた可能性も考えられる。何といっても、彼らは頻繁にお互いの自宅で二人きりで過ごしていたのだ。彼らが相手に示した愛着を考慮すれば、フーヴァーとトールソンは、広い意味で夫婦同然の関係にあったと言えよう。

第4章 極秘ファイル

極めて複雑な人物だったフーヴァーは、何事も成り行き任せにはしなかった。世界最大の法執行機関として知られる組織を築き上げたからといって、必ずしも権力の座に居座り続けるわけにはいかないことに、彼は抜け目なく気付いていた。そこで長官就任後、フーヴァーは特別な「公式かつ機密」ファイルを作成し、自分のオフィスに保管し始めた。広く知られるようになったこの「極秘ファイル」のおかげで、フーヴァーは好きなだけ長官の地位にとどまれることが保証されたのである。

フーヴァーの擁護者たち――次第に数は減りつつあるが、いまだに彼を「ミスター・フーヴァー」と呼ぶ年配の元捜査官たち――は、彼の「公式かつ機密」ファイルは、連邦議会議員や大統領の脅迫に利用されたのではないと主張している。フーヴァーが政治的指導者たちのデリケートな情報を収めたファイルを自分のオフィスに保管していたのは、若い文書係がファイルを読んでゴシップを広めないための用心だったというのだ。それらのファイルは他のＦＢＩファイルに比べ、特に秘密にされていたわけではない、とフーヴァーの支持者たちは言う。

仮に、それらのファイルがフーヴァーのオフィスに保管されていたのは、好奇心の強い文書係から守るためだったという主張をもっともだとしよう。しかし、捜査中のスパイ事件に関する極秘情報が含まれた、はるかにデリケートな扱いを要するファイルが、中央ファイルの中に保管されていたことも、また確かなのだ。もしフーヴァーが本当に情報の流出を警戒していたというなら、それらのファイルの高度な機密情報についても、もっと慎重であってしかるべきだっただろう。

さらに、「公式かつ機密」ファイルは他のファイルとは違い、フーヴァーが決して公的に言及しないという意味でも秘密だった。フーヴァーはそれらのファイルに、秘密であることを示す「機密《コンフィデンシャル》」の名を冠することによって、他のＦＢＩファイルとは区別していた。しかし、それらが秘密であるかどうかと、保管される場所とは無関係だった。重要だったのは、フーヴァーがそれらのファイルやその他のＦＢＩファイルに収録された情報を、どのように利用するかという点だったのである。

「ある上院議員について（フーヴァーが）情報を握るやいなや、彼はその議員に使いを送った。『我々は捜査の過程で、偶然あなたの娘さんに関するある情報をつかみましたので、こうしてお知らせするしだいです。おそらく、知っておかれた方がいいと思いましてね』と。まったく、その上院議員にとってそれが何を意味すると思うかね？　その瞬間から、彼はフーヴァーの手の内に入ったも同然なのだよ」と、フーヴァー時代のＦＢＩでナンバー3の座にいたウィリアム・サリバンは述べている。

犯罪記録課に所属していたローレンス・Ｊ・ハイムは、ＦＢＩが連邦議会議員のもとに捜査官を派遣し、フーヴァーが彼らに関する不名誉な情報をつかんだことを知らせていたという事実を裏付ける証言をしてくれた。

「彼（フーヴァー）は極秘で使いを出すんだ」とハイムは言う。例えばワシントンの警視庁が議員のホモセクシュアル行為の証拠をつかんだとすれば、「彼（フーヴァー）は使いにこう言わせる。『この行為は警視庁や我々の情報提供者に知られています。それを知っておかれることが、一番あなたのためになるでしょう』。だが、誰一人脅迫されたと苦情を申し立てる者はいなかった。事実は君が察する通りだが」

もちろん、脅迫されたことを誰も表立って訴えないのは、脅迫という行為が本質的に、人々が公にしたがらない不名誉な情報の収集を含んでいるからだ。しかし、皆が皆、言いなりになるわけではない。

カール・T・ハイデン上院議員の行政補佐官ロイ・L・エルソンは、連邦議会とFBIの連絡係であるデローチとの出会いを、決して忘れないだろう。ハイデンは二〇年間にわたって上院議事規則議院運営委員会の委員長を務め、後に上院歳出委員会の委員長も務めた。これは、FBIの予算を決定する権限を持つ機関である。ハイデンは、連邦議会で最も強い権力を持つ人物の一人だった。後年、アリゾナ州選出の民主党上院議員であるハイデンが老人性難聴と軽度の認知症を患うようになると、エルソンは「一〇一人目の上院議員」として知られるようになった。ハイデンに代わり、彼が重要な決断を下すことが多くなったためである。

一九六〇年代初め、デローチはFBI本部ビルの新築費用として、追加歳出を要求した。本部ビルの新築については、一九六二年四月に議会の承認が得られた。

「ハイデン上院議員は、新しい本部ビルの建設を支持した」とエルソンは言った。「彼はFBIには常に必要以上の金を与えていた。その上さらに追加歳出を認めろという要求だ。それについては、私は留保にした。だが、デローチはしつこかった」

デローチは、「あなたにとって好ましくない、結婚生活を損なう恐れのある情報をつかんでいます。上院議員に知れれば、不興を買うかもしれませんね」とエルソンに「ほのめかした」という。当時、エルソンは二人目の妻と結婚していた。「確かにその方面は、私の弱みだった」とエルソンは言った。「(つきあっていた)女性は複数いた……彼の口ぶりでは、私の女性関係に関する情報をつかんでいるようだった。彼が何を言わんとしているか、私にははっきりとわかっていた」

そこでエルソンはデローチに言った。「では、それについて彼(上院議員)にお話ししましょう。彼は私に関する噂は、もう全てご存じだと思います。写真があるなら、それも持ってきてください」。その時点で、エルソンは言った。「デローチは次第に弱腰になっていった……『なに、ちょっとした冗談ですよ』と彼は言った。実に失敬きわまる！　彼は私を脅迫しようとしたのだと解釈した」

エルソンの申し立てについて、デローチは「そのような事実は一切なかった」と語っている。

現存する「公式かつ機密」ファイルを読む限り、それらの情報を収集した目的が脅迫以外になかったことは明白である。例えば一九五八年六月一三日、ワシントン支局長がフーヴァーにある情報をもたらしている。ある連邦議会議員の妻が、結婚前に「黒人と性的関係を持ち、(さらに)

一時郵政省職員と不倫していた」というのだ。その報告によると、最近その妻は「(ある)インドネシア人と性的関係を持とうとして拒絶された」という。

この断片的情報に対し、フーヴァーは六月二五日に次のように返信している。「目下の関心事についてご忠告いただき、感謝する。この情報はありがたく利用させてもらう」

「このようにして、連邦議会議員たちに我々が彼らに関する情報をつかんでいることを知らせていた。おかげで彼らはFBIの要求に唯々諾々と従わざるを得なくなり、フーヴァーの地位は安泰となったわけだ」と、かつてワシントン支局の支局長を務め、最終的にFBI副長官補となったジョン・J・マクダーモットは言う。

フーヴァーは大統領たちにも、彼らの弱みをつかんでいることを知らせた。例えば、一九六二年三月二二日、フーヴァーはケネディと昼食を共にしている。そのとき彼は、FBIが盗聴によって大統領が二五歳の離婚経験者ジュディス・キャンベル・エグズナーと不倫関係にある事実をつかんだことを告げ、エグズナーがシカゴのマフィアのボス、サム・ジアンカーナとも関係を持っていることを明かしたのだ。そのような情報をつかんでいるフーヴァーを罷免できる大統領は、一人もいなかった。

リンドン・B・ジョンソン大統領が言ったとおり、「彼(フーヴァー)をテントの中に置いて外に向かって小便させる方が、テントの外から中に向かって小便されるよりましだ」ということなのだろう。

フーヴァーの死後、多くの機密ファイルが破棄された。それらの中で、かつては決して表沙汰にされることのなかったもののひとつが、ロサンゼルス支局の支局長を務めていたウィリアム・サイモンがFBI本部に送ったテレタイプである。彼がそのテレタイプを送ったのは、一九六二年八月五日、マリリン・モンローがカリフォルニア州ブレントウッドの自宅で死亡した直後のことだった。そのテレタイプを目にしたデローチの弁では、モンローの死の直前、当時の司法長官ロバート・F・ケネディが、彼女に会いに行くためにサイモンの自家用車を借りたという。

サイモンの息子グレッグが、この話を裏付けている。「父は、ロバート・ケネディに自分の白いリンカーン・コンヴァーチブルをたびたび貸していると言っていました。だからうちは週末に車がないことがよくあるのだ、と」。サイモンの娘ステファニー・ブラノンも、父親がケネディに車を貸していた事実を認めており、一度、司法長官がレイバンのサングラスをグローブボックスに忘れていったことも記憶していた。

司法長官であるケネディは、FBIの警護部隊に自動車を運転させる権限を持っていた。その彼がサイモンの自家用車を利用する方を選んだという事実は、モンローとの密会のためにケネディに自分の車を貸したという、ウィリアム・サイモンの本部への報告内容と一致している。彼とモンローの最後の、おそらくは別れ話をするための密会が、彼女の自殺の引き金になったかもしれないという推測は、妥当なものであろう。

フーヴァーが彼のファイルに収められた情報を脅迫に利用していた証拠は数多く存在するが、たいていの場合は、脅迫する必要さえなかった。彼がそのような情報をつかんでいることを認識させるだけで、政治家たちをおとなしくさせるには十分だったのだ。

司法長官ロバート・F・ケネディはロサンゼルス支局長ウィリアム・サイモンに
自家用車を借り、自殺する直前のマリリン・モンローと密会していた。
（写真提供＝AP通信）

結局のところ、やむを得なくなるまでフーヴァーが組織犯罪を追及しなかった理由は、連邦議会議員に関するファイルを保持していた理由と同じである。フーヴァーは他の何よりも、自分の地位を守ることを望んでいた。多くの連邦議会議員は——地元の有力政治家は言うに及ばず——犯罪組織と関係を持っていたため、マフィアを追及すれば、FBI長官の地位が奪われる可能性があった。マフィアは大統領と同じくらい強い権力を持っていた。完璧主義者のフーヴァーは、有力者を相手どって敗北する危険を冒したくはなかったのだ。

これと同じ理由から、フーヴァーは訴追を目的とした政治汚職捜査を行なおうとはしなかった。FBI長官であるフーヴァーには、マフィアと悪徳政治家の両方を追及する義務があった。しかし、世論の圧力によって組織犯罪捜査を行なわざるを得なくなるまで、それらふたつのターゲットは不可侵なものとされていたのである。

一九七二年五月一日、フーヴァーの個人秘書ヘレン・ガンディは、ジャック・アンダーソンによる一連の暴露記事の第一回をフーヴァーに手渡した。ワシントン・ポスト紙にコラムを掲載しているアンダーソンは、以前ある記者に命じてフーヴァーの自宅のゴミを調べさせ、彼の怒りを買ったことがあった。そのときのコラムでは、フーヴァーは毎週日曜日にポーチド・エッグとパンケーキという、栄養たっぷりの朝食をとることが明らかにされた。また、フーヴァーの自宅で使用されている歯磨き粉や洗剤、シェーヴィング・クリームの銘柄も明かされていた。今回のコラムでは、FBIがマーティン・ルーサー・キング・ジュニアの性生活を監視していた事実が暴露されていた。

キングは乱交パーティーに出かけていた他、彼の事務所に勤める若い女性と不倫関係にあったと、キングの事務所と自宅の監視と盗聴にあたっていた捜査官は語る。

「自宅の他に、キングはアパートを一室借りていた。毎週火曜日、キングはそのアパートに出かけていた。表向きは瞑想と、説教の原稿を書くということになっていた」。実際には、その部屋でキングは愛人と密会し、性交していたのである。

「局を辱めるな」を生涯のモットーとした人物にとって、好ましくない事実が頻繁に暴かれるのは、気の滅入ることであったに違いない。しかし、フーヴァーはめったに個人的感情を露わにしなかった。彼はまるでスフィンクスのように、友人に対しても家族に対しても、大衆に見せたような謎めいた顔を見せていた。ただ、個人的な付き合いでは、ユーモアのセンスを見せることもあった。

ときおりフーヴァーはにっこりと微笑んだり、ふざけてみせたりすることもあった。後に課報課長となったジェームズ・H・ギアは、訓練を修了したばかりの新米捜査官がフーヴァーと握手をしたとき、緊張のあまり自己紹介で「ミスター・フーヴァー」と名乗ってしまったことを覚えている。

「お会いできて誠に光栄です、ミスター・フーヴァー」と、FBI長官はにっこりと微笑んで言ったという。

一九七二年五月一日の午後六時直前、FBIのフーヴァーの運転手トム・モートンが、フーヴァーをトールソンのアパートに送っていき、そこで二人は夕食を共にした。午後一〇時一五分、モートンはフーヴァーを自宅に送った。

翌朝八時一五分、フーヴァー家の家政婦アニー・フィールズは不安を感じ始めた。その時刻には、シャワーの音が聞こえてくるはずなのだ。フーヴァーの朝食のトーストと半熟玉子とコーヒーは、いずれも冷めかけていた。以前FBIの運転手をしていたジェームズ・クロフォードが、庭にバラを植えるために訪れた。クロフォードがフーヴァーの様子を見に行くと、彼はベッドの隣の東洋風の敷物の上に、手足を広げて倒れていた。クロフォードは片方の手に触ってみた。すでに冷たくなっていた。

フーヴァーの裸の遺体を調べ、掛り付けの医師に話を聞いた後、コロンビア特別区検視官のジェームズ・L・リューク博士は、長官の死因を「高血圧性心疾患」とした。フーヴァーの恋愛生活に関する憶測の一部に、彼の性器は未発達だったという噂があるが、その事実はなかったとリューク博士は言う。

フーヴァーの遺言書が検認されたとき、彼の自宅を含む五六万ドルに上る遺産は、トールソンに遺贈されたことがわかった。現在の金額に換算すれば、実に二九〇万ドルになる。ガンディは五〇〇〇ドル、アニー・フィールズは三〇〇〇ドル、ジェームズ・クロフォードは二〇〇〇ドル受け取った。トールソンへの遺産贈与は、二人が親密な関係にあったことを示す決定的証拠となった。

フーヴァーは捜査官らに対しては、不適切に見える行為すら避けるべきだと説き、手錠を失くしただけでも罰を下した。ところがこの専横的なFBI長官の死後、司法省とFBIの調査により、彼が長年にわたってFBI職員を私用で働かせていたことが明らかになったのである。彼はワシントンのノースウェスト三〇番通り四九三六番地にある自宅の玄関ポーチや裏庭のデッキを、FBI職員に造らせていた。魚が泳ぎ、注水ポンプと照明設備を完備した池の造成や、棚の取り付けなどもさせていた。ペンキの塗り替えや庭の手入れ、庭土の入れ替えや人工芝の設置、庭木の植え付けや植え替えなどもさせていた。さらに、セコイア材のガーデンフェンスや敷石のある中庭と歩道も造らせていたのである。

FBI職員は、フーヴァーの時計の時刻合わせや、壁紙の張り替えや、納税申告書の準備もしていた。彼らが長官に贈った飾り戸棚やバーなどの多くは、彼ら自身が勤務時間中に制作したものだった。さらにフーヴァーは、自著『偽りの達人（*Masters of Deceit*）』の代筆をFBI職員らに命じ、利益の一部を着服していたのである。

一九七〇年代半ば、長官クラレンス・M・ケリーの指導のもとFBIがようやくフーヴァーの職権乱用について調査を開始した頃には、「多くの職員たちはすでにFBIを退いており、彼らに事情聴取を行なうために、全国を駆け回らねばならなかった」と、FBI調査特別委員会の委員長を務めたリチャード・H・アッシュは言う。「事情聴取を受けた捜査官は、待ってましたとばかりに自分のファイルを出してきて、自分たちがさせられた雑用の数々を洗いざらい語ったものだ。あんな風に利用されたことが、よくよく腹に据えかねていたのだろう」

「今日の基準に照らせば、フーヴァー（と一部の側近たち）は訴追されるだろう。それについて疑問の余地はない。実際、彼らは訴追されるべきだったのだ」と、元FBI副長官補バック・レヴェルは言う。「フーヴァーの罪状は、実際には執筆しなかった著書の売上げ金の着服と、政府の資金と資産の私的利用、そして、自宅のメンテナンスに政府職員を利用していたこと。これもまた、政府に対する詐欺行為だ。休暇中の出費を経費として請求したかどで、捜査官たちは訴追された。当時は当たり前のこととみなされていたそれらの行為は、現在では起訴に値するだろう」

「フーヴァーは長年にわたり優れた仕事を行なった」と、かつてワシントン支局長を務め、後にＦＢＩ副長官補となったジョン・マクダーモットは言う。「だが、途中で道を誤り、厳罰主義者になってしまった。ＦＢＩの恥となる行為の阻止に努めるうちに、ＦＢＩと自分を同一視するようになったのだ。誰もが彼の清廉さを称え、その過大な称賛を彼は事実と信じた。追従にだまされる人間は、誰でも弱さを持っているものだ」

フーヴァーは四八年間ＦＢＩの運営に携わった。一人の人間がそれほど長くＦＢＩに君臨することは、今後二度とないだろう。

一九七五年と一九七六年に、上院議員フランク・チャーチが委員長を務める諜報に関する政府活動調査特別委員会が、ＦＢＩとＣＩＡの職権乱用行為に関する公聴会を開いた。それらの行為には、マーティン・ルーサー・キング・ジュニアの監視や、非合法な盗聴や手紙の開封、そして「情報収集のための不法侵入《ブラック・バッグ・ジョブ》」が含まれていた。

これ以前は、連邦議会議員らはＦＢＩやＣＩＡの行動に関知しない立場をとっていた。後にチャーチ委員会と呼ばれるようになったこれらの公聴会で、不正行為の実態と、関心の欠如がそれらの機関の仕事の質を低下させた事実が明るみに出た。最終的に、公聴会は両方の機関を改善し、効果的な監視機構を確立した。

一九〇八年七月二六日、ＦＢＩが三四名の特別捜査官からなる司法省の無名の捜査局として発足した当時、連邦議会は国家的警察権力の創造に警戒心を抱いていた。そのため、捜査官らは当初、銃を携帯する権限さえ持たなかった。

権力が制限されていたにもかかわらず、ＦＢＩの職権と捜査手法の範囲に関する議論はたちまちのうちに浮上してきた。しかし、新たな脅威が出現すれば、そうした議論はうち棄てられるものである。連邦議会はやがて、ＦＢＩに新たな権力を与えることになった。

第5章 ウォーターゲートビル侵入事件

フーヴァーの死から六週間後の一九七二年六月一七日午前七時、FBI捜査官ジェリー・パングバーンの自宅に、ワシントン支局(WFO)の監督官から電話がかかってきた。

ワシントン支局の話では、首都警察は前夜、ウォーターゲートビルにある民主党全国委員会本部に侵入した五人の男を逮捕したという。電線が何本も突き出している、爆弾のような装置も発見された。そこで、爆発物処理班の監督官であるパングバーンに調べてほしいというのである。

パングバーンは爆発物処理班に所属する捜査官二人に電話し、装置の調査を命じた。一時間後、捜査官の一人が第二地区警察本部から電話をかけてきた。装置を見てもらいたいので、ワシントン支局に運ぶという。パングバーンは、訓練マニュアルの規則第一条は、オフィスに爆弾を持ち込まないことだと念を押した。

「心配いりません。人に危害を及ぼすものではありませんので」と捜査官は言った。

装置を一目見たパングバーンは、それが爆弾ではないことを了解した。それは、盗聴装置だった。民主党全国委員会の秘書のデスク脇の壁の、電子式ドアチャイムのプラスチックカバーに隠されていたという。

パングバーンはワシントン支局の支局担当特別捜査官（SAC）ロバート・G・クンケルに電話し、問題の装置が電子式盗聴器だったことを伝えた。クンケルは監督官に、メリーランド州ハイアッツヴィルに住むアンジェロ・J・ラノに連絡させた。強盗目的の不法侵入と考えた監督官は、ウォーターゲートビルに国際的宝石泥棒が押し入ったとラノに告げた。

中背で黒髪、口髭を生やした三三歳のラノは、軽犯罪捜査班に所属していた。ホテルやワシントン屈指の高級コンドミニアムも入っているウォーターゲートビルで発生した窃盗事件の捜査も、彼の職務のひとつだった。その日ラノは非番で、息子の野球チームの練習に出かけるところだった。ワシントン支局では、犯罪捜査官も防諜捜査官も週末返上で働いていたのである。

「私は行きませんよ」とラノは監督官に言った。「もう犯罪捜査班が到着しているんでしょう。息子の野球チームの練習があるんです」

クンケルは直ちに折り返しラノに電話した。

「何か問題でもあるのか」

「もう犯罪捜査班が出向いているんですよ。私は息子の野球の練習を見てやらなきゃならないんです」

「現場を知っているのは君だけだ。長くはかかるまい。ざっと調べて、すぐに戻ってくればいい」

それからの三年間、ラノはひたすらウォーターゲートビル侵入事件の捜査に忙殺されることになった。事件担当捜査官として、真相の解明と、ホワイトハウスと大統領再選委員会の関与を隠蔽しようとした人物たちに正義の裁きを下す責任を負っていたのだ。

ラノは同僚の捜査官ピーター・ポールに電話し、当時二三番通りとL通りの交差点にあった首都警察第二地区本部に車で連れて行ってくれと頼んだ。警察によると、強盗はビルの六階にある民主党全国委員会のオフィスで捕まったという。彼らはミノルタ社製三五ミリレンズのカメラふたつと高感度フィルム、トランシーバー、催涙ガススプレー、手術用ゴム手袋を携帯していた。

容疑者のうち二名が警察に対し、同じ偽名を名乗っていた。警察は指紋をもとに彼らの身元を割り出し、最終的に容疑者らの氏名は、バーナード・L・バーカー、バージリオ・R・ゴンザレス、ユージニオ・マルチネス、フランク・A・スタージス、ジェームズ・W・マッコード・ジュニアと判明した。全員CIAの関係者で、例えばマッコードは二年前までCIA保安局に勤務していた。

警察署で容疑者から押収した物品が入っていた機内持込用バッグの中身を開けたラノは、トイレット・ペーパーの中に隠された盗聴装置も発見した。警察は、それらの装置に気付いていなかった。もはやこれは、宝石泥棒事件ではない。彼らが目の当たりにしているのは、通信傍受事件だった。

容疑者のうち二名が宿泊していたウォーターゲート・ホテルの部屋を捜索した結果、警察は一〇〇ドル札の札束四つと住所録二冊を発見した。そのうちの一冊に、「WH」に勤務するE・ハワード・ハントという人物の名が記されていた。ワシントンの情報通の間では、「WH」はホワイトハウスを意味する。後に明らかになったところでは、ハントもこの侵入事件に関与していた。

さらに多くの証拠が明らかになると、ラノに事件の全貌が見えてきた。このウォーターゲートビル侵入事件の発端は、ニクソンの「鉛管工たち」による政治的情報獲得の試みであったが、今や巨大な隠蔽工作に発展していた。彼はさらに協力を要請した。二日以内に、彼が所属するC－2と呼ばれる第二犯罪捜査班から、二四名の捜査官がこの事件の捜査に割り当てられた。

捜査官らは直ちにホワイトハウスに注目したが、そこにはある障害が立ちはだかっていた。フーヴァー時代のFBIには、本部の許可なしにホワイトハウスの職員に事情聴取を行なってはならないという規則が存在したのだ。本部の承認が下りるまでには、通常四、五日を要した。ラノは事前の承認なしにホワイトハウスで事情聴取を行なう必要があることを本部に緊急に連絡し、許可を取り付けた。

FBIのほぼ全ての支局が手掛かりの調査に携わった。重要な事情聴取が全国規模で行なわれるため、捜査官らを事件に精通させたいとラノは考えたのだ。このときもまた、フーヴァーが作り上げたFBIの規則が立ちはだかった。捜査官が他支局の管轄地域に出張する際には、本部に許可を申請しなければならなかったのだ。ラノは自分の捜査班の捜査官らが、本部の許可なしで全国の主要な捜査対象に事情聴取を行なう承認を得た。

侵入事件から二週間後、捜査官のポール・P・マガヤネスが、大統領再選委員会（一般にCREEPの略称で呼ばれる）のマッコードの秘書に事情聴取を行なった。ホワイトハウスは全ての事情聴取に弁護士を同席させており、秘書の若い女性は進んで口を開こうとはしなかった。

「翌朝オフィスから連絡が入った。前日に事情聴取を行なった若い女性が、私に話したいことがあると言って電話してきたということだった」とマガヤネスは言う。「彼女の電話を私の自宅につないでもらったところ、彼女はこう言った。『私は昨日事情聴取を受けた者です。本当はお話しすることがたくさんあったのですが、ホワイトハウスの弁護士の前では何も言えませんでした。あなたとお話がしたいのですが』」

その女性はふたつの条件を提示した。FBIの公用車ではなく、マガヤネスの自家用車で迎えに来ることと、前日とは別の捜査官を同伴することである。何らかの理由で、彼女は事情聴取に同席したもう一人の捜査官が信頼できないようだった。

マガヤネスは捜査官のジョン・W・マインダーマンに同行を頼んだ。そしてマガヤネスの自家用車で女性を迎えに行き、ワシントンの市街地を車で走行しながら話をした。

「彼女は押し込み強盗の発覚後に起きたことについて、あらゆる情報を与えてくれた。マッコードとG・ゴードン・リディがオフィスに戻ってきて、書類などの証拠品一切をシュレッダーにかけ始めたというんだ。マッコードはその頃には保釈されていたからね」

その日は土曜日で、ワシントンは暑かった。車がオーバーヒートしそうになったので、マガヤネスは支局担当特別捜査官のクンケルに電話で指示を仰いだ。

「よし、ホテルに部屋を取れ。気の済むまでしゃべらせて、できる限り情報を引き出すんだ」

そこで彼らは最寄りのメイフラワー・ホテルにチェックインした。数時間かけて事情聴取を終えたとき、その若い女性は言った。「私がお話ししたことだけでもずいぶんお役に立ったと思いますけど、友人はもっと詳しい情報を持っているんです」

「そのご友人とは？」とマガヤネスは訊ねた。

「CREEPの会計士です。彼女はあそこで行なわれていることに、ずいぶん憤慨しているんです。皆さんがお知りになりたいことを、何でも知っていますよ」

その友人との会合の場を設けてほしいとマガヤネスが頼むと、本人に訊ねてから月曜日に連絡すると女性は返事をした。

「月曜日になっても、電話はなかった」とマガヤネスは言う。「私からは電話することができなかった。なにしろ、彼女はまだCREEPに勤めていたのだから。当時は携帯電話のようなものもなかったしね。火曜日になっても、やはり電話はなし。水曜日も同様だった」。木曜日になって、ついに女性が電話してきた。

「友人は、ぜひお会いしたいと言っています。でも、その前にあなたがたのことをよく知りたいそうです。本当に信頼できる相手かどうか見極めたい、と」

その会計士は、会合場所としてヴァージニア州ロズリンのキーブリッジ・マリオットホテルを指定した。彼女はそこで捜査官らと夕食を共にすることを提案した。

翌日の晩、捜査官らはマリオットホテルのラウンジで二人の女性と面会した。家族に関する世間話を交わした後、その会計士は言った。「お二人を信頼して、ウォーターゲートビルで起きたことについてお話しします。どうぞ何なりとお訊ねください」

その会計士は（後に彼女はジュディ・ホーバックという実名を公表した）メリーランド州ベセスダに

ある、彼女の自宅に場所を替えようと提案してきた。

「我々四人はホテルを出た。そしてこのとき初めて、CIAは事件とは無関係であり、数々のペテンや不法行為に関与していたのはホワイトハウスだったことが明らかになった」とマガヤネスは言う。「彼女によると、CREEPの金庫には、ホワイトハウスの側近が集めたおよそ三〇〇万ドルに上る現金が保管されているということだった」

ホーバックは、その金はウォーターゲートビルへの侵入などの不法行為に利用されていると証言した。

事情聴取は午前四時まで続いた。

「彼女は自宅で全てを打ち明けてくれた」とマインダーマンは言う。「我々はキーブリッジ・マリオットのラウンジで落ち合い、FBIの規則に反して酒を飲み、提案されるがままにメリーランド州郊外の自宅までついていった。彼女をこれほど尊重した理由は、三〇代前半という若さで夫を心臓麻痺で失い、子どもを抱えてメリーランド州郊外の小さな家に暮らすシングルマザーだったからだ。つまり、彼女は会計助手の仕事を切実に必要としていた。それなのに、勇敢にも全てを打ち明けてくれたのだ」

第6章 ディープ・スロート

ＦＢＩは、かつて一度も大統領の身辺を捜査したことはなかった。実際のところ、政府機関に対して捜査を行なうことさえめったになかった。フーヴァー時代のＦＢＩでは、地元の法執行機関と連邦議会は立ち入ることのできない聖域だった。ましてや現職の大統領や政府閣僚、ホワイトハウス高官たちについては、言うまでもなかった。

しかしフーヴァーが世を去った今、ＦＢＩ本部がウォーターゲートビル侵入事件と隠蔽工作の捜査に関して捜査官らに待ったをかけたのは、ただ一度だけだった。それは、ＦＢＩ長官代行のＬ・パトリック・グレイがニクソン政府の意向に従い、メキシコを通して集めた侵入計画の資金に関する詳細な調査を行なわない決定をしたときである。ＣＩＡのメキシコにおける活動を守るためだったというのが、ニクソンの主張だった。実際のところは、ニクソン自身が再選委員会に関与していた事実を隠蔽するための言い訳だった。その時間稼ぎは、わずか一週間しかもたなかった。

「本部に行動を抑圧されることはなかった」と、やはりウォーターゲート事件の捜査に当たったたダニエル・C・マハンは言う。「あれはFBIの黄金期と言える時代だったよ」

ウォーターゲート事件に関するFBIの捜査情報が流出し、ボブ・ウッドワードとカール・バーンスタインによるワシントン・ポスト紙の記事をはじめ、さまざまな新聞で報道された。一九七二年六月二四日、グレイはアンジー・ラノの捜査班に所属する二六名の捜査官を招集し、彼らの「おしゃべり」を非難した。

「誰かがマスコミに情報を流している」とグレイは言った。「単独であれ複数であれ、情報流出に関与している捜査官は、一歩前に出ろ。テーブルにFBI証を置き、潔く辞職してもらいたい。でなければ、私が首にしてやる」

死のような沈黙が流れた。

グレイの叱責は続いた。彼は顔を真っ赤に紅潮させ、声を限りに叫んだ。「私はきっと真犯人を探り当ててみせる。こう見えても、かつて海軍大佐として原子力潜水艦の指揮を執っていたんだ。ジョージタウン大学法科大学院を出ているんだぞ。海軍では多くの事件を捜査してきたから、やり方は心得ている」

グレイは唐突に踵を返して会議室を出ていった。

「私は自分の耳を疑った。その思いは皆、同じだったと思う」とマガヤネスは言う。

後に判明したところでは、FBI文書FD-302という、ウォーターゲート事件捜査の事情聴取報告書をホワイトハウスの法律顧問ジョン・ディーンに不正に渡していたのは、グレイ自身だった。一九七二年六月二一日、ディーンとホワイトハウス補佐官のジョン・アーリックマンがグレイと会見し、行政府ビルのハントの金庫に保管されている政治的妨害工作ファイルの破棄を命じた。後にグレイが明かしたところでは、そのファイルはウォーターゲート事件とは無関係の「国家安全保障文書」だと聞かされていたという。六か月後、グレイは自宅の焼却炉でそれら書類の一部を処分した。

ディーンが連邦検事に協力して、六月二一日の会合がやがて明るみに出ることをアーリックマンから知らされたグレイは、連邦議会内部の支持者ローウェル・ウェイッカー上院議員にその旨を警告した。ウェイッカーは書類の破棄に関する情報をマスコミに漏洩した。

一九七三年四月二七日、FBI次官レオナルド・M・「バッキー」・ウォルターズは、別のFBI次官ウィリアム・ソーヤーズと自動車に相乗りして職場に向かう途中、その日グレイの証拠隠滅の責任をとって辞職する意向を伝えた。ソーヤーズも同様に辞職することを誓った。午前九時、ウォルターズはグレイの下でFBIナンバー2の地位にいる、W・マーク・フェルトと会見した。「私はフェルトに、FBIが捜査を行なっている事件の証拠を破棄した長官の下で働く意思はない、その日限りで辞職すると伝えた。他のFBI次官たちにも辞職を勧めるつもりだ、と」とウォルターズは言う。

三〇分後、ウォルターズが他の次官らに電話をかけると、一人残らず辞職に同意した。ウォルターズがその旨をフェルトに知らせると、フェルトはグレイに伝えると言った。一時間後の午前一〇時三〇分、グレイは重役会議を招集し、自らの辞職を発表した。

後にグレイがウォーターゲート事件の捜査で大陪審に出頭を命じられたとき、ウッドワードとバーンスタインに情報を漏洩したと彼に非難された人物の一人である捜査官のラノは、自らグレイに召喚状を手渡す役目を買って出た。

ウォーターゲート事件の犯人と共犯者の七人に加え、最終的に四〇人の政府職員が共謀や司法妨害や偽証の罪で起訴された。最終的に有罪判決を受けた人々の中には、司法長官のジョン・N・ミッチェル、ホワイトハウス法律顧問のディーン、ホワイトハウス首席補佐官のH・R・ハルデマン、そして内政担当補佐官ジョン・アーリックマンがいた。ニクソン自身は不起訴共謀者に指名され、大統領職を追われた。

ワシントン・ポスト紙のボブ・ウッドワードとカール・バーンスタインが捜査に関する記事を報道し、ニクソンの側近による政治的諜報活動の隠蔽工作と組織的選挙活動を暴いたおかげで、FBIの捜査は抑圧を免れた。しかし、ラノをはじめとする一部の捜査官らは、この二人の記者がFBIのリークを受けてウォーターゲート事件を解決したと一般に考えられていることを、苦々しく思っている。

一方で、マインダーマンはこう語っている。「彼らの記事は実際、非常に役に立った。あの記事のおかげで、捜査を続けることができたのだから。物言わぬ大衆を味方につけたことが、大きな決め手となった。このような事件の捜査は、ウッドワードとバーンスタインが提供してくれたワシントン・ポスト紙の記事のような宣伝がなくては続かない。世間の注目を集めなければ、何らかの手段でつぶされてしまうからだ」

「メディアは非常に重要な役割を果たした」と、事件を担当した捜査官の一人、エドワード・R・

リアリーは語る。「しかしその一方、我々にとっては悩みの種でもあった。新聞で報道される事実はおおむね、我々の捜査からは一日から二か月も遅れていたからだ。世間で取り沙汰されている事実を説明なり批評なりするためには、いちいち情報を遡らねばならなかった。新聞記事が正確かどうか、なぜ我々がわざわざ教えてやらねばならないんだ？　だが、メディアの介入によって大衆の関心が集まったことは確かだ。事件にスポットライトが当てられたことによって、閉ざされていた扉がついには開かれることになった」

捜査に当たった捜査官らは、ディープ・スロートの正体についてさまざまな説を持っていた。ウッドワードは編集者と記事について議論する際、真相を知りながら必ずしも協力的ではない情報提供者の一人を、「私の友人」と呼んでいた。ワシントン・ポスト紙の編集長ハワード・シモンズは、持ち前の皮肉なユーモアを発揮し、その情報提供者を当時話題になっていた成人映画にちなんで「ディープ・スロート」と呼んだ。その名にまつわる強烈なイメージのおかげで、このウォーターゲート事件の情報提供者は、今日に至るまで匿名を貫いている他の重要な情報提供者たちより、はるかに高い地位を獲得した。

一部のFBI捜査官らは、ディープ・スロートとはウッドワードとバーンスタインが情報提供者たちの身元をごまかすためにでっち上げた架空の人物だと考えていた。だがそれは、その名前が考案された経緯を誤解したものである。ウォーターゲート事件が発生した当時、私はワシントン・ポスト紙の記者として、バーンスタインの隣の席に座っていた。バーンスタインの方が書き手として優れていたので、ウッドワードは毎晩バーンスタインの傍に立ち、彼が記事をタイプするのを見守りながら、自分たちがつかんだ情報や情報提供者について議論を戦わせていたものである。

そうした会話の数々から、二人が信頼できる筋の情報源を数多く持っていたことは明らかだった。彼らはホワイトハウスやCREEPの職員名簿も持っており、真夜中にそのリストの家を片っ端から訪ねてはドアをノックしていた。FBIはそれらの情報の一部について、彼らがFBIの事情聴取報告書を入手したことを疑っていたが、実際のところは会計士のジュディ・ホーバックのように、FBIが事情聴取を行なった人物に独自にインタビューしていたのである。架空の情報提供者を合成する理由は、全くなかった。

グレイが情報漏洩の調査をW・マーク・フェルトに命じたことは、フェルト自身がディープ・スロートであったことが明らかになった今から考えれば、実に皮肉である。後にフェルトとエドワード・ミラーは、グレイの認可を得たとミラーが主張する不法侵入を承認したことで訴追された。その件に先立ち、FBIは一九七九年に捜査官ポール・V・デーリーに、ウォーターゲート事件の捜査に関して厄介な事実が浮上する恐れがないか調査を命じた。デーリーはFBI本部の知的犯罪課長でウォーターゲート事件を監督したディック・ロングと話をした。

「我々は正確な事実関係を調べていただけだったのだが、そのときロングが『いや実は、マーク（フェルト）がディープ・スロートだったんだよ』と言ったんだ」とデーリーは言う。

ロングはすでに死亡しており、ディープ・スロートの正体を知るに至った経緯については、一切語らなかった。

「どのようにして知ったのか、彼は決して話そうとしなかった」とデーリーは言う。「ただ、『我々がフェルトに報告し、フェルトが情報を漏洩した』としか言わなかった」

私は『捜査局――FBIの秘められた歴史（The Bureau: The Secret History of the FBI）』を執筆するにあたって、二〇〇一年八月にフェルトにインタビューを行なったことがある。場所はカリフォルニア州サンタローザにあるフェルトの自宅で、彼はそこに娘のジョーンと暮らしていた。そのときジョーンは、一年前に思いがけなくウッドワードが彼らの家に現れてフェルトを昼食に誘ったことを教えてくれた。ジョーンによると、父親はウッドワードと旧知の仲のように挨拶を交わし、彼らの謎めいた会見は、インタビューというより祝賀会のように見えたという。

「ウッドワードは前触れもなく玄関先に現れ、近所まで来たので寄ったのだと言いました」とジョーン・フェルトは言った。「彼が乗ってきた白いリムジンは、ここから一〇ブロック離れたところにある学校の校庭に停めてありました。彼はそこから歩いてきたのです。昼食の際にお父さんとマティーニを一杯飲んでもいいですかとおっしゃるので、構いませんとお答えしました」

ウッドワードはほぼ一キロ東にあるコムストック中学校までリムジンをとりに行った。ジョーン・フェルトは後から追いかけて行き、父親が昼食に食べられるものを詳しく教えたという。二人はリムジンまで一緒に歩き、ジョーンは父親を迎えに行くウッドワードのリムジンに同乗して家に戻った。

脳卒中の影響で、フェルトは信頼に足る情報を提供できる状態にはなかった。私がインタビューをしたとき、彼はウッドワードと昼食を共にしたことも覚えていなかったばかりか、彼をある政府の弁護士と混同していた。しかしフェルトは、「自分は断じてディープ・スロートではない」と私に断言するだけの正気は保っていた。

フェルトがディープ・スロートでなかったとしたら、ウッドワードはわざわざ面倒な手数を踏んでまで、フェルトの自宅を訪問した事実を隠そうとはしなかっただろう。私は二〇〇二年に発表した著書に、そうした状況が、フェルトがディープ・スロートであったことを証明していると書いた。その後、二〇〇五年にフェルト自身がディープ・スロートであったことを公表した。

「フェルトはあの記者たちに情報を提供し、事実を裏付け、手引きして公表させることで大衆の関心をあおり、捜査続行を要求する政治的・大衆的世論を掻きたてた。彼の後押しがなければ、最終的にここまでの成果は上げられなかったかもしれない。マーク・フェルトこそ、本物のアメリカのヒーローだ」とマインダーマンは言う。

第7章 プロファイリング

一九七三年七月九日にFBI長官に就任したクラレンス・M・ケリーは、フーヴァー時代以来のFBIの数々の欠陥を十分認識していた。元FBI捜査官で警察署長を務めた経験も持つケリーは、直ちに統計量への執着を捨て、事件の量より質を重視した。がっしりとした体格と角張った顎を持つケリーは、違法行為が行なわれた疑いがある場合のみ、捜査を開始すべきだとした。公務員の汚職事件の追及を奨励し、女性や少数民族の雇用推進に着手し、積極的にFBIの近代化に取り組んだ。

フーヴァーが長官に就任した当初のFBIは、時代に先駆けて犯罪の科学的捜査を取り入れたが、後にはしばしば改革的手法を禁じるようになった。そのため、一九七〇年代初期に捜査官のハワード・D・テテンが、FBIアカデミーに出席した警察官に限定し、犯罪プロファイリングと呼ばれるものの初歩を教え始めたとき、彼も監督官らもそのことを決して長官に報告しなかった。

犯罪プロファイリングの父であるテテンは、犯罪現場と犯人との相関関係を見出し始めていた。

何らかの行為をする際、犯罪者もそうでない人も、特定の行動様式を持つ。例えば、作家の中には執筆にコンピュータを用いる人もいれば、ペンと紙を使う人もいる。午前中に執筆する人もいれば、夜中に書く人もいる。それぞれの作家には固有の文体があり、文法のヴァリエーションや文章構造や、表現スタイルがある。

これと同様に、犯罪者が犯罪を行なう手法にも、はっきりとした個性が存在する。行動は言葉よりも、人間の本質を露呈するものだ。心理分析官はそれらのサインを読み取ることで、犯罪現場から犯人の人格や、彼らを犯罪に駆り立てた幻想――言ってみれば、犯人の署名に等しいもの――を、しばしば特定してしまう。プロファイリングはどのような犯罪の捜査にも適用できるが、中でも最も悪質で人の心を傷つける犯罪、すなわち殺人とレイプの捜査に特に有効である。

心理分析官は、事情聴取や写真、捜査報告書、検視報告書、そして実験報告書などを含め、犯罪のあらゆる側面について考察する。プロファイリングが優れた警察の捜査と一線を画す点は、何千とある類似の犯罪現場の特徴と、後に逮捕された実際の犯人の性質とを照らし合わせることで現れたパターンに基づいて、結論が導き出されることにある。

心理分析官は、科学的捜査や目撃者などの事情聴取から集められた情報の他、動機にも着目する。

「なぜ、この特定の人物が、この特定の時間に行なわれた犯罪の犠牲者に選ばれたのか?」と、マーク・A・ヒルツは問いかける。彼は成人に対する犯罪の解決に役立つプロファイリング開発班のリーダーだ。「我々のやっていることは、犯罪者の意識の中に分け入っていくようなものだ。

もっとも、そのために必要なものは霊能力などではなく、犯罪に対する理解力と、犯人が罪を犯す動機に対する洞察力だ。犯罪者はどのようにして犠牲者を支配するに至るのか？　どのようにして被害者を操るのか？　どのようにして支配力を維持するのか？　そもそも、どのようにして犠牲者を選ぶのか？」

プロファイリングによって、捜査官は捜索範囲を狭め、一人か二人の容疑者に的を絞ることができる。ときにはその分析結果が不気味なほど正確で、まるで透視でもしたかのように思われることさえある。以前二人のティーンエイジャーの切断された胴体部分が川に浮かんでいるのが発見されたとき、警察はそれらの遺体が行方不明になっていた少年少女のものであることを突き止めた。ＦＢＩは殺人者を、少年たちと面識のある四〇代の男性と分析した。おそらくは男らしさを追求した生活様式を持ち、ウェスタンブーツを履いていて、しばしば狩猟や釣りに出かけ、４ＷＤの車を運転している。自営業者で、離婚歴があり、軽犯罪の前科がある。

こうした分析結果に基づいて、警察は少年たちの継父に的を絞った。彼は分析結果の犯人像と完璧に一致していたが、それまでは容疑の対象になっていなかった。警察は目撃者らからさらに十分な情報を引き出すことに成功し、翌年その男に殺人罪で有罪判決を下すことができた。

ＦＢＩは、遺体の遺棄場所に川を選ぶほど慎重な殺人者は、おおむね教養のある年配者だということを突き止めていた。遺体が遠く離れた場所に捨てられている場合は、犯人はおそらく屋外活動を好み、その地に土地勘のある人物である。被害者の遺体の傷に悪意が込められていたり、性器が傷つけられていたりする場合は、加害者は被害者の知人であることが多い。

無理に侵入した形跡がなく、加害者が被害者を殺害した後も犯罪現場にとどまり、軽い食事をとった形跡がある場合は、近所に住む顔見知りの犯行である可能性が高い。逆に、被害者のアパートになじみのない殺人者は、直ちに逃亡する。

このように、FBIはわずかな基礎的事実に基づいて、野外活動の好きな年配者で、遺体発見現場に土地勘があり、犠牲者と面識があり、近所に住む人物という犯人像を描くことができるのだ。

そのような分析を利用して、連続殺人犯やレイプ犯が再び凶行に走らぬよう、FBIは長年にわたって何千件もの事件解決に協力してきた。

プログラムがスタートした当初のFBI心理分析官たちは、収監されている犯罪者らにインタビューを行ない、知識の補足に努めていた。彼らはまず、ロバート・ケネディ暗殺犯のサーハン・サーハンや、フォード大統領を狙撃したサラ・ジェーン・ムーア、同じくフォード大統領暗殺未遂犯のリネット・「スキーキー」・フロムなどの人物からインタビューを開始した。

あるときロバート・K・レスラーが、エドモンド・E・ケンパー三世にインタビューを行なった。ケンパーは母親と祖父母の他、六人の人々を殺害した罪で、カリフォルニア州で複数の終身刑に服していた。映画『羊たちの沈黙』でアンソニー・ホプキンスが演じた連続殺人犯ハンニバル・レクターは、犠牲者の首を戦利品として保管していたケンパーや、自宅に人間の皮を飾っていたエドワード・ゲイン、犠牲者の遺体を食べていたリチャード・T・チェイスなどの連続殺人犯を合成して作り上げられた人物である。

監房の間近でケンパーとの会見を終えたレスラーは、外に出るためにブザーを鳴らし、看守を呼んだ。しかし、看守は現れなかった。「慌てるなって」と、体重一三三キロの受刑者はレスラーに言った。シフトの交替や食事の配達で、みんな出払っているんだ。

「今ここで俺がブチ切れたら、あんたはえらい目に遭うんだぜ」と、ケンパーは脅すように言った。「その首をねじ切って、テーブルの上から看守に挨拶させてやろうか」

レスラーは銃を隠し持っていることをにおわせ、ケンパーの頭を冷やしてやることができた。この事件以後、捜査官が囚人にインタビューを行なう際は、相棒を同行させることになった。また、『羊たちの沈黙』ではジョディ・フォスター演じる訓練生がインタビューを行なっていたが、実際のFBIでは決して訓練生にインタビューをさせることはない。

それらのインタビューから、ひとつの明確なパターンが浮上した。犯人たちのほとんどは、幻想の世界に生きており、その世界では彼らが犯した罪と同様の行為が繰り広げられていた。罪を犯すことで、彼らは妄想を実現させていたのだ。こうして犯罪者の頭の中身が明らかになったため、捜査官たちは犯行現場で目にしたものと、容疑者が犯罪を行なった方法とを照合しやすくなった。容疑者は犠牲者を選ぶ前にどのように現場を調べたのか？　犯人はレイプの犠牲者に何を期待していたのか？　犠牲者は犯人にレイプを思いとどまらせる言葉をかけることができたのか？

犯人は犠牲者の記念の品を持ち帰っていたか？　持ち帰っていたとしたら、それは何か？　犯人は誰かに自分の犯行について話していたか、あるいは犯行後に犠牲者と接触していたか？

一九七三年にテテンとともに研究を開始し、後にFBIアカデミーのプロファイリング班主任となったロジャー・デピューは、プロファイリングをＦＢＩの業務の一環に据え、専門の捜査官に警察やＦＢＩの犯罪捜査に役立つプロファイリングを開発させた。

心理分析官は、殺人者を大きくふたつのタイプに分類する。すなわち、「秩序型」と「無秩序型」である。これらのタイプの犯罪者はそれぞれ抱く妄想の種類も異なり、犯行現場に際立った特徴を残していく。いずれのタイプも、犯人の特定に役立つ一連の人格的特徴を有している。

「無秩序型の殺人者は、教養レベルの非常に低い人物だ」とデピューは言う。「彼らはとっさのはずみで犯罪を行なうため、犯行現場には怒りや計画性のなさなどの徴候が見られる。被害者には全く言葉をかけないか、ほとんど言葉をかけずに、いきなり凶行に走る。凶器は、そのときたまたま手にした物だ。例えば、石で被害者を殴り、その石を現場に残していく。現場には血液や繊維や髪の毛などをはじめ、多くの証拠が残されている。遺体は殺人が行なわれた現場でそのまま発見され、隠蔽工作もされていない」

無秩序型の殺人者は、一般に知能が平均以下で、社会不適応の傾向がある。「非熟練労働を好み、性的に不能である。兄弟の中では年少者である場合が多く、父親の仕事は不安定で、子どもの頃に厳しい躾を受けていることが多い。一人暮らしである。犯行前に不安げな素振りを見せる。アルコールに頼って犯罪を行なうことは少ない。ニュースで犯行が報道されることにほとんど興味を示さない。犯行後は生活習慣が著しく変化する。アルコールやドラッグに走る場合もあれば、非常に信心深くなる場合もある」とデピューは言う。

秩序型の殺人者は、典型的な連続殺人犯である。平均以上の知能を有し、熟練労働を好み、性的能力もある。子どもの頃、父親の職業は安定していたが、一貫性を欠いた躾を受けている。兄弟の中では年長者である。エドモンド・E・ケンパー三世やジョン・ウェイン・ゲイシー・ジュニア、デイヴィッド・「サムの息子」・バーコウィッツ、テッド・バンディ、そしてヘンリー・リー・ルーカスなどが、秩序型連続殺人犯の例である。

「秩序型の殺人者は、殺人の捕食者的側面を楽しむ――彼らは被害者を狩り、操り、支配するのだ」とデピューは言う。「ある特定の種類の凶器を選ぶ場合があり、経験から学ぶ力がある。犯行前に酒を飲むことが多く、社交的スキルも持ち合わせている。たいていは同居人がいる。自分の車をこまめに手入れしている。メディアの犯行報道をチェックしている。犯行後に仕事や住所を変える場合もある。被害者と交流を持つ。犯罪に熟練しているので、逮捕は難しい。そして逮捕されたときは、誰もが『あの人が犯人だったなんて信じられない』と言うんだ」

秩序型の殺人者は、自らを犯行に駆り立てる妄想を持っている。「例えば、エドモンド・ケンパーは、犠牲者と特殊な経験を持つことが必要だと言っていた。そのために、『彼らを肉体から追い出してやる』ことが必要だったのだという。要するに、殺してやらねばならなかった、ということだ」

連続殺人犯の多くは、自分の妄想を蘇らせたいがために、犯行現場を再訪する。バーコウィッツは、リスクの観点からある女性の殺害を断念したとき、以前犯行に及んだ現場に戻って殺人の記憶を蘇らせ、犠牲者を殺害したときのように銃を構えたという。また、ジェフリー・L・ダーマーは、被害者の切断された遺体の写真を保存していた。

犯人のほとんどは、常に同じ儀式的行為を行なう。例えば、あるレイプ犯は住居に侵入した後、眠っている被害者の女性に、一定のやり方で対面する。眠っている相手を上から見下ろし、支配的感覚を楽しむ者もいるだろう。目覚めた被害者が、おそらく裸でそこに立っている男に気付いて絶望するのを見て、犯人は喜びを見出す。犯行の手口が進歩し、より秩序型の度を深めても、儀式は変わらない。なぜなら、犯人はその儀式を楽しむために罪を犯すからである。

ＦＢＩの事件だけでなく、心理分析官は地元警察から持ち込まれた事件についてもプロファイリングを行なう。たまに警察が心理分析官の助言を無視し、後で後悔することもある。イリノイ州のある町の警察に対し、未知の殺人者が犯行の記念日に犠牲者の墓を訪れる可能性を示唆したところ、犯人が現れることを期待した警察は、一日中墓地で張り込みを続けた。しかし結局は悪天候のために断念し、動作を感知すると録画を開始するビデオカメラを設置し、引き揚げてしまった。果たして殺人者は現れたが、その人物の身元を特定すべき警察は、もはやそこにいなかった。人影が映ったビデオテープは手に入ったが、その人物が誰かはわからなかったのである。

私は一九八四年に、ヴァージニア州クアンティコのＦＢＩアカデミーの地下室で心理分析官にインタビューを行なったことがある。その当時は、ロジャー・デピュー、ジョン・ダグラス、ロイ・ヘイゼルウッド、そしてロバート・レスラーの四人しかいなかった。現在では、二八人の心理分析官たちが、クアンティコに程近いヴァージニア州スタッフォードにある、目立たないオフィスビルに常駐している。

プロファイリングの他にも、ＦＢＩ捜査官の犯罪解決の一助となる多くの技術の研究が始められた。例えば、事情聴取における容疑者との接し方や、容疑者の言葉遣いの評価法などである。心理分析官は容疑者の評価に基づいて、事情聴取を行なう時間帯や、アプローチの仕方を捜査官に指示している。

「例えば、『妻とうちの子らを連れて買い物に出かけたとき、子どもたちが少々手に負えなくなった』と容疑者が言ったとすれば——つまり、『うちの子ら』と言っていたのが『子どもたち』という言葉を使うようになった場合は——容疑者は無意識に自分の子どもたちと距離を置いているんだ」とテテンは言う。「距離を置かねばならない合理的な理由がないのにそんな言葉が出てくる場合、その父親が自分の子どもたちを殺害したことが暗示されている可能性もある」

これと同様に、容疑者の観察を積み重ねてきた結果、右利きの人が質問されたときに左を見た場合、その人は答えを思い出そうと努力し、真実を話すよう努めていることがわかった。右を見た場合は、情報を捏造しようとしている可能性がある——言い換えれば、嘘をついているのだ。逆に左利きの人は、嘘をつくときは左の方を見ることが多い。

「自分の記憶について話しているときに、創作を語るはずはない」とテテンは言う。

テテンがプロファイリングの開発に着手して以来、プロファイリングという用語は、民族的背景のみを根拠に容疑者を特定するという、邪悪な意味合いをまとってきた。そのような不手際な犯罪捜査は、優れたプロファイリングとも、優れた法的処置ともみなされない。

第8章 3P

一九七六年五月二三日の日曜日の朝、捜査官ジョセフ・ジャッジの自宅にワシントン支局から電話が入った。司令部はジャッジに、連邦予算の不正使用に関する調査を指示した。ある連邦議会議員の側近が、仕事をしていないにもかかわらず給与を受け取っているというのである。

エリザベス・レイというノースカロライナ州出身の肉感的な三三歳の金髪女性が、その日のワシントン・ポスト紙の朝刊の一面で、自らその事実を訴えていた。その主張によると、ある連邦議会議員は、寝るためだけの目的で彼女を雇っているという。槍玉に挙げられた六五歳の連邦議会議員は、ただの議員ではなかった。オハイオ州選出の民主党議員ウェイン・L・ヘイズは、有力な議院運営委員会の委員長を務める人物だった。この議院運営委員会とは、議会警察による身辺警護から駐車許可証に至るまでの、議員にとって大切な特権を管理する機関である。

「私はタイプも打てないし、書類の整理もできません。電話をとることさえできないんです」と、ワシントン・ポスト紙はレイの言葉を引用している。レイは一九七四年四月から、ヘイズの秘書として働き始めたが、就職以来一度も議会関係の仕事を頼まれたことはなかった。その代わり、週に一度か二度、キャピトル・ヒルにあるロングワース下院ビルに出勤し、何も表示のない扉の向こうにある自分のオフィスで数時間過ごしていたのである。

「表向きは、監督委員会に勤務していることになっていました。でも、私は『見逃し委員会』と呼んでいましたけど」

レイの話では、ヘイズとは週に一、二度セックスしていたという。通常ヘイズは午後七時頃、彼女を伴ってヴァージニア州のキーブリッジ・マリオットホテルのレストランで夕食をとる。その後で、アーリントンにあるレイのアパートに場所を移すという次第になっていた。

ヘイズは全面的に否定した。「冗談じゃない！　私は結婚生活にとても満足しているんだ」。実際には、彼は三八年間連れ添った妻と離婚し、秘書と再婚したばかりだった。そのうえさらに、エリザベス・レイと愛人関係を続けるつもりだったのだ。

ヘイズは特にレイと食事をした事実を否定したが、ワシントン・ポスト紙の記事を発表したマリオン・クラークとルディー・マクサという二人の記者が、キーブリッジ・マリオットホテルにあるホット・ショップスやチャパラルなどのレストランで、ヘイズがレイと食事している場面に居合わせていた。彼らはヘイズとレイの親密な関係を裏付ける電話の会話も盗聴していた。

ワシントン・ポスト紙の記事では、レイのアパートは、エントランスに色とりどりの噴水が噴き出している、アーリントンの高層ビル内にあると報じられていた。ジャッジ捜査官はすぐに気付いた。それは、彼のアパートがあるビルだった。

調査を任じられたジャッジは管理人にＦＢＩ証を見せ、レイがこのアパートに住んでいることを確認した。部屋番号を聞き出し、午前一〇時三〇分にレイの住む部屋をノックしたが、彼女は留守だった。二日後、ジャッジと相棒はレイの弁護士を通じ、彼女の部屋で事情聴取を行なう手筈を整えた。

「あらゆる種類の報道機関がビルの前に集まっていて、大混乱を来していた。事情聴取を行なうためにビルに入っていったところ、彼女はまさに幽閉の身だった」とジャッジは言う。「実際、我々はランチ・ミートやパン、牛乳などの食料品を届けてやった。なにしろ、彼女はアパートを出られないからね」

数回にわたる事情聴取で、レイはロングワース下院ビルでの勤務が不定期に行なわれていたと捜査員らに語った。出勤することにした日は、午前一〇時に職場に到着し、午後二時には退出することにしていたという。

「職場にペットの犬を連れてくることができたのは、彼女だけだった」とジャッジは回想する。「彼女の小さなオフィスには、犬用のおもちゃと水入れの容器があった。髪のセットとマニキュアのために美容院を予約し、あとは延々と電話でおしゃべりをしていた。彼女には何ひとつなすべき仕事がなかった」

これまで決して明らかにされなかった事実は、レイの手配により、ヘイズが3Pを行なっていたことだ。

「レイはもう一人女を調達しなければならなかった」とジャッジは言う。「それは彼女の仕事の一部だった。一度に一人以上募集する必要はなかっただろう。すると、ヘイズは彼女らを職員名簿に載せる。彼は事実上無制限の権力を持っていたから、連邦議会のどこにでも、彼女らの職場を見つけてやることができた」

ジャッジが知ったところでは、連邦議会ではそのような例は決して珍しくなかった。

「事実関係をつかむため、我々は最終的に、連邦議会で働く大勢の女性たちに事情聴取することになった」とジャッジは言う。「若い女性たちは連邦議会を訪れ、仕事を得る。彼女らは美人で、目がきらきら輝いている。そしてそこには、絶大な権力を持つ男たちがいる。権力は何にも勝る媚薬だ。その男たちは、それを持っていた」

元連邦議会議員秘書の一人は、エイズの心配がなかった時代、ヘイズは毎月「乱交パーティー」に参加していたと語った。ヘイズの相手の女性はすらりとした二五歳のブロンドで、カリフォルニア州選出の民主党上院議員アラン・クランストンの下で働いていた。「ダークセン上院ビルには、屋上階があった。その女の子が職場にいないという噂が流れてくると、男たちはそこに出かけていき、行列の一番後ろに並ぶわけだ。彼女はとても美人だった」。ときには一度に二人の職員を相手にしたというその女性は、「屋根裏の女の子」という愛称で呼ばれるようになった。

最終的に、エリザベス・レイには刑事免責が与えられた。当時の法律は曖昧だったので、「結局は司法取引をすることになり、彼（ヘイズ）は委員長を辞任することに同意した」とジャッジは言う。

ワシントン最大のスキャンダルに数えられるこの事件は、ヘイズの政治生命にピリオドを打った。オハイオ州知事か下院議長の座を望んでいたヘイズだが、再出馬さえままならなかった。へイズは一九八九年に七七歳で亡くなった。

政治家に対する捜査を抑圧したフーヴァーから解放されたFBIは、一九七六年に韓国人政治ブローカー朴東宣《パクドンソン》が連邦議会議員に賄賂を贈ったとされる事件に関し、捜査を開始した。「コリアゲート事件」と呼ばれるようになったこの事件で、司法省は朴に対し、資金洗浄、恐喝、そして大韓民国中央情報部の非正規職員を騙った罪で連邦起訴を行なった。

朴はアメリカの裁判所では有罪判決を受けなかった。韓国に逃亡し、アメリカに戻って連邦議会の前で証言することに同意した後、不起訴処分となった。朴は下院の公聴会で、便宜を図ってもらう見返りに、三〇人の連邦議会議員に現金を贈ったと証言した。三〇人の中で起訴されたのは、ルイジアナ州選出の民主党議員オットー・パスマンと、カリフォルニア州選出の民主党議員リチャード・ハンナの二人だけだった。パスマンは無罪となったが、ハンナは有罪判決を受けた。

「連邦議会議員たちは定期的に、朴から一万ドルの札束が入った封筒を受け取っていた」とFBI捜査官アラン・E・メイヤーは言う。

この事件を担当した司法省検察官ポール・R・マイケルによると、何十人もの連邦議会議員に賄賂を贈ったという朴の主張は、彼の財産記録にも示されていたとおり、朴自身が韓国中央情報部から金を受け取るための「誇大広告」であったことが、最終的に明らかになった。

「朴は多くの連邦議会議員が自分から賄賂を受け取っていると言って韓国政府から金を引き出し、その金を着服していた」とマイケルは言う。

韓国政府の仲介による司法取引の一環として、「朴は実質的に無期限のポリグラフ検査を受けることに同意した」とマイケルは言う。「ソウルで彼は毎朝八時に出頭し、前日行なった証言について、ＦＢＩによるポリグラフ検査にかけられた。我々は毎回、彼の証言のひとつひとつについて検査を行ない、それが三週間半続いた」

マイケルに語った事実に関するポリグラフ検査に朴がパスしたことから、「最終的に朴の供述が正しいと確信を持つに至った」とマイケルは語った。

第9章 CIAのモグラ

一九七八年二月二三日にFBI長官に就任したウィリアム・H・ウェブスターは、捜査官らに命じて、スパイと戦う洗練された技術の開発を開始した。元連邦判事であり連邦検事でもあったウェブスターの下、FBIの情報部は捜査の焦点を、反戦運動家や元共産主義者から、敵国のスパイと彼らに協力するアメリカ人内通者へと移していった。

FBIは外交官としてアメリカに赴任しているKGB職員を監視するだけにとどまらず、いわゆる「積極的な取り組み」を行なった。二重スパイを放ってKGB職員に時間を浪費させ、彼らの狙いを探り、最終的に追放に追い込んだ。

後に対敵諜報活動プログラムと呼ばれるようになった活動において、FBIの情報部はKGBとGRU（ソ連軍参謀本部情報総局）に対し、スパイ活動の阻止のため、監視と調査と、必要とあれば行動に出る、非常に効果的な秘密作戦を仕掛けた。

KGBの諜報員が最も多く派遣されるのはワシントンとニューヨークだったため、対敵諜報活動が行なわれたのは、主にこのふたつの都市だった。マスコミが間近で目を光らせていたが、F

BIは多くの公共設備にKGBの活動を監視するためのビデオカメラが設置されている事実を隠し通すことができた。ステレオ機器販売店を経営し、客として訪れたKGB職員に覆面捜査官の店員を近づかせることもあった。KGB職員の隣人にパーティーを開かせ、ターゲット以外の客全員がFBIの覆面捜査官であることもあった。ヴァージニア州スプリングフィールドにあるごく平凡な事務所が、実は「コートシップ作戦」という極めて有効なFBI―CIA合同作戦の本部だった。この作戦の結果、ワシントンのソ連大使館内に、KGBの協力者を少なくとも一人獲得することができた。

KGB職員がワシントンで利用する自動車の多くには、FBIの盗聴機器が設置されていた。車に取り付けられたセンサーによって、捜査官らはKGB職員の居場所を追跡することができた。彼らが日常から外れた行動をとると、その行動は人工知能による情報プログラムによって捜査官らに伝えられた。

しかし、スパイは捕まったとしても、必ずしも起訴されるわけではなかった。内部に裏切り者が存在することを認めるのは不名誉であるため、CIAや国防総省をはじめとする国家安全保障に携わる機関は、長年にわたってスパイ事件を起訴しないよう司法省を説得してきたのだ。敵国のスパイであったアメリカ人は、デリケートな情報を扱う仕事を穏当に辞職することが許された。

ウェブスターが長官に就任する一年前、司法長官のグリフィン・ベルが方針を変更し、諜報活動を抑止する目的でスパイの起訴を始めた。一九七三年にスパイの起訴を引き継ぎ、一九八〇年に司法省の防諜部部長となった元FBI捜査官のジョン・L・マーティンが、この新方針の立案者だった。マーティンが仕事を引き継ぐ以前は、連邦裁判所ではほぼ一〇年近くもスパイの裁判が行なわれていなかった。マーティンは一九九七年八月に引退するまでに、七六件ものスパイ事件の起訴を監督した。それらのうちで無罪判決が下されたのは、わずか一件だった。

「スパイには憲法に保障された権利を全て与えた上で、終身刑で刑務所に送り込んでやるべきだと、私は固く信じている」と、ハンサムで常に日焼けした肌色のマーティンは常々口にしていた。

対敵諜報活動プログラムを完成させるFBIの努力は、スパイの年と呼ばれた一九八五年に最高潮に達した。この年、一一人ものスパイがFBIによって逮捕されたのである。その中には、海軍下級准尉のジョン・A・ウォーカー・ジュニア、イスラエルのスパイのジョナサン・J・ポラード、元国家安全保障局職員のロナルド・ペルトン、中国のスパイの金無怠（ラリー・ウー・タイ・チン）がいた。彼らは全員罪状を認めるか、あるいは有罪判決を受けた。

ウォーカー事件はFBIが手掛けた中でも最大のスパイ事件に数えられるが、カレル・ケヘルとハナ・ケヘルというスパイ夫婦に勝る奇妙な事件はなかった。一九六二年、チェコスロヴァキア内務省諜報局はカレル・フランティシェク・ケヘル（ケヘルの本名）に対し、「モグラ」（二重スパイ）養成訓練を開始した。「モグラ」は正式な諜報用語ではないが、敵国の情報部に勤務しつつ、自国の情報部に継続的に機密情報を提供する捜査官、もしくはスパイを表す言葉として、広く用いられている。

一九六三年にプラハで開かれたパーティーで、ケヘルは彼と同じく共和党員である、一九歳の通訳者ハナ・パルダムコヴァと出会った。身長一五五センチのハナは小柄な美人で、人柄が温かく社交的だった。三か月後、二人は結婚した。

優秀なルネサンス的教養人であるケヘルは、一九六五年に渡米し、巧妙な伝説もしくは架空の経歴を作り上げた。過激な反共主義者を装い、共産主義政権下の生活を痛烈に批評したためにプラハのチェコスロヴァキア放送を解雇された、と主張したのだ。ケヘルはコロンビア大学の教授の強力な推薦を利用して、CIAに入局した。

一九七三年二月五日、ケヘルは極秘情報取扱許可を持つCIAの通訳となった。後にCIA初のモグラとして知られることになるケヘルは、CIAのスパイから送られた文書やテープによる報告の翻訳にあたった。ケヘルが科学用語や工学用語に通じていたことから、CIAは彼に最もデリケートな重要情報を与え、ロシア語やチェコ語からの翻訳を任せた。

ケヘルは直接KGBに情報を流していた。その功績により、彼はKGBやチェコの情報部から多くの勲章を授与された。ハナは「すれ違い接触」［通りすがりに物品や情報の受け渡しをすること］の実行や、「デッド・ドロップ」［情報の受け渡し場所］に出向いて現金の受け取りや情報の引き渡しなどに協力していた。

ケヘルは翻訳の仕事を通じ、極めて重要なCIAのスパイ、アレクサンドル・D・オゴロドニクの身元を突き止めた。トリゴンというコードネームを持つオゴロドニクは、モスクワのソヴィエト連邦外務省に勤務しており、ソ連大使からの報告書をはじめ、何百件ものソ連の機密書類を収めたマイクロフィルムをCIAに提供していた。それらの貴重な情報は、ホワイトハウス内部で回覧されていた。

KGBは一九七七年にオゴロドニクを逮捕した。彼は自白に同意し、取調官にペンと紙を要求した。「そういえば、ここ数年はモンブランのペンを愛用しているんだ。机の上に置いてあると思う。近いうちに私のアパートの近くへ行くことがあれば、持ってきてもらえるとありがたいのだが」

KGBはオゴロドニクにペンを届けてやった。そのペンには、CIAによって毒薬が巧妙に仕込まれていた。オゴロドニクはペンのキャップを開けて毒薬を飲み込み、一〇秒とたたないうちに絶命した。

翻訳の仕事とは別に、ケヘルはある異例の手段によって機密情報を得ていた。すなわち、乱交パーティーに参加したのである。スリムな体格に白くなり始めた口髭を蓄えた赤毛のケヘルは、妻を伴って夫婦交換に臨んだ。ハナはそれを気に入り、やがて夫より貪欲に性の愉しみを求めるようになった。

ケヘルとハナは、ワシントンやニューヨークで行なわれる乱交パーティーに定期的に出席していた。彼らは「プレイトーズ・リトリート」や「ヘルファイヤー」という、入場料を払えば誰でも利用できる、ニューヨークの二大風俗店を頻繁に訪れていた。また、ワシントンの「エクスチェンジ」というバーや、メリーランド州ジェサップにある「スウィンギング・ゲート」で行なわれる夫婦交換クラブにも参加していた。後者は仲間内で「ゲート」と呼ばれていた田舎の別荘で、部屋中にマットレスが敷き詰められ、アクロバティックな3Pを楽しむための設備が整えられていた。

ケヘルとハナには、配偶者を交換するために夫婦ぐるみで交際している友人が多かった。例えば、彼らはあるスワップ・パーティーで、ニューヨーク州ニューパルツに住む夫婦と知り合った。日焼けした顔に白髪が映える夫の方は、ケーリー・グラントに似ていた。金髪をショートカットにした妻の方は、石鹸のコマーシャルに出演できるほど滑らかな肌をしていた。彼らと出会ったとき、ハナはきちんと服を着てソファーに座っていた。彼女の傍らに腰を下ろして自己紹介をした後、寝室に行ってセックスをした、とその夫は私に語った。

極端な性的嗜好を持っていたハナは、たちまち乱交クラブの人気者になった。大きな青い目が

CIAの二重スパイ、カレル・ケヘルと妻のハナは
セックスパーティーに参加して
KGBのために情報を収集していた。
FBIはふたりをスパイ容疑で逮捕し、
プラハに送還した。
（写真提供＝ロナルド・ケスラー）

魅力のセクシーなブロンド美人のハナは、ケヘルを伴って「ヴァージニアズ・イン・プレイス」に出かけることを好んだ。これはヴァージニア州郊外に住む不動産業者が、妻に飽き足りなくなって一九七二年に作った高級プライベート・クラブである。

クラブのために、この不動産業者はヴァージニア州フェアファックスに広い屋敷を借りていた。それはワシントンからポトマック川を隔てたヴァージニア州ロズリンにある、ケヘルのCIAのオフィスからわずか数分の距離にあった。屋敷には大きな円形のドライブウェイがあり、建物の四隅に白い柱が建てられていた。そこが週末の乱交パーティーにおける出会いの場所だった。

ハナは最も積極的な参加者に数えられていた。パートナーの一人に「衝撃的なほど美しく、信じ難いほど官能的」と評されたハナは、ダブルベッドで三、四人の男を相手にセックスすることを好んだ。一方ケヘルはパーティーに参加しても、リビングに引っ込んで世間話をしていることが多かった。

二人は夫婦交換を心から楽しんでいたにせよ、乱交パーティーを、CIAやその他のワシントンの重要機関の職員たちと知り合いになるよい機会と捉えていた。CIAなどの機関では、保安上の規則でそのような行為を禁じていたため、パーティーの参加者たちはあらゆる意味で、自らを難しい立場に立たせることになった。ケヘル夫妻はそれを最大限に利用し、司法省やホワイトハウスやCIAなどの職員たちから重要情報を仕入れていた。

一九八二年の初め、FBIはある亡命者からケヘル夫妻の噂を聞き、二人を監視し始めた。FBIは夫婦の両方を逮捕した。ニューヨークで進められ、スパイ検察官ジョン・マーティンも出廷した秘密法廷での審理で有罪判決を受けた後、ケヘル夫妻は、ソヴィエトの反体制活動家ナタン・シャランスキーと同様、一九八六年二月に行なわれる服役者交換のリストに載せられた。服役者交換は雪模様の中、東西ベルリンを繋ぐグリーニッカー橋で行なわれた。二〇年以上前に、アメリカがＵ2型偵察機パイロットのゲーリー・パワーズと、ＫＧＢ将校ルドルフ・アベルの交換を行なったのと同じ橋である。

合意条件の下、ケヘル夫妻はアメリカへの再入国を禁じられた。また、不正に獲得した米国市民権も放棄しなければならなかった。

一九八七年四月二九日から五日間にわたってプラハで行なわれたインタビューで、カレル・ケヘルは私に、乱交パーティーに参加することは有益だったと語った。「誰かが——例えばＣＩＡの上級職員が——そんなパーティーに出ている事実を知るだけでも、興味深いネタになる」とケヘルは言った。「あるいは、その情報を他の誰か（別の情報将校）に渡し、利用してもらう。そういうことさ」

集団セックスについては、「当時、必要に迫られてしたことにすぎません」と、ハナ・ケヘルは当たり前のように言った。「私たちの友人は皆、小さなクラブのようなものに入っていました。そこで、私たちも行ってみたんです。様子を見るためにね」

オゴロドニクの死についてどう感じているか、私はケヘルに訊ねてみた。

「彼については、非常に気の毒だったと思います」とケヘルは言った。「しかし、彼の命を奪ったのは、ＣＩＡと彼自身です。ＣＩＡが彼を勧誘したやり方がまずかったのです」

第10章

もっとローストビーフを！

支配欲の強かったフーヴァーは、潜入捜査に不信感を抱いていた。マフィアやテロリストが住む地域に馴染むように、捜査官が髯を蓄えたりくだけた服装をしたりすることを、フーヴァーは嫌悪した。捜査官は毎日オフィスに出頭せねばならず、「ビュー・カー」と呼ばれるFBIの公用車しか運転することを許されなかった。それはよく目立つ大型のフォード・セダンで、送受信無線機のアンテナが突き出していた。

フーヴァーとは対照的に、ウィリアム・ウェブスターは長期潜入捜査やおとり捜査を承認した。「こうした展開が現れたのは、フーヴァーが去った後だった。長期潜入捜査を許可し、捜査官をトップレベルの犯罪情報提供者に、マフィアそのものに仕立てるようになったのだ」と、FBI本部で一九七九年から一九八六年まで組織犯罪課長を務めたショーン・マクウィーニーは言う。

一九九〇年代半ばには、FBIはそうした秘密の手配を専門に行なう、ショートスタックというコードネームの潜入グループを作り上げていた。

「我々は捜査官たちに、偽の社会保障番号から運転免許証、パスポート、カモフラージュの仕事まで、あらゆるものを提供した」と、二〇〇三年まで九年間そのグループのリーダーを務めたマイケル・リースは言う。

今やＦＢＩは、麻薬に手を出さなければ正体がばれてしまうような場合は、潜入捜査官らに麻薬の使用を許可するまでになっている。麻薬の使用を報告した捜査官は、何か月にもわたって検査され、薬物依存症に陥っていないことを確認される。もしフーヴァーがこのことを知ったら、墓の中でひっくり返ったことだろう。

容疑者の追跡と監視を行なうため、ＦＢＩは一九七〇年代半ばに特別支援グループ（ＳＳＧ）を組織した。それらの「Ｇｓ」と呼ばれる給与水準の低い非武装の職員は、防諜作戦において監視役を務める。ジョガーやホームレス、インラインスケーター、アイスクリーム屋、郵便配達人、あるいは秘書など、さまざまな変装をする場合もある。彼らや捜査官たちが街で容疑者を尾行する際は、常に互いに連絡を取り合う。車を運転しているときは、容疑者を追い越すこともあれば、一筋向こうの道路から容疑者の動きを追うこともある。また、さらに容疑者の目を欺くために、尾行する車を交代させる場合もある。尾行に使用する車種もさまざまで、コルヴェットもあれば古いおんぼろ車もあり、ブルドーザーやバスやアイスクリーム・トラックを使うこともある。

発信者番号通知サービスが開始される前、リースは緊急に必要な場合、電話会社に市内通話の着信記録を引き渡すよう、熱心に要求した。それらの記録は多くの事件を解決する鍵となった。その一例が、ジョセフ・ギブソンとベヴァリー・ギブソン夫妻の殺害事件である。一九八七年一二月二四日、デラウェア州ヘイズレットヴィルのトレーラーハウスで、ギブソン夫妻が射殺体で発見された。生後わずか九日の息子マシューは行方不明だった。

凶行の直前、近所に住むジョセフ・ギブソンの両親は、少なくとも二回、ある女性から電話で息子たちのトレーラーへの道順を訊ねられていた。その女性は、産院で知り合ったギブソン夫妻を訪問したいのだと語っていた。

リースは電話会社に、地域番号が302の範囲から両親宅にかけられた電話記録の提出を要請した。

「会社側は、『その種の調査は行なっておりません』と返答した」とリースは言う。「私は、『その情報は通話料請求記録の一部としてそちらに残っているはずだが』と食い下がった」

さんざん催促した後、ようやく電話会社はその種の情報をはじき出すコンピュータプログラムの設計に同意した。両親宅にかかってきた電話は、リチャード・W・リンチとジョイス・リンチの自宅から発信されていた。FBIは、ジョイス・リンチが妊娠していないにもかかわらず妊娠したと家族に話していたことを突き止めた。クリスマス直前、リチャード・リンチは妻が男の子を出産したと友人や家族に語っていた。リンチ夫妻は男の赤ん坊が欲しかったため、マシューを誘拐したのだ。

凶行から二週間後、リンチ夫妻は逮捕され、殺人罪で起訴された。マシューは無事祖父母に引き取られた。

ウェブスターの指揮の下、FBIは一九七〇年代後半から一九八〇年代前半にかけ、連邦議会議員の追及にまで乗り出した。アブスキャムというコードネームを付けられたこの作戦では、アラブの族長の代理人になり済ました潜入捜査官が、ワシントンに借り上げられた二階建て住宅で連邦議会議員に政治的便宜を求めた。彼らは法的便宜を約束して現金を受け取る連邦議会議員の姿をビデオテープに収めた。ニュージャージー州選出の上院議員ハリソン・A・ウィリアムズ・ジュニアを含む、七人もの議員が有罪を宣告された。FBIは、フーヴァー時代のように連邦議会議員を脅迫する代わりに、彼らを刑務所に送り込んだのだ。

連邦議会議員の追及に加え、FBIはラスベガスの有力者とも対決した。そのうちの一人が、ネヴァダ州連邦地裁の首席判事ハリー・E・クレイボーンである。一九八三年一二月、クレイボーンは贈賄と司法妨害、所得税の不正還付申告の罪で起訴された。彼は最終的に所得税の脱税で有罪を言い渡された。FBIがクレイボーンに対する捜査を進めていたとき、当時のネヴァダ州選出連邦議会議員で後に上院多数党院内総務を務めたハリー・リードが、FBIのクレイボーン追及の理由を質すために、ウェブスターに会見を申し込んだ。

議会と広報活動担当捜査官のウォルター・B・ストウ・ジュニアが、リードの要請に応えて会合を手配した。

「実際の会合は実にあっけなく終了した。リードはクレイボーンの捜査に関する質問を機械的に投げかけるだけだし、ウェブスターの方は、たとえ連邦議会議員に対しても捜査の詳細を話すことはできないと説明するばかりだった」とストウは言う。「その会合については、ウェブスターがリードに対し、非常に巧妙に権力に関する教訓を与えたという印象を受けた。FBI長官は政治的圧力に屈しないというメッセージを、明確に伝えたのだ」

しかし、後にウェブスターがCIA長官（DCI）に指名されたとき、リードは彼の承認に対して唯一の反対票を投じた。クレイボーンは一九八四年に脱税で有罪判決を受け、禁固二年を言い渡された。現職の連邦判事が解職処分を受けるのは、実に五〇年ぶりのことだった。

薄い唇と秀でた額を持つ、年齢を感じさせない顔立ちのウェブスターは、管理者として優れた手腕を持っていた。非凡な才能のある管理者を選抜してFBIの運営を任せたが、彼らに対し、絶えず厳しく質問を投げかけた。ウェブスターは捜査官らに、隠しごとをするなとはっきり言い渡していた。全てを報告していない、あるいはなすべき仕事をしていないと彼が見なした捜査官に対しては、ウェブスターの口調は険しくなり、目つきは冷ややかになった。

「着任当初に行なわれた役員会議で、役員連中はウェブスターにくどくどと言い訳を並べ始めた」と、ウェブスターの下で長官補を務めたウィリアム・A・ギャヴィンは言う。「ウェブスターは彼らに一七秒以上しゃべらせず、すぐさま批判を開始した。彼が人を叱責するときは、短く簡潔な言葉を用い、両目から青い火花を散らす。あんな目に遭うのは、一度でたくさんだ。まるで父親に叱られているようだった。もう二度と彼を怒らせまいと思ったよ。ウェブスターは役員連中の腐りきった官僚気質を見抜いていた。『答えを知らないときは、素直に知らないと言うべきだ』と、誰もが即座に悟った」

ウェブスターの指揮の下で発展したにもかかわらず、フーヴァーが去ってからのFBIは、内部規律が崩壊し始めていた。それについては、今や伝説となった逸話がある。ニューヨーク支局の捜査官の一人が、当時六九番通りと三番街の交差点にあったオフィスの近所にあるデリカテッセンに、昼食に出かけた。この捜査官は、その店ではFBI捜査官や警察官には割引や大盛りのサービスが提供されるものと思い込んでいた。彼はローストビーフ・サンドウィッチを注文し、ローストビーフをパンにはさむ店員の手元を見つめていた。店員はでき上がったサンドイッチの皿を捜査官に差し出した。誠に残念ながら、そのサンドウィッチは他の客のものと比べて少しも大きくなかった。そこで捜査官は店員に身分証を見せて怒鳴った。「FBIだ！　もっとローストビーフを入れろ！」

その噂はたちまちFBI全体に広がった。局内でこれほど有名な話は他にない。FBI職員は、何か不満を感じると、「もっとローストビーフを！」と叫ぶようになった。身分証を人に見せたことを上司に報告するときも、「私は彼にローストビーフしました」と言う。

この逸話——基本的に実話である——が捜査官らの心に強く訴えかけるのは、捜査官であるという事実が彼らにとって何を意味するか、その核心をついているためだ。FBI捜査官には、恐ろしいほど大きな権力が与えられている。彼らは武器の携帯が認められ、相手を射殺する許可も受けている。容疑者の自由を奪い、終身刑で刑務所に送り込むこともできる。電話でのプライベートな会話を盗聴し、寝室での行動を録画し、大陪審の前に証人を召喚し、郵便受けを開けて郵便を開封し、Eメールや電話の記録を入手し、所得税還付申告書を調査することもできる。

彼らはファイルを調べるだけで、相手に最もダメージを与える個人情報を見つけ出すことができる。身分証を見せるだけで、空港の保安審査を素通りして武器を機内に持ち込むことができ、映画館にも無料で入場でき、駐車違反をしても違反切符を切られることはない。しかし、職務でないときや正当な許可を得ていないとき、そして多くの場合、裁判所命令を受けていないときは、一般市民と同様に何の権力も持たない。いわゆる「身分証《クレッズ》」を見せて地元の飲食店で料理を大盛りにしてもらうような真似は、ＦＢＩの最も根本的な信条《クレド》に反する行為だ。

捜査官の解雇を検討するときは、ウェブスターは寛大な姿勢をとり、情状酌量の余地を探した。世間の人々がＦＢＩ捜査官に対して多大な信頼を寄せている事実を考慮すると、彼の在職中に、尋問報告書の改竄や知人に便宜を図るための不正な情報取得、行政審査中の虚偽報告などが、それ自体では解職に値する行為と見なされなかったことは、実に遺憾である。

品位に関して言えば、道徳的規範を犯してはならないと、かつてウェブスターの下で副長官補を務めたバック・レヴェルは言う。「越えてはならない一線が、明確に存在しなければならない。誤った発言をしてはならない。嘘をついてはならない。虚偽の証言をしてはならない。さもないと、職を失うことになる」

長年の間に、この寛大な姿勢はそれなりの影響を及ぼしていた。

一九八〇年四月一六日午後五時三〇分、ＦＢＩ守衛のアール・ソーントンは、ＦＢＩ本部の八階にある連邦クレジットユニオンのドアを開けた。ＦＢＩビルは完全な四角形ではなく、ゆがんだ四面体をしている。地域の建築制限を満たすために、この建物はペンシルヴェニア通りに面した部分は七階までしかないが、奥へ進むにつれて高くなり、一一階建てになる。側面から見れば、建物後部のグロテスクな張り出し部分が、今にも通行人の頭上に倒れかかりそうに見える——間

地域の建築基準に適合させる必要から、FBI本部の建物は
ペンシルヴェニア通り側が7階建て、奥の方が11階建てになっている。
（写真提供＝FBI）

違いなく、フーヴァーはそのような印象を狙ってこのビルを設計したのだろう。

クレジットユニオンのオフィスに入ったソーントンは、明かりをつけた。掃除機をかけ始めようとしたとき、カウンターの後ろにある金庫の扉が開いていて、その前に茶色い髪のずんぐりした男がいるのが目に入った。一瞬の間の後、カウンターの後ろにいた男は飛び上がって叫んだ。

「FBIだ！　動くな！」

ソーントンはすぐに、その侵入者がFBIきっての極秘侵入の達人、H・エドワード・ティッケル・ジュニアであることに気付いた。ティッケルはどんな錠前も金庫も破ることができ、住居にも大使館にも怪しまれずに侵入することができた。この専門技術のために、FBIは最も重要な秘密を彼に委ねていた。

二六万ドルの現金が入っていた金庫の扉が解錠されていたため、クレジットユニオンに呼び出されたのだ、とティッケルはソーントンに説明した。ティッケルはソーントンを逮捕した。しかし、彼を呼び出したクレジットユニオンの職員の名前を言えなかったことから、ティッケルの嘘が露見したのである。

その後の捜査により、ティッケルはクレジットユニオンでの行為以外にも、盗品の指輪やダイヤモンドを売却していたことが明らかになった。また、友人のために盗難車を売りさばいたり、FBIの送受信兼用無線機を盗んだりもしていた。

ティッケルはワシントンの連邦地裁でクレジットユニオンへの不法侵入について無罪判決を受けた。しかし、無線機の窃盗では有罪となった。九日間にわたる審理の末、ティッケルはヴァージニア州アレクサンドリアでも、宝石盗難事件に関する盗品の州間輸送法違反、虚偽の供述、司法妨害、および脱税などの罪で有罪宣告を受けた。

ティッケルの事件も異様だが、FBI捜査官のモンセラーテ夫妻の事件にはとてもかなわない。一九八七年一月四日、フランク・モンセラーテとスーザン・モンセラーテは、マイアミ州南部郊外のペリンのクラブ「プレイハウス」からの帰り際に、銃を突きつけられた。夫妻が午前二時過ぎにクラブを出たところ、チェスター・ウィリアムズという男が二人の前に立ちはだかり、金を要求したのである。

多くの犯罪歴を持つウィリアムズは、スーザンの金のネックレスを奪おうとしたが、狙った相手が悪かった。捜査官のフランク・モンセラーテは銃を携帯していなかったが、妻のハンドバッグに彼女の銃が入っていることを知っていた。そのとき、ウィリアムズが金を要求すると、スーザンは財布を取ろうとしてバッグに手を伸ばした。そのまに、フランクは妻の三八口径のリボルバーをすばやく手に取り、ウィリアムズに向かって数回発砲して致命傷を負わせた。その間にウィリアムズも銃を発射し、スーザンは背中を負傷した。

発砲した際の通常の手続きとして、FBI検査官が調査を開始した。当初モンセラーテ夫妻は当日の行動について嘘をついていたが、二人の供述は食い違っていた。FBIの職務責任局の報告書によると、フランクは最終的に、「彼と彼の妻が、実際には（クラブで）夫婦交換を含む乱交パーティーに参加していたことを明かした」。夫婦交換は、その前夜検査官に事情聴取されていた別の夫婦や、「素性も知らず、名前も覚えていない別の何組かの夫婦」と行なわれた。

中西部出身者らしい清潔感で人望のある捜査官のスーザン・モンセラーテも、数回にわたる事情聴取の後でようやく、そのクラブの会員になってからの二年間、彼女とフランクが「他の人々と性交渉を行なった」ことを認めた。先の供述を撤回し、「オーラル・セックスやクラブの女性メンバーと性行為を行なった」と告白したのである。

一九八七年七月、FBIはモンセラーテ夫妻を解職した。そのような処分に至った最終的な理由は、FBI捜査官はセックスクラブに出入りすることを禁じられているというものだった。モンセラーテ夫妻は、あるいは停職処分で済んだかもしれないが、彼らは自分たちの行動について嘘をついていた。さらに、スーザン・モンセラーテはセックスクラブに行くことに劣らぬほど許されない罪を犯していた――拳銃とＦＢＩの身分証を、クラブの従業員に預けていたのだ。銃とバッジを身につけたまま性交することはさぞ難しかろうが、ＦＢＩ捜査官はそれらを決して手放してはならないのである。

女性が捜査官になることに反対していたフーヴァーがＦＢＩ本部の地下室に潜んでいて、再び権力の座に就くことを狙っていると信じている捜査官は多い。もしフーヴァーのカムバックが必要とされる事態があったとしたら、モンセラーテ事件はまさにそれだった。

第11章 ウェイコ事件

元判事のウィリアム・ウェブスターは、FBIに高潔な精神を持ち込んだ。そこでレーガン大統領は、一九八七年五月にウェブスターをCIA長官に選んだとき、FBIの彼の後任はやはり判事から選ぶのがよいと考えた。

レーガンはサンアントニオ連邦地裁の首席判事ウィリアム・S・セッションズを選び、セッションズは一九八七年一一月二日にFBI長官に就任した。白髪頭のセッションズは、屈託のない笑顔と人懐こいまなざしを持ち、大きな丸眼鏡をかけていた。農場育ちの朴訥な少年のような外見と、鼻にかかったテキサス訛りが、彼が好んで語る話題に真実味を与えていた。

セッションズは自らの職務上の特権を愛した。彼は常にシャツの胸に真鍮製のFBIバッジをつけていた。引退した捜査官らと話すときでさえ、自分を「諸君の長官」と三人称で呼んだ。一部の捜査官は彼のこうした性癖を嫌い、FBIバッジは容疑者逮捕に踏み切るときまで身分証ケースの中にしまっておくべきだと指摘する者もいた。

捜査官たちに「セッションズ講話」と揶揄されるほど演説好きなセッションズは、たちまち口先男という評判を得た。

「彼はとにかくよくしゃべった」とセッションズ時代に支局担当特別捜査官（SAC）を務めたラリー・ローラーは言う。「SAC会議には無駄口メーターというものがあった。セッションズが発言に立つと、決まってこのメーターが鳴り始めたものだ。セッションズは自分を優れた演説家と見なしていた。彼がしゃべっている間、皆は顔を見合わせて『長官はいったい何を言っているんだ？』とささやき合っていた」

長官室を訪ねた捜査官が重要な報告をしようとしても、セッションズは上の空でテレビを眺めていた。セッションズの最大の貢献として捜査官らに記憶されているのは、彼らにクッキーを勧めたことだった。出張に出れば、スパイやマフィアの事件に関する報告をさえぎって、観光名所について質問した。

セッションズのオフィスは常に整頓が行き届いていた。彼は未決裁の書類入れを毎日空にすることを誇りにしていた。しかし、彼のFBIの運営法は支離滅裂だった。テクノロジー愛好者であるセッションズは、Eメールで長官補らに多くの質問を送りつけ、調査を要求した。しかし、わざわざ調査しても無意味であることが多かった。セッションズは、そんな質問をしたことすら覚えていなかったのだ。

あるときセッションズは、長官警護部隊主任のジョー・シュテールに質問をした。シュテールが答えを調べて戻ってきたところ、セッションズは説明を聞こうともせずに『テキサスの黄色いバラ』を口笛で吹きながら去っていったという。

一九九〇年一二月、セッションズは当時の司法長官ディック・ソーンバーグとともに、アトランティック・シティーへ赴いた。司法省がFBIの捜査に基づき、その都市最大のカジノ従業員労働組合に対して民事訴訟を起こすことを発表するためである。目的地に向かう間、セッションズはニューアーク支局の捜査官らに、事件に関する報告を求めた。しかしその報告の最中に、彼はいきなり整髪料のコマーシャルソングを歌いだした。「さっとひと撫でブリルクリーム、紳士のたしなみブリルクリーム」

ウェブスターとは違い、セッションズは捜査の詳細についてはまったく知ろうとせず、ほとんど関心を示さなかった。その代わり、FBIの人事、技術、システム面に注目し、女性や少数民族の雇用機会の拡大や、DNA分類法の先駆的利用促進などに尽力した。また、彼は下級管理職に捜査責任を負わせた。

ウェイコやルビーリッジでの事件の膠着状態においては、それが裏目に出た。いずれの事件も、FBI以外の機関が容疑者の逮捕に失敗したことから始まった。ルビーリッジの大惨事の発端は、一九九二年八月二一日、連邦保安局がランダル・「ランディ」・ウィーヴァーの地所に接近したことである。ウィーヴァーは自称キリスト教白人分離主義者で、アイダホ州北部のルビーリッジ近郊の人里離れた山小屋に、家族とともに暮らしていた。ウィーヴァーは未登録火器――アルコール・タバコ・火器局（ATF）の情報提供者から四五〇ドルで購入した二丁のソードオフ・ショットガン――の売買で逮捕され、保釈金を支払って釈放されたが、審理前審問に出頭しなかった。

四人の保安官がウィーヴァーの地所を調査していたところ、彼らの存在に気付いたウィーヴァーの飼い犬が吠えだした。それをきっかけに銃撃戦が始まり、保安官ウィリアム・F・ディーガンとウィーヴァーの一四歳の息子サミーが死亡した。その他の家族は山小屋の中に立て籠っていた。

保安官らはFBIに協力を要請し、八月二二日にリチャード・M・ロジャース率いる人質救出部隊（HRT）が、二機のエアフォースC－130で到着した。HRTは容疑者らが施設から出てくるまで逮捕を待たず、一一人の捜査官にウィーヴァーの山小屋を包囲させた。すでに保安官が一人殺害されていたことから、ウィーヴァーは極めて危険な人物であると考えられた。セッションズの下で犯罪捜査課次官補を務めるラリー・A・ポッツは、この事件における特別交戦規則を承認し、ウィーヴァーの山小屋の内部にいる武装した成人全員を「銃撃する許可と義務」を捜査官らに与えた。

クアンティコでの銃器訓練で、捜査官らは全員FBIの殺傷武器利用方針を教えられている。捜査官が発砲できるのは、容疑者によって自分もしくは他人が殺害されるか、重傷を負わされる差し迫った危険があると判断した場合のみなのだ。それ以外の理由による発砲はすべて、「明らかに違憲な治安維持活動に対する戦時規則」という控訴審判決にあたる。

FBIの新米捜査官が叩き込まれるもうひとつの方針は、無為は時に最上の策である、というものだ。時間の経過とともに、容疑者は疲弊し、空腹を覚え、退屈し、ついには平和的に降伏する。FBIのいわゆる危機管理作戦に携わるときは、「孤立させ、封じ込めてから交渉する」ように、捜査官らはクアンティコで教えられる。

ルビーリッジ事件では、それらの方針がふたつとも破られた。実際のところロジャースは、二日以内にウィーヴァーと家族が投降しなければ、二台の兵員輸送装甲車で山小屋を解体するという攻撃計画を持って事件に臨んだのである。

午後五時を回った頃、人質救出部隊の狙撃手らが山小屋の周囲で配置につき始めた。氷のような雨が降り始めていた。一時間後、FBIのヘリコプターが山小屋周辺の偵察飛行に飛び立った。頭上でヘリコプターの爆音がするのを聞きつけ、ウィーヴァーと一六歳の娘のサラ、友人のケヴィン・ハリスがライフルを手に山小屋を飛び出してきた。FBI捜査官のロン・ホリウチは、男たちの一人がヘリコプターに向かって発砲しようとしたと判断し、その男を銃撃した。ホリウチは男が銃を撃とうとしたと思っていたので、彼の銃撃はFBIの殺傷武器利用方針に違反していない。ホリウチが負傷させた男は、ランディ・ウィーヴァーであった。

三人の容疑者が山小屋に駆け込む間に、ホリウチは同じ男に対して再度発砲した。彼は男が山小屋の中からヘリコプターを攻撃し続けるに違いないと考えたのだ。山小屋の中には女性や子どもたちもいるため、攻撃者だけを狙撃することは困難になるだろう。後にわかったところでは、ホリウチの二発目の銃弾は山小屋の木の扉を貫通し、ランディの妻ヴィッキー・ウィーヴァーの顔面を直撃していた。弾丸は彼女の後頭部を突き抜け、ハリスの腕にも当たっていた。ヴィッキー・ウィーヴァーはほぼ即死した。容疑者らの遺体が回収されるまで、ホリウチは自分がヴィッキーを殺したことに気づかなかった。

ホリウチはFBIのヘリコプターを狙撃しようとした男に向かって発砲したと考えていたこと

から、この二回目の銃撃も、FBIの本来の殺傷武器利用方針を逸脱してはいない。ウィーヴァーはその後もFBIを山小屋に近づけさせず、ようやく一〇日後に降伏した。

州検察官はホリウチに対して刑事訴訟を起こしたが、連邦判事は、公的資格に沿って行動したのだから連邦裁判所で審理されるべきというホリウチの主張に同意した。連邦裁判所は訴えを棄却した。

ウィーヴァーはディーガン連邦保安官殺害の罪で起訴された。一九九三年七月、連邦陪審は保安官が先に発砲したと判断してウィーヴァーに無罪を言い渡した。また、武器売買でも無罪となった。結局、司法省は不当な死亡訴訟を起こしたことに対し、ランディ・ウィーヴァーに三一〇万ドルの賠償金を支払うことになった。

この包囲作戦でFBIが多くの過ちを犯したことは確かだが、最終的に、ルビーリッジ事件は偶発的発砲事件だったと言える。ホリウチには、ヴィッキー・ウィーヴァーを銃撃する意図はなかった。このような結果になったことは、寛容な――そして忌まわしい――交戦規則とは関係がなかった。銃を撃った経験のある者なら誰でも、狙いを外してしまうことがいかに簡単か、よくわかっている。重圧にさらされた場合は、なおさらだ。警察官は毎日のように誤って容疑者に発砲しているが、人種問題に発展しない限り、世間で問題視されることはほとんどない。

ルビーリッジ事件が政府の圧制の象徴となったのは、右翼団体がこの出来事に飛び付き、世間の耳目を集める大事件にしてしまったためである。同じことが、ウェイコで起きた包囲事件でも繰り返された。この惨事は、一九九三年二月二八日に始まった。ウェイコから東へ一六キロ離れ

捜査官訓練生はヴァージニア州クアンティコのFBIアカデミーで116時間に及ぶ銃器訓練を受ける。（写真提供＝FBI）

たテキサス州マウントカーメルにある廃墟のような施設に、ＡＴＦが一斉検挙を計画したのだ。その施設では、三三歳のデイヴィッド・コレシュと彼の狂信者らの集団が、違法マシンガンと爆発物で武装していた。それらの武器は、コレシュの予言した無信仰者たちとの流血の対決に備えて準備されたものだった。

一斉検挙時の四五分間にわたる銃撃戦で、デヴィディアンと名乗るその宗教団体は四人のＡＴＦ捜査官を殺害し、さらに一五人を負傷させた。ＡＴＦは撤退を余儀なくされ、クリントン大統領はＦＢＩに引継ぎを命じた。がっしりとした体格のサンアントニオ支局担当特別捜査官（ＳＡＣ）ジェフリー・ジャマーの指揮の下、二月二八日の午後、人質救出部隊のメンバーが施設の包囲を開始した。彼らは交渉による膠着状態の終結を望んでいた。

しかし一か月以上が経過し、FBIはコレシュに対して包囲作戦は効果がないことを悟った。コレシュはたびたび投降を約束しながら、思いとどまれという神のお告げがあったとして前言を翻した。その間、施設内部の状況は悪化し続けていた。教団を去ることを選んだ数人の信者から聞き出した情報によると、デヴィディアンたちは排泄物やATFとの銃撃戦で死亡した人々の遺体に囲まれて暮らしていることがわかった。さらに、コレシュは複数の妻と暮らしていたが、彼女らはわずか一二歳の少女だった。彼の行為は、児童虐待と強姦の罪に当たる。

セッションズと司法長官ジャネット・レノの許可を得た後、ジャマーは四月一九日の早朝、施設に向かって説得を開始した。午前六時直前、風が凪いだ頃を見計らって、FBIは拡声器を使ってコレシュと信者たちに呼びかけた。「これは攻撃ではない！　銃を撃つな！　今すぐ出て来れば、危害は加えない！」。しかしこの行動は、一部の信者たちに対し、世界が終わると言うコレシュの予言が正しいことを裏付ける結果になった。コレシュの腹心のスティーヴ・シュナイダーが、外部との連絡に使っていた電話機を正面の窓から挑戦的に投げ捨て、通信手段を絶った。

数分後、改造されたM60戦車が施設の入り口付近に穴を開け、ブームに取り付けたノズルでCS催涙ガスを噴射し始めた。デヴィディアンたちは戦車に対して発砲し始めたが、捜査官らは応戦を控えた。午前九時、戦車が正面の扉を打ち壊し、信者らの脱出を容易にした。また、施設の北西の角にも穴を開けた。正午には、FBIは施設の外装を全て破壊した。五一日間続いた膠着状態が終わったのだ。

午後一二時五分、施設の南西の角から一筋の煙が立ち上ったと思うと、小さく火の手が上がり始めた。毎秒一四メートルのプレーリーの強風にあおられ、一二時二〇分には、炎は建物の西側に広がった。二分後、FBI捜査官らは戦車を降りて施設を取り囲んだ。教団メンバーの一人が屋根から落ち、炎に飲まれた。彼は捜査官らを追い払おうとしたが、捜査官らは燃えている服を脱がせ、男を装甲車の中に運び込んだ。さらに、服から煙を上げた女性が錯乱状態で炎の中から現れた。彼女は燃え上がる施設の中に駆け込もうとしたが、捜査官の一人が引き止めて救出した。捜査官らは施設内部に入り、コンクリートの穴にたまった、排泄物や人体の一部やネズミの死骸が浮かぶ水に膝まで浸かりながら、子どもたちを

捜査官訓練生はFBIアカデミーで捜査技術に関する訓練を176時間受ける。
（写真提供＝FBI）

捜した。

この結末に、現場のＦＢＩ職員から本部の司令部で成り行きを見守っていた人々まで、全員が衝撃を受けた。

地元警察の調査により、火災の原因は内部からの放火と立証された。うねるような黒煙という、反応促進剤が用いられたことを示す明白な証拠の他、ＦＢＩの赤外線航空ビデオ写真から、それぞれ半ブロックほど離れた、施設内の少なくとも四か所からほぼ同時に炎が上がっていることが確認された。

赤外線写真の他にも、窓から施設内部を覗き込んでいたＦＢＩの狙撃手らが、火災が発生する数秒前に、デヴィディアンたちが液体のようなものを撒いているのを目撃していた。また、マッチで火をつけるときのように、カルト信者たちが手で何かを囲うような動作をしているのも目にしていた。生存者数名の衣服から灯油とガソリンが検出されたが、彼らはＦＢＩが放火したと言い張った。電子的に盗聴された録音テープの会話の解析が進むと、火災発生時にデヴィディアンたちが、施設の周囲に燃料を撒くように声を掛け合っていたことがわかった。

二五人の子どもを含む八〇人の信者たちは、火災で焼死したと断定された。コレシュを含む七人の信者は、頭部に銃弾を受けており、自殺の可能性が高かった。検死により、一部の子どもたちが刺殺されたり撲殺されたりしたことも判明した。

この衝撃的な結末に、ＦＢＩ捜査官らはわが身の危険を顧みず信者らの救出を試みたにもかかわらず、メディアや連邦議会や生存者や遺族からの激しい批判にさらされた。なぜＦＢＩは待つことができなかったのか？　それはもっともな質問だった。交渉担当官らはもっと時間を必要としていた。しかし、ロジャース率いる人質救出部隊は、強硬手段に訴えたのだ。

「我々はそれまで二か月間待ったんだ」とロジャースは言う。「政府の機関として妥当な手段とは、いったいどんなものだ？　四人の政府職員が死に、一五人が負傷した。やつらは武器を所持しており、ヘリに向かって発砲していた。それなのに、こちらに使用が許された最低限度の武力といえば、催涙ガスだ。膠着状態を続けた結果、やつらが病気になって死んだとしたら、いったい何と言われただろう。自分の責任のもとに決着をつけようと思うのが当然じゃないか」

セッションズも同様の態度を取った。急襲前の四月一七日に行なわれたレノ司法長官との会合で、セッションズは感情を露わにし、両手を振り回してこう言った。「やつら（デヴィディアンたち）はFBIをコケにしているのか」

「ロジャースから大変な圧力をかけられている」。急襲のほぼ一か月前の三月二三日付のメモで、FBI副長官補ダニー・O・クールソンも漏らしている。

このような結末を迎えるくらいなら、デヴィディアンらの投降を待つべきだったと、FBIの上級幹部らは思い知った。実際人質事件では、FBIはしばしばそうしているのだから。たとえ未成年の子どもが虐待を受けていたにせよ、信者らが集団自殺を図る恐れに比べれば、虐待を止めさせるだけの価値はなかった。

現場にさまざまなFBI組織――人質救出部隊、交渉担当官、心理分析官――が存在し、指揮官が一人でなかったため、主導権争いに勝利した人質救出部隊がFBIの作戦を展開したのである。

協力体制が整っていなかった、とＦＢＩ人質交渉担当主任のバイロン・セージは言う。「我々の最大の敵は、我々自身だったのだ」

第12章 奥さまは共同長官

そもそも最初から、何かが妙だった。FBI長官代行のジョン・E・オットーは、ウィリアム・セッションズに宣誓就任式の進行手順について説明するため、何度か彼の自宅に電話をかけたのだが、そのたびにセッションズの妻のアリスが夫から受話器を奪い、何かと注文をつけるのである。

「アリスがいつも割り込んできて、宣誓就任式の進行手順を批判した」とオットーは言う。「ついに私は、マーサ・ミッチェル［ニクソン政権で司法長官を務めたジョン・ミッチェルの妻。ウォーターゲート事件でホワイトハウスの隠蔽工作に関する情報をメディアに提供した］にFBIを仕切らせるわけにはいかない、とセッションズに言い渡した。彼はわかったと言ったよ」

後に明らかになったところでは、アリス・セッションズはFBIの共同長官を自任していたのである。夫のFBI長官就任式について語るとき、彼女は「私たちが宣誓したとき……」と言った。自分は夫の「目と耳」であると自負し、小耳にはさんだゴシップを、「エレベーターで得た情報よ」と言って吹聴した。

ＦＢＩの長官を務める上でいかに妻の協力が必要か、長々と述べた後でセッションズはこう言った。「だから、我々は二人で一人のようなものなのだ。長官には、もれなく長官の妻がついてくる——彼女も、ＦＢＩにとって非常に重要な存在だ」

しかし、アリス・セッションズの見解は常軌を逸していた。

「私たちの会話は、たぶん録音されているわ」と彼女はことさらに声を潜めて言った。前著『ＦＢＩ——世界一強大な法執行機関の内幕（*The FBI: Inside the World's Most Powerful Law Enforcement Agency*）』執筆のため、ＦＢＩ本部の交換台を通して電話インタビューを申し込んだときのことだ。

また別のインタビューで、ＦＢＩは彼女の電話を全て盗聴しているのか、それとも本部を通した電話だけが盗聴されているのかと訊ねたところ、アリスは「もうひとつの回線も、たびたびセキュリティ侵害の徴候を示すの」と、自宅の別の電話回線について答えた。「彼らが他の電話も盗聴しているかどうかなんてわからないわ」。ＦＢＩの通信傍受能力については、「以前、その道のプロに相談したことがあるの。実は、一年前に電話会社の人に来てもらったのよ」と言った。

あるときアリス・セッションズは、当時長官の警護部隊主任を務めていたロナルド・Ｈ・マッコールに、ＦＢＩが電子式盗聴機器を夫婦の寝室に仕掛けたと訴えた。ＦＢＩが暗号通信用にセッションズに支給した送信機の中に仕掛けられているはずだ、と言うのである。

「その通信機は何だか変だ、という気がしてきたのよ」と彼女は私に言った。

彼女の訴えは総務課の指揮系統を通じて次官にまで報告され、ＦＢＩ全体を驚愕させた。

アリス・セッションズは、ＦＢＩ職員の資格要件から出産休暇の取り扱いに至るまで、あらゆる事柄に関して思いつくままに夫に助言していた。彼女の意見は職員らに圧倒的多数で却下されたが、彼女は職員の妻たちにも自分の考えを率直に語っていた。彼女の見解によれば、ＦＢＩは利己的で無能で自分の都合しか考えない職員で溢れていた。

アリスは外国の大使館でのレセプションで、食べ残した料理を持ち帰るための袋をたびたび要求し、ＦＢＩの警護部隊を困惑させた。フランスのリヨンでインターポールの会議に出席した際は、インターポールの職員たちと食事をした最高級レストランの料理がまずいと文句を言い、ＦＢＩ捜査官たちを驚かせた。

セッションズの判事時代、アリスは裁判にほとんど関心を示さなかった。ところが夫がＦＢＩ長官に就任すると、彼女はそれを自分自身の地位と権力を高める機会と考えたのである。ＦＢＩがワシントンの一六番通りの外れにある長官自宅の警備改善を決定したとき、アリスはドナルド・マンフォードに依頼するべきだと警護部隊に提案した。長年セッションズの秘書を務めたサラ・マンフォードの、当時の夫である。ドナルド・マンフォードは、ワシントンではなくサンアントニオで家庭用警報機の会社を経営していた。長官の妻であるアリスが強硬に主張したことから、警護部隊は彼女の要求を呑み、見積もりを依頼した。

ドナルド・マンフォードが勧めたのは、九万七〇四六ドルもするシステムだった——一九八九年にセッションズが三つの寝室がある邸宅の購入に費やした四三万五〇〇〇ドルの、およそ四分の一に相当する金額である。ＦＢＩ職員らはその提案に反対した。他の業者の入札前に契約を進めれば、競争入札を行なわなかったことで政府の調達規則に違反する。それに加え、長官の特別秘書との縁故を理由にマンフォードと契約を結ぶことは不適切だと判断したのだ。

結局、ＦＢＩは別の個人業者にフェンスの設置を含む警備改善工事を依頼した。ＦＢＩは、侵入者の姿を視認しやすいように、ホワイトハウスやワシントンの外国大使館で使用されているような、垂直な鉄棒を並べた柵を設置しようとした。しかしアリス・セッションズは、高さ一・八メートルの板を隙間なく張り巡らした木製の柵を主張した。その方がプライバシーを守ることができてよい、と言うのである。ＦＢＩの警備担当職員は反対した。狙撃者が身を隠せるようでは警備を改善したことにならないので、そのようなフェンスにＦＢＩが資金を出すわけにはいかないのだ。アリス・セッションズがそのような柵を欲しがるのは、飼い犬のピーティーを逃がさないためだと職員らは考えていた。

ウィリアム・セッションズは、この問題を協議するために開かれたＦＢＩ会議の席を立ち、全権をアリスに委ねた。同様に、アリスが職員の付き添いなしでＦＢＩ本部に入れるように入館証の発行を要求したときも、長官は妻の要求を通すよう命令した。本部の入館証は機密情報取扱許可を持つ職員だけに許されるのだが、ＦＢＩはアリスのために入館証第一四五九二号を発行した。それにより、彼女は次官クラス以上の職員だけに認められる特権を手にした。この特別ゴールドパスのおかげで、アリス・セッションズは入館名簿に客の名前を記入せずとも、ＦＢＩ本部を案内することができるようになったのだ。

本部の職員が入館証を忘れたときは、文書で上司に報告される。しかし、アリス・セッションズはしばしば入館証を忘れたので、彼女とその友人らは何の証明もなくとも入館することが許されていた。長官が妻に煩わしい規則を免除していることを知っていたので、FBIの警備担当職員は彼女に盾突くことを恐れていた。

これほど便宜を与えられてもまだ足りなかったらしく、アリス・セッションズは受付を通らずに長官のオフィスに入れる四桁の暗証番号も要求し、手に入れた。長官のオフィスには極めてデリケートな扱いを要する情報が保管されているため、みだりに入室できないように制限されているのだ。職員の机の上には、マフィアの情報提供者やFBIが監視しているスパイなどの名前や、CIAやNSAなどの極秘情報機関から届いた書類が置かれていることもある。木製の間仕切りにちなんで「マホガニー・ロー」と呼ばれている、高度なセキュリティ対策を施されたエリアで働く職員だけが、長官のオフィスに入るための暗証番号を教えられていた。

この特別待遇について私が質問したとき、アリス・セッションズは機密情報取扱許可が必要だとは知らなかったと答えた。「なぜ夫のオフィスに出入りしちゃいけないの?」と彼女は訊ねてきた。「機密情報取扱許可について、FBIは私を取り調べるべきだわ。だって、私は電話室の女の子なんかよりずっとたくさんのことを知っているんですからね。私の方が、はるかに内情に通じているんだから」

自分自身の行状に関しては、セッションズはわざわざ面倒な手続きをとってまで、自らの高潔さを示そうとしていたようである。彼は自宅に届けられた書類についていたペーパークリップを、いちいちFBIに返却した。法廷では、規則や手順を厳格に守り通した。スピーチでは、規則や法律を遵守することの重要性について語るのが常だった。

しかしその他の状況では、セッションズは自分の行ないに対する分別のなさを露呈した。彼はFBI長官として、たびたび故郷のテキサス州で講演を行なった。長官就任後の四年間は、出張の五回に一回はテキサス州に出かけていた。平均すれば、ほぼ二か月ごとにテキサスを訪れていたことになる。セッションズはそれらの出張を仕事と結びつけて正当化していたが、このパターンから、彼が職務上の地位を利用して、テキサスに住む家族や友人、主治医やなじみの歯科医に会っていたことは明らかだった。

フロイド・クラークやジム・グリーンリーフ、ジョン・オットー、バック・レヴェルをはじめとするFBIの最高幹部のほとんどが、セッションズ自身の職権乱用や秘書のサラ・マンフォードと妻のアリス・セッションズが引き起こす問題について、機会あるごとに警告を与えていた。レヴェルは部下のダラス支局の全捜査官に対し、アリス・セッションズやサラ・マンフォードの電話を受けた場合は、彼女らの要求に一切応えず、レヴェルに電話を回すという内務規定を定めた。レヴェルをはじめとするFBI幹部らは、あたかも預言者のように、職権乱用の事実が明るみに出れば、セッションズは長官職を失うことになるのを見通していた。FBI長官の任期は一〇年と定められているが、大統領はいつでもFBI長官を解職できる権限を持っているのだ。

一九九一年一二月二四日、セッションズの秘書サラ・マンフォードは、自らを法を超越した存在とみなしていることを、身をもって示した。その日、テキサス州の警察官二人が、テキサス州サン・サバから西へ一・六キロの地点で、彼女と息子のグレンが乗っていた車を止めた。二人が乗っていた車には、州法で禁じられている色つきのサイドウィンドウが用いられていた。

警察官のスティーブン・L・ボイドによると、彼が運転席に近づいたとき、マンフォードは助手席の窓を下ろしてFBI証を見せたという。マンフォードは補助職員であるにもかかわらず、捜査官の身分証に似た、ケース入りのいわゆる「ソフト・クレデンシャル」を持っていた。どうやら、彼女はその身分証を窓から振りかざせば、違反切符を免れると考えていたようだった。自分はFBI長官の秘書で、家族も法執行機関の関係者だとマンフォードは言い、「あんたたちも、夜になって家に帰れば子どもたちが待っているんでしょう。こんなことをして、恥ずかしくないの」と警官に食ってかかった。

ボイドによると、彼はマンフォードの主張を無視して違反切符を切った。そして、車の所有者である彼女の息子が色つきガラスを外した車の写真を郵送すれば、判事は訴えを棄却するだろうとマンフォードに説明した。

マンフォードは、自分のFBIの名刺をボイドの違反切符のコピーに添付していた。翌週、ボイドはその名刺の番号に電話して苦情を申し立てることにした。ボイドの電話は直ちにFBIの職務責任局（OPR）に取り次がれ、マンフォードの行為に関する調査が始まった。

『FBI——世界一強大な法執行機関の内幕（*The FBI: Inside the World's Most Powerful Law Enforcement Agency*）』を執筆したときにセッションズの職権乱用の事実を知り、それらの数々をドキュメントした私は、セッションズからコメントを取りたいと思った。職権乱用行為を調査するためにセッションズにインタビューすることを広報室から拒絶されたとき、FBI副長官補のグリーンリーフが、それらの事実をリストにした手紙をセッションズに送ることを提案してくれた。

一九九二年六月二四日、私は多くの職権乱用の事実のあらましを手紙に書き送った。FBI高官の不正行為に関する申し立ては全て職務責任局に知らせる義務があるという理由から、FBIは便箋一〇枚にわたってびっしり書き込まれた私の手紙を職務責任局に届けた。その後、私の手紙は公式に司法省の職務責任局に引き渡された。

その直後、司法長官ウィリアム・バーのもとに、引退したFBI捜査官が匿名で書いたとされる第二の手紙が届いた。一九九二年六月二五日付けのその手紙には、私的な旅行を公務と偽っているセッションズの行為が重点的に暴かれていた。第二の手紙の日付が、FBIに私の手紙が届けられた翌日になっていたことから、この手紙を出した匿名の人物は私の手紙について知っていたとわかる。

この二通の手紙に基づいて、司法省職務責任局はセッションズの行為に関する調査を開始し、FBIの職務責任局の調査をサラ・マンフォードの行為にまで拡張させた。

一か月半後、セッションズは私のインタビュー要請を承諾した。FBIの会議室で私と面会したとき、セッションズは手紙に挙げられていた質問には一切答えないと宣言した。その代わり、彼は三〇分間にわたって舌鋒鋭く私を非難したのである。

かつて私に異例のFBI立入許可を与え、全職員に協力を約束させ、広報官のインタビュー立会いなどの通常の規則も免除したことを、セッションズは指摘した。本にはFBIの偉大な業績のみが書かれるものと思っていた、それなのに、FBI職員の個人的事柄について、特に妻に関する問題について立ち入った調査を行なったことに、「怒りを覚え」、「失望した」、と語った。

予想していた通り、アリス・セッションズは彼女自身の分析を盾に参戦してきた。サンアントニオ・ライト紙のインタビューで、職権乱用の証拠は捏造されたものであり、夫は「茫然自失の状態から目覚め、騙されていたことに気付いた」とほのめかしたのである。何者かがその記事のコピーをFBI本部の掲示板に貼り出し、「不思議の国のアリス」と書き込んだ。

自暴自棄か、はたまた自己欺瞞か、FBI専用機の不正使用に関する調査が行なわれている最中の一九九二年一一月二七日、セッションズはアリスを伴って、FBIのジェット機セイバーライナーを利用し、アトランティック・シティーのサンズホテル・アンド・カジノで行なわれたボリショイ・バレエの公演に出かけていた。ホテル側がチケット料金の一〇〇ドルの勘定書きを偶然発見したことから発覚したのである。

一九九三年一月に最終的な調査結果が出たとき、司法省職務責任局の報告書にはセッションズの職権乱用と判断力の欠如を示す事例が数多く追加され、爆弾のように彼に襲いかかった。一六一ページにも及ぶ報告書によって、ニューヨーク・タイムズ紙の言う「果てしなく続くかに思われるペテンと経費水増しの記録」が暴かれたのだ。

報告書には、かえって安全性を損ないかねないフェンスをFBIの費用で自宅の周囲に設営したことの他に、セッションズが私益のために公務である出張を不正に利用し、長官警護部隊を私用に使い、必要とされる機密情報取扱許可なしに妻にFBI本部への入館証を与えたことなどが記載されていた。

また、セッションズは長官在職中四回にわたり、クリスマスに妻を伴ってFBI専用機で娘の住むサンフランシスコを訪れていた。その際、個人的旅行を公務として正当化するために、政府の負担で旅行する口実をFBIに作らせていた。実際アリス・セッションズは、招かれてもいない朝食会議に出席した後、会議に出たのは旅行を正当化するためだとある捜査官に打ち明けたことが報告書に記録されている。

この報告書が作成されている最中の一九九二年のクリスマスにさえ、セッションズはFBI専用機でサンフランシスコに出かけている。また別の機会には、セッションズは自宅で使う薪をFBI公用車に積み込ませ、コネティカット州ソールズベリーからニューヨーク州ポキプシーに運ばせた後、飛行機でワシントンまで送らせている。

職務責任局の報告書は、内部調査で明らかになった問題は極めて深刻であり、大統領はセッションズを長官職にとどめるべきかどうか決断すべきだと結論付けた。バー司法長官は、自宅周囲のフェンス設営費九八九〇ドルを政府に返済し、通勤に利用したFBI公用車の価格に応じた税金を払い、不動産書類を職務責任局に譲渡し、個人旅行の費用と日当を返済するよう、セッションズに命じた。

職務責任局の報告書は、ビル・クリントンの大統領就任前日に提出された。報告書について質問されたクリントンの広報担当補佐官ジョージ・ステファノプロスは、「憂慮すべきこと」と答えた。ニューヨーク・タイムズ紙は「ウィリアム・セッションズの時代は終わった」という見出しで、セッションズ解任を求める論説を掲載した。

ウィリアム・セッションズは、マスコミに対するコメントで自分以外の全ての人間を非難し、大々的なロビー運動を開始した。ワシントニアン誌に自分は陰謀の犠牲者だと語り、私やフーヴァーの信奉者ら、偏見を持つＦＢＩ捜査官、司法省職務責任局のマイケル・シャヒーン、そしてバー司法長官を名指しで批判した。彼は本書に対するコメントの要請に返答を寄こさなかった。

このようにして、セッションズの不可解な人間性が明らかになった。不正の影すら臭わせなかったウェブスターとは、全く正反対である。セッションズはＦＢＩの賛美者のように見せかけて、実は妻と同じくＦＢＩに不信感を抱いており、捜査官らを見下していた。

バー司法長官をはじめ、司法省やＦＢＩの職員は、セッションズは人当たりがよさそうに見えて実は傲慢な人物であるという結論に達した。さもないと、他の全ての人々を支配している規則に自分だけは従わないというセッションズの姿勢を説明することはできない。

セッションズの今後の去就が一向に定まらないことから、ＦＢＩの活動——総務、人事、法務、予算——の全てが麻痺状態に陥った。犯罪の増加と連邦予算の引き締めによって、ＦＢＩには技術力の向上が求められていた。そのような提案は何か月もの間、セッションズの机に積み上げられたままだったのだ。

セッションズは自分に対する非難に反論しようと虚しく努力し、ジャネット・レノと二度も面会している。レノは司法省の飛行機でサンアントニオに住む息子とサンフランシスコに住む娘を訪問したいというセッションズの要望について、二度とも拒絶した。セッションズはいずれの旅行についても、職務上の理由を捏造した。前司法長官のウィリアム・バーと同様、レノもセッションズの名前を聞いただけでうめき声をあげるようになった。

「マイアミにとどまっていればよかった」。セッションズの最新の職権乱用事件を耳にしたとき、レノは言った。「全ては彼自身が招いたことよ」

一九九三年四月六日、司法省の中庭でレノが演説を終えたとき、セッションズが彼女の方に歩いてきた。どうやらレノと話をするつもりのようだったが、レノはセッションズを無視して反対方向に歩きだした。結局レノはセッションズに、一九九三年七月一七日の土曜日の朝、司法省に出頭するよう命じた。ホワイトハウス法律顧問のバーナード・ナスバウムの立会いの下、レノはセッションズに、月曜日までに辞任しなければクリントン大統領が彼を解任することを伝えた。

レノとの会見後、テレビや新聞のカメラが大勢集まっている中で、セッションズは司法省前の縁石に躓き、ひじを骨折した。その日の晩を病院で過ごした後、セッションズは自宅の前に姿を現した。彼はレポーターに挑みかけるように、「信念に基づいて」辞任する意思はないと述べた。私益の追求以外に、彼がどんな信念を持っていたかは明らかではない。潔く辞職してほしいというクリントン大統領の意向を無視し、セッションズは自らの職を守るために闇雲に戦い、FBIを混乱に陥れた。

月曜日、クリントン大統領は六か月前に出すべきだった声明を発表した。ホワイトハウスの記者会見室で、大統領はセッションズに電話で解任の意向を伝えたことを明かした。クリントンとともにホワイトハウスに現れたレノは、職務責任局の報告書に記された事実から明らかになったとおり、セッションズは「深刻な良識の欠如」を示していたと結論づけた。

最終的に、セッションズが自らFBI本部を去るか、捜査官らが追い出してやらねばならないかという問題になった。クリントンがセッションズに解任を告げる電話をかける三時五〇分までに、彼に大統領の意志を間違いなく了解させるために、司法副長官のフィリップ・ヘイマンがセッションズをオフィスに呼び、大統領から電話があることを警告した。ヘイマンはセッションズに解任の手続きについて説明した。捜査官が免職処分になる場合と同様、長官もFBI証とバッジを返却せねばならず、オフィスから私物以外の物を持ち出してはならない。一方、クリントンはセッションズに解任を告げる手紙をファックスしていた。しかし、セッションズは午後三時五九分になってもまだオフィスに残っていた。クリントンは二度目の電話をかけ、自分の解任命令は「直ちに」発効されると告げた。

ここに至って、ようやくセッションズは大統領の意志を理解した。指示されたとおり、彼はFBI証をヘイマンに手渡した。もはや来客扱いとなったセッションズは、廊下を歩くにも自身の警護部隊の付き添いが必要だった。彼は本部で最後の記者会見を開き、自分は「下品な攻撃」にさらされてきたが、「(FBIが)内外から操られ政治的に利用されることを防ぐため、強く訴え続ける」ことを誓った。

セッションズは午後六時にFBI本部を去った。彼が警護部隊の運転で帰宅したのは、それが最後だった。FBIの長官が解任されたのは、セッションズが初めてである。

FBI内部には歓喜の声が挙がったが、悲劇的な結末を迎えたことに対する悲しみの声も、わずかながら混じっていた。セッションズの秘書ダーリーン・フィッチモンズはすすり泣き始めた。「セッションズはとてもいい人でしたが、サラ・マンフォードと奥さんに振り回されてしまったんです」と彼女は私に語った。

しかし、マホガニー・ローで働く他の秘書たちは、シャンパンの栓を抜いて祝っていた。

第13章 ヴィンス・フォスター自殺の裏側

ウィリアム・セッションズがFBI長官を解任された翌日、ヴァージニア州北部を流れるポトマック川沿いのフォート・マーシー公園の駐車場に、用足しの場所を求めて一人の男が白いヴァンを乗り入れた。午後六時直前、森の中を歩いていた男は、死体を発見した。彼は公園管理局の職員二人に報告し、職員らは警察に通報した。

一九九三年七月二〇日午後六時一〇分、公園警察と救急隊員が、ホワイトハウス次席法律顧問ヴィンセント・W・フォスター・ジュニアの死亡を確認した。三八口径のリボルバーを握っていた右手から硝煙反応が検出され、後頭部には銃創が見られた。争った形跡はなかった。

検死により、フォスターは口腔内で発射され後頭部から貫通した弾丸によって死亡したと断定された。警察の調べで、フォスターは死の前日、かかりつけ医に電話で抗鬱剤を求めていたことがわかった。さらに死の四日前には、姉妹のシェイラに鬱症状を訴えており、三人の精神分析医を紹介されていた。しかし、フォスターはセラピストの診療を受けて機密情報取扱許可を取り消されることを懸念していた。

公園警察と検死報告書はフォスターの死を自殺と結論付けたが、疑惑の声が上がったのも無理からぬ話であった。一部の人間は、フォスターは殺害され、犯行現場を隠そうとした犯人に公園に移されたのだとほのめかした。自殺を合理的に説明することはできないにせよ、世間に公表された捜査結果では、フォスターがよりによってこの時期に自ら命を絶つ決断に至った理由を明らかにすることは、到底できなかった。

クリントン夫妻のホワイトウォーター不動産開発投資関連の訴訟に関する広範な捜査の一環として、ケネス・W・スター独立検察官がフォスターの死の調査に乗り出した。それと言うのも、ホワイトウォーター疑惑に関する記録は、フォスターのオフィスに保管されていたためである。スターはFBIの現役捜査官や元捜査官らに、ホワイトハウスとアーカンソー州リトルロックでフォスターと関係のあった人物に事情聴取を依頼した。

元FBI捜査官コイ・コープランドは、他の捜査官らの報告を取りまとめる上級捜査官を務めた。コープランドによると、決して表沙汰にされなかった事実があったという。フォスターの死の約一週間前、ヒラリー・クリントンと、リトルロックのローズ法律事務所でヒラリーの指導役だったフォスターは、彼女が提案しようとしている医療制度法案について、ホワイトハウスの側近たちを交えて会議を開いていたのである。会議に出席していた人々がスターに雇われたFBI捜査官に語ったところでは、ヒラリーはフォスターが提起した法律的問題点に激しく反論し、側近たちの前でフォスターに恥をかかせたらしい、とコープランドは言う。

「かなり大きな会議の席で、ヒラリーはフォスターを口を極めて罵倒した」とコープランドは言う。「あなたは状況を把握していない、そんなことだから田舎弁護士になるのがせいぜいで、決して一流にはなれないだろう、と言ったんだ」

会議の後でフォスターと接触した「何十人もの」人々が捜査官らに語った話に基づいて、「あの重要な会議でヒラリーにこき下ろされた事実が、フォスターの背中を押したんだ」とコープランドは言う。「些細なことだが、それが彼を押しつぶす最後の一撃になった」

会議の後、フォスターの態度は劇的に変化した。知人の話では、緊張した口ぶりになり、内気でぼんやりしていて、ユーモアを失くしてしまった。ときには涙ぐむこともあった。身動きが取れない気分がするとも語っていた。

七月一三日の火曜日、フォスターは妻のリサと夕食を取っているときに、突然泣き崩れた。彼は辞職を考えていると語った。

その週末、フォスターと妻は車でメリーランド州イースタンショアに出かけ、友人のマイケル・カードーザ夫妻とウェブスター・ハッベル夫妻に会った。

「彼らはテニスをしたり、泳いだりした。友人たちによると、フォスターは何をするでもなく、ただぼんやりとローンチェアに座っていたらしい」とコープランドは言う。「まるでヴィンスらしくなかった、と友人たちは話していた。テニスが好きでいつも愛想がいい彼が、すみっこで一人虚ろに目を泳がせ、本を読んでいたんだ」

その二日後、フォスターはホワイトハウスの駐車場を午後一時一〇分に出ている。彼が自殺した正確な時刻は特定できなかった。公園警察は遺体を発見した後、午後八時三〇分にシークレットサービスに連絡した。

「その週末には、彼は自殺の決意をかなり固めていたのだと思う」とコープランドは語る。

スターは一一四ページにわたる報告書を発表する際、フォスターを悩ませていた一連の問題について、徹底的に詳述した。それらの中には、ウォール・ストリート・ジャーナル紙の批判的な論説や、ホワイトハウス旅行事務所の職員解雇に関する連邦議会の公聴会も含まれていた。

完璧主義者であるフォスターは、自分自身に対しても過大な要求を課していた。死の直前の数週間にわたって、「自分には、この仕事やワシントンの政界の表舞台に立つことは向いていない。ここでは他人を破滅させることが娯楽と考えられている」と書いていた。

「今までの人生で、これほど忙しく働いたことはない」と、フォスターは三月四日付の友人宛の手紙に書いている。「法律問題は気が遠くなるほど多く、時間のプレッシャーも甚大だ。そのプレッシャーと、財政的犠牲と、家庭崩壊は、公務員のトップに立つ者に要求される代償だよ。よく言われるように、『山頂に吹く風が一番強い』んだ」

スターは報告書で、FBIがフォスターの死に関する最も荒唐無稽な説さえ追及し、フォスター他殺説の反証となる広範な弾道テストを行なったことについて詳しく述べていた。スターはカリフォルニア州サンディエゴ郡検視官である法医学者、ブライアン・D・ブラックボーン博士に事件の再調査を依頼していた。博士は「ヴィンセント・フォスターは一九九三年七月二〇日、フォート・マーシー公園で、三八口径のリボルバーを口に含んで引き金を引き、自殺を図った。彼の死は本人の手によるものだった」と結論付けた。

FBIの捜査により、
ホワイトハウス次席法律顧問
ヴィンセント・W・フォスター・
ジュニアの死は、
ヒラリー・クリントンから受けた
侮辱が引き金となったことが
明らかになった。
すでに抑鬱状態にあった彼は、
ヒラリーに罵られた1週間後に
自ら命を絶った。
（写真提供＝AP通信・ホワイトハウス）

　スターは、当時コネティカット州警察犯罪科学研究所長を務めていた、物的証拠と犯罪現場の復元の専門家であるヘンリー・C・リー博士にも調査を依頼していた。彼の報告によれば、「犯罪現場の写真、報告書、そして物的証拠の再調査書を慎重に再検証した結果、それらのデータはヴィンセント・W・フォスター・ジュニア氏の死が自殺であったことを示していることがわかった。フォスター氏の遺体が発見された場所は、第一現場と一致している」という。すなわち、遺体発見現場でフォスターは自殺を図ったということである。

　しかしスターの報告書は、ヒラリーが側近らの前でフォスターを侮辱した会議については触れておらず、会議後のフォスターの態度の激変にも言及していなかった。しかし、それらの調査結果は、捜査官の事情聴取報告書には記載されていたという。情報公開法に基づいて国立公文書記録管理局でそれらの報告書を閲覧できるように目録を作成した、公文書保管人のデイヴィッド・ペインターが証言している。しかし、それらの報告書は、現在公文書記録管理局のファイルから紛失している。

スターはそれらの事実を報告書から除外した理由を一切語らなかったので、コープランドは彼なりに推測することしかできない。

「スターは名誉を非常に重んじる男だったから、我々が捜査するにふさわしくない事柄については追及したがらなかった」とコープランドは言う。「だから、ヒラリーの人格や、ホワイトハウスの部下の扱い方などは、捜査に値しないと思ったんだろう」

フォスターが自殺を決断した理由がヒラリーとの件に関係がなかった可能性は、確かにある。しかしFBIの捜査に基づけば、自殺の一週間前の出来事がきっかけとなって、彼は自分の人生に幕を引く決断をしたのだ。この出来事を報告書に載せなかった理由をスターに訊ねてみたが、返答は得られなかった。

ヒラリー国務長官にもコメントを要請したところ、国務長官と国務副次官補の上級顧問のフィリップ・レインズが次のような返答を寄こした。国務長官は「世界的な問題」に精神を集中しているため、「空想に基づいた非難をはじめとする、根拠のない言いがかりに煩わされないように」顧問団がガードしている。したがって、「我々は国務長官に話を通すつもりもなく、コメントをもらうつもりもない」。

ホワイトハウスが大統領特権を楯に拒絶したため、スターの捜査官はヒラリーに事情聴取を行なうことが一切できなかった。しかし、「我々の捜査官の一人が、ヒラリーの逆鱗に触れてしまったことがあった」とコープランドは言う。その捜査官は、ホワイトハウスに隣接したアイゼンハワーエグゼクティブオフィスビルに召喚状を届ける途中、前を通り過ぎたヒラリーに挨拶するという過ちを犯したのだ。

「彼は向う見ずにも、廊下でヒラリーに声をかけた」とコープランドは言う。「ヒラリーは、自分の移動中は誰も話しかけてはならないという内務規定を設けていた。実際、彼女が近づいてくるのを目にした者は皆、手近なオフィスに逃げ込んだものだ」。しかし、その捜査官は「その基本原則を知らなかった。彼は帰りがけに、ヒラリーがエレベーターを降りて自分の方にやってくるのを見たんだ」。

「おはようございます、クリントンさん」とその捜査官は言った。

「彼女はいきなり彼にかみついた」とコープランドは言う。「あなた何様のつもり？　あなたたちは私の夫を破滅させようとしているのよ」。それは彼女の言うところの、「巨大な右翼の陰謀」を指していた。ヒラリーはとどめに一言こう言い放った。「そんなスーツどこで買うの？　古着屋？」

何週間もの間、彼はその出来事を自分一人の胸に収めていた。

「とうとう彼は私に打ち明けた」とコープランドは言う。「彼はこう言った。『そのとき着ていたスーツは、一張羅だったんだ』とね」

第14章　下っ端捜査官

ウィリアム・セッションズの職権乱用ぶりを目の当たりにしてきたFBI捜査官たちは、一九九三年七月二〇日にクリントン大統領がルイス・J・フリーを長官に任命すると歓喜した。連邦判事にして元連邦検事でもあるフリーは、FBI捜査官からキャリアをスタートさせたのだ。ついに自分たちの仕事を理解し、FBIを効率的に運営できる長官が現れた、と捜査官たちは考えたのである。

自ら「諸君の長官」という呼称を用いたセッションズとは違い、フリーは自分をファーストネームで呼ぶように求めた。しかし、現場の捜査官と強い絆を結び、セッションズが愛してやまなかった特権を顧みなかったフリーも、彼なりの変人ぶりを発揮したのである。

フリーが抱いていた捜査の概念は、一〇年前に自分が捜査官として行なったことに限られていた。すなわち、容疑者の家のドアをノックし、事情聴取を行なうというものである。法の執行にテクノロジーが不可欠になったことを、彼は理解していなかった。コンピュータに触ったこともなければ、Eメールも使わなかった。

フリーに総務部次官補に任命されたウェルドン・L・ケネディは、フリーがコンピュータをデスクの後ろの脇机に置いていたことを記憶していた。

「彼がコンピュータを使っているところを見たこともなければ、電源が入っているのを見たためしもない」とケネディは言う。

フリーが退任した九・一一テロの直前の時期までは、FBIで使用されているパソコンは非常に原始的なもので、たとえ教会に寄付したとしても誰も欲しがらないような代物だった。ペンティアムが搭載される以前の機種で、現在使用されているソフトウェアを使うことができず、CD-ROMを読み込むことも、マウスで操作することもできなかった。FBIの局内メールはあまりにも遅いので、捜査官は個人のEメールアドレスを使用していた。FBIのシステムは、外部からのEメールを受け付けなかった。司法省から資金を得ているため、地元警察の方がFBIよりはるかにテクノロジー的に進んでいることが多かった。FBIには画像処理ができるコンピュータはほとんどなかったので、捜査官は自宅のコンピュータに容疑者の写真をメールしてもらうよう、地元警察に依頼するのが常だった。

捜査官らはプライマリコンピュータとして、自動ケースサポートシステムを利用することになっていた。そのシステムは一九九〇年代半ばに開発されたにもかかわらず、一九八〇年代のテクノロジーが用いられていた。インターネットに接続できず、マウスも使えなかった。そのシステムは遅すぎて役に立たないので、捜査に関することだけでも、FBIは四二もの別個のシステムを追加開発し、メインシステムの代わりに使っていた。個々の捜査官が得た情報を全て参照していることを確認するために、それらのシステムをひとつひとつチェックしなければならなかった。「下っ端捜査官」たち、特にニューヨーク支局の捜査官らは、管理者側を敵視する傾向がある。そうした気質を、フリーは決して失わなかった。彼自身が管理者に昇進した後も、当局者を自分の権威を脅かす存在と見なし、疑惑と敵意を持って遇した。

「フリーは支局担当特別捜査官（SAC）から決断力を奪った。何かを決断すると、その後が怖かった」と、フリーにワシントン支局長に任命されたアンソニー・E・ダニエルズは言う。「SACらはフリーを恐れていた。フリーは管理者側を軽蔑していたのだ」

「フリーは何でも率直に言えと命じながら、最初に率直な発言をした男を首にした。悪い知らせをもたらす捜査官がいれば、フリーは彼の息の根を止め、追放した」とウェルドン・ケネディは言う。

フーヴァーには何かと欠点はあったが、彼はマスコミの重要性を理解していた。多少誇張されてはいたが、捜査官はスーパーマンであるというイメージをマスコミによって作り上げ、FBIの権力を高めたのだ。FBIが市民の信用を得れば、彼らの協力は得やすくなる。ウェブスターが長官を務めた時代は、SACたちの訓練の一環として、模擬記者会見を行なっていた。フリーが捜査官だった期間は六年にも満たなかったので、彼はFBIのマスコミ対策に触れたことはなかった。フリーはFBIを検察官の右腕と見なし、検察官と同様に、メディアに対して口を開くのは正式な記者会見のみにすべきだと考えていた。国家機関として一般市民に説明責任を有するという意識は、彼にはなかったのである。

ＦＢＩは伝統的に、有罪が確定した事件については、記者が捜査官にインタビューすることを許可してきた。しかしフリーは、上訴審が全て終了するまで――それには何十年もかかる場合も多いが――いかなる事件についても論じてはならないとした。それはつまり、ほぼ全てのＦＢＩの事件について論じることができないことを意味していた。

フリーの下では、プロファイリング・プログラムに関する好意的な特集記事や、ＦＢＩの成功に関する記事さえ差し止められた。広報担当官がＦＢＩの見解を述べることを許さなかったので、否定的な記事にもＦＢＩ側の弁明を提示することはできなかった。

ルビーリッジ事件やウェイコ事件におけるＦＢＩの行動に対して非難が激化すると、この方針は特に悪影響を及ぼすことになった。いずれの事件もウィリアム・セッションズの時代に発生していたが、これらの事件について政治責任を問われるようになった時期に長官を務めていたのは、フリーだった。彼はＦＢＩに対する誤った申し立てを訂正し、事件の前後関係を正そうとはしなかった。その代わり、大々的な記者会見を開き、事件に対する遺憾の意を表明するとともに、懲戒処分を発表したのである。そのようにＦＢＩを貶めることで、彼は自分の好人物ぶりを印象付けたのだ。

「あのように激しい非難に対しては、迅速に事実を公開する必要があった」とウェイコ事件を担当したＳＡＣの一人、ボブ・リックスは言う。「たとえ人殺しと呼ばれても、甘んじて受け入れなければならなかった。ＦＢＩがそんな立場に立たされるのを、それまで見たことがなかった。それらの問題はフリーの監督下で起きたのではなかったので、誰もＦＢＩを弁護しようとはしなかった」

フリーはFBI本部に対する聖戦の一環として、本部のベテラン職員を次々に支局に転属させ始めた。フリーは彼らを「怠け者」と呼んでいたのである。ウェルドン・ケネディは、捜査を監督するために経験豊富な職員を本部に置く必要があると、フリーに警告した。靴底やタイヤの溝形に関する世界的権威である研究所職員が、ジャクソンヴィル支局で背景調査を担当させられそうになったのを見て、口を挟まずにはいられなかったのである。

研究所長を務めるジョン・W・ヒックスも、人員削減に関してフリーに強く警告した。フリーの計画通り、研究所に勤務する一三〇名の捜査官の半数を現場に異動させれば、研究の質は低下し、未解決の事件が増加すると訴えたのである。弾道学や爆発物に関して何十年も経験を積んだ専門家を現場捜査官に転身させるのは、愚かというものだった。しかし、本部に対するフリーの憎悪が和らぐことはなかった。フリーが警告を無視すると、ヒックスはFBIを去った。

フリーが最も経験豊かな捜査官を本部から現場に追いやったため、対中国防諜部のベテラン監督官がいなくなってしまった。その結果、ロスアラモス国立研究所に勤務する台湾出身の科学者で、中国に機密情報を流した疑いのある李文和《リーウエンホー》に関する捜査の指揮が執れなくなった。FBIは数々の決定ミスを犯し、この事件の捜査に失敗した。

「フリーは典型的なスパイ事件の証拠をつかんでいなかったため、あたかも衝撃的な事件であるかのように騒ぎ立て、あいまいで説得力に欠ける訴因を五九項目も並べて起訴に持ち込み、証拠不足をごまかそうとした」と元スパイ担当検事のジョン・マーティンは言う。

一九九九年一二月に行なわれた李の保釈聴聞会では、李は非常に危険な人物であるため保釈なしで刑務所に拘置すべきだと、政府は判事を説得した。李は九か月間拘禁された。李の監房には、監視のために常に小さな明かりが灯されていた。日々の運動の時間には、足かせの装着が求められた。

新たに捜査に加わったロバート・メッセマー捜査官は、李の二枚舌を示す事実として、李が「レジュメ」をダウンロードするためにコンピュータを貸してほしいと同僚に頼んでいたことを保釈聴聞会で証言した。実際には、李は機密ファイルをダウンロードするためにコンピュータを借りたのだとメッセマーは述べた。

証拠開示手続きの間に、弁護側はメッセマーが虚偽の証言を行なったことを突き止めた。李の同僚は、李がレジュメをダウンロードしたいと言ったとFBIに証言していなかったのだ。李はその同僚に、真実を語っていた――すなわち、ファイルをダウンロードするためにコンピュータが必要だと言ったのだ。二〇〇〇年八月一七日に行なわれた第二回保釈聴聞会で、メッセマーは自分が犯した失敗に悪意がなかったことを主張した。その自白は衝撃を呼んだ。

ウェブスター長官時代のFBIは、一九八五年だけで一一人もの大物スパイを逮捕しており、しかも人権侵害や不適切な行為に関する申し立ては一件もなかった。ウェブスターも、司法省のスパイ担当主席検事のマーティンも、マーティンに言わせれば証拠不足という明らかな欠点があるのに、起訴に賛成はしなかっただろう。

「自国の行政府によって迷走させられた」ことに激怒したジェームズ・A・パーカー判事は、

二〇〇〇年九月一三日、六一歳の李を釈放した。判事は李の投獄について、「我々の国家全体と、国民全員を辱める行為だった」と語った。李の家族や友人たちから、すすり泣きの声が漏れた。

李は国家安全保障データの不法収集と保持という、ひとつの重大な訴因に関して有罪を認めた。彼は拘禁されていた九か月間を刑期とし、六〇時間の報告を行なうことに、宣誓の上で同意した。

リチャード・ジュエルの事件の責任も、フリーに帰すことができる。アトランタオリンピック開催中の一九九六年七月二七日、アトランタの五輪一〇〇周年記念公園でパイプ爆弾が爆発した事件である。FBIは、当日の午前一時直前に、不審な緑色のバックパックの存在を警察に通報したジュエルという警備員に関心を持った。ジュエルはテレビに出演し、爆発後の避難活動に協力したときの状況について語った。爆発では二人が死亡し、一一一人が負傷していた。

三日後、アトランタ・ジャーナル・コンスティテューション紙が、さる消息筋からの情報として、FBIの捜査線上にジュエルが容疑者として挙がっていることを報じた。その記事は、犯罪の現場で英雄を気取る人間が実行犯である場合もあると指摘していた。

この記事のために、FBIはジュエルに対する事情聴取を予定より早める決定をした。その日の午後、ドン・ジョンソン捜査官とディアダー・ロザリオ捜査官は車でジュエルのアパートに向かい、支局への任意同行を求めた。ジュエルが捜査官の納得がいくように疑惑を晴らすことができれば、彼は容疑者から外れるはずだった。

ジュエルは同意し、自分の車で捜査官らの後から支局に向かった。事情聴取開始から一時間一五分が経過しても、捜査官らは依然としてジュエルの経歴を見直していた。そのとき、アトランタ支局の支局担当特別捜査官、デイヴィッド・W・「ウッディ」・ジョンソン・ジュニアあてに、フリーから電話がかかってきた。ジョンソンはジュエルの事情聴取が行なわれている部屋から離れた自分のオフィスにおり、傍には他の支局担当特別捜査官らと、連邦検事のケント・B・アレキサンダーがいた。

ジュエルに権利を読んでやれ、とフリーは言った。

それはクアンティコのFBIアカデミーを出たばかりの捜査官でも知っていることだ。裁判所の決定の下、拘留中か逮捕される直前の容疑者にはミランダ警告が与えられなければならない。しかし、ジュエルはいずれの場合にも相当しなかった。

ジョンソンはこの点をフリーに指摘し、アレキサンダーもジョンソンと同意見であることをスピーカーフォンでフリーに伝えた。しかし、長官は譲らなかった。

ウッディ・ジョンソンは廊下を歩いていき、順調に事情聴取を続けていた捜査官二人を呼び出すと、フリーの指示を伝えた。捜査官らは会議室に戻り、ジュエルに権利を読んだ。ジュエルは弁護士に電話させてほしいと言い、そこで事情聴取は終了となった。

「もしあのまま事情聴取を続けることができていたら、ジュエルの供述の裏付けも取れ、もっと早く疑いを晴らしてやれたかもしれない」とウッディ・ジョンソンは言う。

三か月後、FBIはジュエルを解放した。フリーが介入しなければ、すぐにでも疑いは晴れたかもしれない。その三か月の間に、ジュエルの名誉は地に落ちてしまった。結局、エリック・ロバート・ルドルフという亡命者が爆破事件で告発された。

ソルトレークシティー支局の支局担当特別捜査官ユージーン・F・グレンが、ルビーリッジ事件での失態に関するFBIの内部調査が隠蔽工作に当たると訴えたとき、フリーの法務顧問ハワード・M・シャピロは、そのような告発を行なうことは「極めて無責任でFBIにとって有害である」と反論した。J・エドガー・フーヴァー時代のFBIに浸透していた精神構造だった。

フリーのFBIに対する貢献をひとつ挙げるとすれば、FBIの存在を海外に知らしめた点である。「ピザ・コネクション」と呼ばれた重大なマフィア事件を起訴したことで、フリーは犯罪が世界的規模に拡大していることを認識した。フリーが退任する頃には、FBIはモスクワやパナマシティーからナイロビやイスラマバードなどの都市に、リーガル・アタッシェ・オフィス、またはレガッツと呼ばれる海外支局を四四か所も設置していた。フリーが長官に就任した当時は、海外支局はわずか二〇か所にすぎなかったのだ。現在では、レガッツやその支所は七五か所にのぼる。フリーは、海外に拡大進出する必要性を理解しない一部の幹部職員の反対を押し切って、この方針を推し進めた。

しかし、フリーの途轍もない大失策のおかげで、フーヴァーが丹精して作り上げた機関は、自己崩壊の危機に瀕していた。ほぼ六か月ごとに、新たな失敗が噴出した。よく知りもしない分野にも我意を通そうとしたことで、フリーはFBI内部の正常な審議プロセスを破壊した。フリーが重視したのは、短期間で自分のイメージを上げることだった。しかし長い目で見れば、そのやり方は、セッションズの職権乱用よりもはるかに破壊的な影響をFBIに与えたのである。

第15章 ハンセン逮捕

『アメリカを売った男』という映画の中で、あるＦＢＩ監督官が、ライアン・フィリップ演じるＦＢＩ補助職員エリック・オニールに、「たった今君が倒した男は、アメリカ史上最悪のスパイだ」と語る場面がある。

しかし、ＦＢＩの獅子身中の虫、ロバート・ハンセン捜査官の正体が暴かれた経緯は、映画とは全く異なっており、かつて一度も明かされたことはなかった。

一九八六年以降、ＦＢＩはアメリカのインテリジェンス・コミュニティーに潜むモグラの存在を暴く努力を続けてきた。アメリカのスパイが次々にＫＧＢに捕らえられて処刑されていくため、ＦＢＩとＣＩＡは、上級職員の中にＫＧＢへの情報提供者が存在し、その人物が流す情報によってアメリカのスパイの身元が発覚していると確信するに至った。

一九九四年にＣＩＡ幹部オルドリッチ・エイムズが逮捕されたことで、スパイの大量逮捕の多くに説明がついた。エイムズは、ソ連に派遣されたアメリカのスパイのうち、少なくとも九人を死に至らしめ、アメリカの対敵諜報技術を漏洩した責任を問われている。しかし、一部の情報漏洩事件に関しては、謎に包まれたままだった。アメリカのスパイを密告している別のスパイが存在することは、FBIがソ連の協力者で疑いのあるアメリカの外交官フェリクス・ブロックについて調査を開始して以来、ほぼ確実とされていた。

長年国務省に勤務していたブロックは、一九八七年までウィーンで副大使を務めた。パリではフランスの防諜部員がKGB幹部のレイノ・ギクマンの監視を行なっており、一九八九年五月一四日、リヴォリ通りにあるホテル・ムーリスのバーでブロックと酒を飲んでいるギクマンの写真を撮影していた。ウイスキーを飲み干した後、ブロックとギクマンは黒い板の間仕切りがあるホテルのレストランで夕食を共にした。食事が済むと、ギクマンはブロックがテーブルの下に置いていた黒いキャリーバッグを持って立ち去った。二人は五月二八日にブリュッセルで再び会っていた。一方フランス情報部は、その会合の情報をFBIに提供した。

六月二二日、ピエールの代理と名乗る男が、ブロックに電話をかけてきた。ピエールというのは、ギクマンがブロックに対して用いていたコードネームである。その男は傍受された会話の中で、ピエールは病気なのでしばらく会えない、と暗示めいたことを語った。「伝染病かもしれません。あなたもどうかお気をつけて」。この警告は、西側の情報部がブロックとソ連のスパイの関係をつかんだことを、KGBが察知したという意味だった。

一九九四年一一月、FBIは、ブロックとギクマンの接触が西側に気付かれていることをKGBに教えた人物と、アメリカの他のスパイをソ連に売った人物を暴くことを断固決意した。この作戦はグレースーツというコードネームで呼ばれ、一六名のFBI上級捜査官がマイク・ロシュフォードの下に結集した。ロシュフォードはＦＢＩの覆面防諜作戦の指揮を執る人物で、後にＦＢＩの諜報課長を務めた。ハンセンの名を明かしたロシアの情報将校を味方に引き入れ、最終的に事件を解決したのは、ロシュフォード自身だった。

そのために、ロシュフォードは信頼関係を築かねばならなかった。いかにもその道のプロという風貌のロシュフォードは、穏やかな口調で話す。顔立ちや髪型がきっちりと整いすぎた人物はすぐには信用できないものだが、その点、ロシュフォードの顔はややバランスを欠いている。白髪まじりの髪は、気の毒なほど薄い。銀縁眼鏡を鼻にずらし、心もち顔を傾けて眼鏡越しに相手を見る癖があるが、その仕草もまた、慇懃で信頼できる人物という印象を与える。眼鏡の奥の優しげな青い目で見つめられ、穏やかな声で「なるほど」と誠実に相槌を打たれると、胸の内を洗いざらいしゃべってしまいたくなる。

捜査官マイク・ロシュフォードは
ロシア対外諜報庁（SVR）の
情報員の勧誘に成功し、
FBI捜査官ロバート・ハンセンが
スパイであることを突き止めた。
（写真提供＝FBI）

ハンセンの正体が初めて暴かれた経緯を説明するにあたって、ロシュフォードはこう言った。

「私は捜査班を立ち上げたが、参加を呼びかけることはしなかった。その代わり、欲しい人材を選んでよいと言われていたので、あちこち探し回ったんだ。選ばれた連中は全く突然に、ポリグラフ課に出頭せよという妙な電話を受ける。ポリグラフ検査を受けてパスした後、次に待ち受けているのが私というわけだ。諜報にかけてはＦＢＩでも指折りの才能が、私の下に集まった」

スパイ事件の解決はほぼ全て、内通者からの情報にかかっている。その内通者がいないので、ロシュフォードは自分が追及しているスパイに適合する五八項目の条件リストを作成した。その未特定の容疑者に当てはまる条件の中には、ＣＩＡの防諜センターで毎週行なわれる会議の報告書を、ＫＧＢに、後にはロシア対外諜報庁（ＳＶＲ）に渡すことができる人物というものがあった。また、そのスパイはＦＢＩがフェリクス・ブロックを調査していることを知っていた。さらに彼は、ソ連や後のロシアの機関の極秘諜報技術を利用することができた。そして、彼はＣＩＡのスパイであったＫＧＢ職員の身元を知っていた。

情報が漏れた作戦は、ほぼ全てＣＩＡのものだった。このため、ＦＢＩもＣＩＡも、スパイはＣＩＡ関係者だという誤った推測を立ててしまった。捜査班は、当初二三五人いた容疑者を、三五人、一六人、八人と徐々に絞り込み、やがて一人の人物にたどりついた。それはＣＩＡ職員のブライアン・ケリーという、情報が漏れた作戦のほとんどに近づくことのできた人物だった。彼はブロックに関するＣＩＡの内部調査を率いていた。偶然にも、彼はハンセンの近所に住んでいた。

「侵入者はＣＩＡ内部にいると信じるだけの理由があった」とロシュフォードは言う。「ＦＢＩ内部を十分に捜さなかったのは、明らかに我々のミスだ」

しかしロシュフォードは、この事件の捜査に当たったCIA職員らも、侵入者はCIA内部に存在すると考えていたと指摘する。

「我々はCIAと合同で分析を行なった。CIAの分析官も、あらゆる点でFBIの分析官に劣らぬほど優秀だった」とロシュフォードは言う。「我々はCIAの防諜センターのテーブルを囲み、最も疑わしい人物は誰か、実際に投票した。そしてそのテーブルを囲んでいた者は全員、CIA内部の人間に投票したんだ。だから、我々だけのミスではない」

ある時点で、FBIはケリーにポリグラフ検査を受けさせた。

「彼らは私のところに来て、『スパイを捕らえたぞ。絶対あいつに違いない』と言った」と、FBIのポリグラフ検査官ケンドール・シャルは言う。「彼らは言った。『これらのプログラムの情報が漏れていたことから、スパイの正体がわかったんだ。ブライアン・ケリーというCIAの職員だ』。そして、ケリーの自宅や車など、あらゆる場所に盗聴器を仕掛けた」

しかし、期待に反してケリーは検査にパスしてしまった。

「検査結果は正確だ、と私は説明した。すると彼らは、ケリーの方が一枚上手だったのだと言った。『そんなはずがない。こいつがやったという証拠が山ほどあるのに』と。『それでも、テストの結果は変えられませんよ』と私は言った。彼らは私に結果を変えろとは言わなかった。私は言った。『あくまでごまかしはなかったと主張します。皆さんは間違った人物を捕まえたんです』と」

ロシュフォードはケリーが検査にパスしたことを認めているが、テストの後でシャルがFD－302報告書で、刺激試験と呼ばれる本番の検査の手順に慣れるための予備検査で、故意に嘘をつくようケリーに求めたとき、嘘をついている形跡が一切見られなかった点を指摘している。ロシュフォードによれば、シャルは報告書に、ポリグラフ検査ではケリーが嘘をついていても見抜けない可能性があり、検査結果に疑いが持たれると記載していたという。

シャルは、そのような検査結果や、依然機密扱いになっている書類に自分が記載したことについて、記憶にないと言う。しかし、元ポリグラフ検査官のリチャード・カイファーも裏付けているとおり、予備検査は被験者に本番の検査に慣れさせるために行なわれるものに過ぎず、最終的な検査結果の妥当性には全く関係しない、と主張している。

ロシュフォードは依然としてケリーを第一容疑者と考えていたが、他の方面からの捜査も継続していた。切羽詰まったロシュフォードは、関連情報を握っていて大金に誘惑されそうなロシアの情報部員や元情報部員らに、コールド・ピッチを試みることにした。具体的に言えば、一件の情報提供につき一〇〇万ドルを払うことにしたのである。ロシュフォードはこの手法を、KGB職員のヴィタリー・ユルチェンコから教わった。ユルチェンコはCIAに鞍替えしたとき、KGBがこのような方法を試みていることをロシュフォードに明かしたのだ。

「コールド・ピッチは最低の諜報技術であるため、好んでやる者は誰もいない」とロシュフォードは言う。「初対面の相手に、一緒に寝てくれと頼むようなものだからね。極めて私的な行為なので、人間的なやり方でしっかりとした相互関係を築いてから取り組まないと、九九・九パーセント断られる」

ロシュフォードは、KGBやSVRの職員や元職員二〇〇人から成るスパイ候補リストを作成した。このリストは、以前ティム・カルーソやジム・ホルト、ジェームズ・ミルバーン、アート・マクレンドンによって作成されたリストを更新したもので、彼ら四人と、ロシュフォード率いるMC－43班の他の捜査官らの協力を結集して作られていた。

世界中に存在するCIA職員らがスパイ候補者を勧誘する一方で、ロシュフォードとFBI捜査官らはそれ以外の候補者を追った。例えばFBI捜査官ウェイン・バーンズは、ハンセンを密告した人物と思われるスパイを味方に引き入れたと言う。その推測は誤りだった、とロシュフォードは言う。

勧誘を行なう前に、FBI捜査官とCIA職員はその人物に関する全てを研究した。たとえその人物から何の情報も得られなかったとしても、母国に帰ってからその勧誘について報告するだろう。実質的に、隠れたスパイを密告すれば大金が得られると宣伝することになる。

ロシュフォードはこのような勧誘を二八回行ない、最終的に金脈を探り当てた。そのときロシュフォードは、FBIに架空の会社をロシアの友好国に設立させ、実業家であるSVR職員をおびき寄せた。実はFBI職員であるその偽会社の社長が、ある事業を立ち上げる機会を提供するふりをしたのである。SVR職員が餌に釣られてやってきたところで、偽会社の社長は取引が流れたことを告げた。悪い知らせを受けたSVR職員が引き揚げようとしたとき、街角に停めてあったヴァンから降りたロシュフォードが男に近づいた。

「やあ、こんにちは」とロシュフォードは言った。

男はロシュフォードに不審そうな視線を向けた。「さて、どなたでしたかな」

こうした場合、ロシュフォードはたいてい偽名を使う。しかしこのときは、常の習慣を破って堂々とFBI捜査官だと名乗り、FBIの名刺を渡した。

「騙したのか、挑発行為だぞ!」と男は言った。

「何のことをおっしゃっているのかわかりませんね。まあ、落ち着いて一杯やりましょう」

「冗談じゃない。よく知りもしない人間と酒を飲むなんて」

しかし、男は宿泊しているホテルのレストランで、ロシュフォードと水を一杯飲むことに同意した。

「あんたの名刺をどうするか、教えてやろう」とその男は言った。「最寄りのロシア政府機関に持っていき、そこの警備担当者にわけを話すんだ。彼は大手新聞社にそれを持ち込むだろう。そうなれば、あんたの名刺と写真が主要紙の一面を飾ることになる」

「それはすごい。しかし、うぬぼれもほどほどにするがいいでしょう」とロシュフォードは返した。「あなたはそれほど重要人物ではない」

「例のビジネスの話はあんたが持ち出したんだな、そうだろう」

ロシュフォードは否定した。「私はあなたのビジネスの邪魔をするつもりはありません。あなたのことも、あなたの国も傷つけるつもりはありません。しかし、私はあなたをロシアで最も成功した実業家にして差し上げたい。ソヴィエト政権後のロシアでビジネスをする実業家にね」

架空の商談のためにFBIが手配した飛行機の便に乗るには、男はロシアに帰国するまで一週間はその国に滞在しなければならなかった。もっと早く帰ろうとすれば、はるかに高額なチケットを自腹で購入せねばならず、男にはあまり金の持ち合わせがなかった。

「実を言うと、あなたがこの国に滞在なさる間、私もご一緒しようと思っています」とロシュフォードは言った。「今晩夕食でもいかがですか。そして、この件に関してもっと話し合いましょう。どうやら今はお怒りのご様子ですからね。ご滞在の間は、食事の費用は全て私が持ちます」

「よく聞けよ。食事はしてやるが、ロシア政府機関の警備担当者を連れてくるぞ」

「いいですね。ぜひお目にかかりたいものです。その方も夕食にご招待しましょう」

その男はアメリカに対する非難の言葉を次々にまくしたてた。共産主義の方が優れた思想であり、ソ連が崩壊したのはレーガン大統領がソ連より多くの防衛費を使ったからにすぎない、と。男がロシア語で悪態をつき始めると、ロシュフォードはペンを取り出して男の言葉を書きとめ始めた。

「何をやっているんだ」男はロシュフォードがロシア語を流暢に操ることを知らなかった。

「実に多彩な表現でしたので、いつか使わせていただこうと思いましてね」。書きとめた文句を指し示しながら、ロシュフォードは訊ねた。「スペルはこれで合っていますか？」

その後、ロシュフォードは別のホテルに宿泊しているＦＢＩ捜査官と分析官とＣＩＡ職員のグループに合流し、その日の首尾について語った。すっかり自信を失って、ターゲットは本当に二度と自分に会うつもりがないのかもしれないと漏らしたところ、コールド・ピッチのシナリオを書くことに協力したロシア分析官のジム・ミルバーンとキャロリン・グウェン・フラーが、さらに助言を与えてくれた。ミルバーンとフラー、そしてＦＢＩ捜査官とＣＩＡ職員らは、再度試してみる価値はあるとロシュフォードを励ました。ロシュフォードは自分の宿泊しているホテルの外で、六時にもう一度男に会うことに同意した。

「あんたが払ってくれるのか」。ロシュフォードが夕食に誘うと、男はそう訊ねてきた。その通りだと請け合うと、男は言った。「では、ロブスターにしよう」

それから数日間、ロシュフォードとその男は、全ての食事を共にした。男は友好的な態度をとるかと思えば、一転して敵対的になることを繰り返していた。ついにロシュフォードは、いまだ起訴に至らないCIAのスパイ容疑者の件を切り出した。また、オルドリッチ・エイムズがこちらで把握している以上の情報を流していたかどうかも訊ねた。ロシュフォードはそれらの件をそれぞれ、ケース1、ケース2と呼んだ。その狙いは、ケース3である未特定の容疑者――ロシュフォードの本当のターゲット――に徐々に近づいていくことだった。

酒杯を重ねるうちに、情報提供者は最初のふたつのケースについて、断片的に情報を漏らし始めた。

「彼は私に対する警戒心を解き、私も彼に対する警戒心が薄らいだ」とロシュフォードは言う。

しかし、一緒に街を歩いているときに高級車を目にした男は、逆にロシュフォードを勧誘するのだった。「あのメルセデスを運転しているやつが見えるかね。ロシアまで訪ねてきてくれたら、部下に命じてあんな車を君に進呈するよ」

会合の後で、ロシュフォードは仲間にさらなる疑念を打ち明けた。ロシュフォードが一歩踏み込むたびに、男の方は二歩後退していくように見えたのだ。

「この男は、私の話を何ひとつ受け入れようとしない」とロシュフォードは言った。「私に調子を合せているだけだ。以前にも同じような経験をしたことがある」

しかし仲間は、状況は進展していると言ってロシュフォードを励ました。

ついにロシュフォードは男に本音を吐いた。「いずれかのケースについて答えていただけたら、喜んで一〇〇万ドル払いましょう。そして、もう二度とあなたのお邪魔はしません」

その男はケース1に関し、起訴につながる可能性のある詳細な情報を明かした。また、ケース2のエイムズについても、彼のために被った情報の損失についてより多くのことを明かした。

男の帰国予定日の前々日の夜、ロシュフォードは夕食の席で彼とカクテルを楽しんでいた。男は乾杯を申し出た。

「マイク、私は君を将軍にしてあげよう。そして私は君が言っていたように、我が国で最も成功した、ロシア系アメリカ人実業家になるんだ」と男は言った。「我々二人でやり遂げような」

彼らはグラスをカチリと合わせた。

その後、二人は街を散歩した。男はロシュフォードを見据え、ロシアの極秘課報技術の詳細を語った。ロシュフォードは動揺した。男はロシュフォードの顔色が変わったのに気付き、君の顔を見てFBIもこの秘密作戦のことを知っているのがわかった、と言った。

「私の顔に書いてあるとおっしゃるなら、しかたありません。しかし、私はそれを認めるつもりはありませんよ」とロシュフォードは言った。

「我々が何を、どうやって、どのタイミングで知ったのか、そしてその経緯を知りたいかね」と男は訊ねた。

「ええ、もしわかるとすれば、実に興味深いですね」。ロシュフォードは内心の興奮を悟られないように答えた。

男はロシュフォードが宿泊している部屋に行き、契約書を作成することを提案した。

「私は数百万ドル必要なんだ」と男は言った。

「無茶を言わないでください。そんな契約は結べませんよ。情報一件につき一〇〇万ドルと申し上げたはずです。ケース1か、あるいはケース3に関しては、色をつけて差し上げられるかもしれませんが」とロシュフォードは答えた。ケース2のエイムズはすでに起訴されているので、新たな情報がわかったところで、FBIは興味を示しはしても、一〇〇万ドルも払わないだろう。

「もしこの情報を漏らせば、私は安全な西側の国に移住しなければならないし、事業を始めるために再教育を受けなければならないんだ」と男は言った。

「そのことについて話し合うのは全く構いませんが、ここではよしましょう」とロシュフォードは言った。

男は考え直したようだった。

「君の部屋に行けば、君は全て報告するだろうし、君の仲間が我々の会話を録音するだろう。そうなれば私の身が危ない。やつらに殺されてしまう」。しかし、男は結局ロシュフォードのホテルの部屋を訪れ、ロシュフォードは手書きで契約書を作成した。ロシュフォードは最初、自分たちの関係を知り、契約書に署名できるのは、FBI長官のルイス・フリーとCIA長官のジョージ・テネットだけだと男に話した。

「嘘をつけ、仲間がいるだろう。おそらく隣の部屋に潜んでいるんじゃないのか」

「私を信じてください。FBIとCIAの長官は知っていますが、もちろんそれ以外にも知っている人間はいます」

彼らはロシュフォードのホテルの部屋に行き、七時間以上にわたって交渉を続け、昼食も夕食もホテルで取った。ロシュフォードが作成した最終的な契約書は、五ページにも及んだ。

その契約書では、七五万ドルの前渡し金が即刻支払われることが規定されていた。移住や再教育の費用、そして年金を含めると、報酬は総額七〇〇万ドルに上った。その金額には、ケース1とケース3と付加的情報による「儲け」が含まれていた。男は審理の際に必要であれば、法廷で証言することに同意した。その際、身元を保護されることも取り決められた。

「この契約書はFBI長官の手に委ねます」とロシュフォードは言った。「契約内容は長官からCIA長官に伝えられるでしょう。朝までには返答が得られるはずです」

契約が承認され、署名された後、ロシュフォードは男に金を渡す方法や、CIAを通じてロシアで彼と密会する方法や連絡する方法を取り決めた。

ロシア側はハンセンの本名や勤務先を知らず、彼のことをラモンと呼んでいた。FBIやCIAと同様に、ロシア側も彼をCIA職員と推測していた。そのため、男はCIAが関わることについて懸念を表明した。ロシュフォードは、長年協力関係にあり信頼できるCIA職員が手配する、と彼に保証した。

二人は握手し、情報受渡し日時を決めた。その日、変装したCIA職員がロシアで男から書類を受け取ることになる。しかし、指定された時刻に男は現れなかった。「問題は、彼に騙されたのかどうかだった」とロシュフォードは言う。「彼はすでに五〇万ドル以上の金を手にしていたのだからね。我々を非難する者はCIAにもFBIにもいて、よくこう訊ねられたよ。『あいつにはめられたのか』と」

第16章 『アメリカを売った男』

後にわかったところでは、そのSVRの情報将校がロシアでのCIAとの密会場所に現れてロバート・ハンセンを密告しなかったのは、目撃を恐れたためだった。彼は改めて別の会合に応じ、ハンセンこそがロシュフォードの追っているスパイであることを示す書類を引き渡した。

CIAはその書類を航空便でアメリカに送り、契約を手落ちなく処理した。FBIで規定されている通り、CIAは刑事訴訟規則に従って情報受渡しの記録をつけた。

FBI本部では技術者たちが、マイク・ロシュフォードに勧誘された情報部員から入手した書類の全てのページを処理し、番号を振っていた。FBIもCIAも、その書類がブライアン・ケリーをスパイと示すものと信じて疑わなかった。しかし、書類によって明らかになったのは、そのスパイはケリーが国外にいる時期にヴァージニア州北部でロシア側の受渡し係に大量の書類を渡していたという事実だった。

「共犯者がいない限り、ケリーはスパイではあり得ない」とロシュフォードは気付いた。

引き渡された書類の中に、ロシュフォードがその情報提供者に問い合わせるまで開封してはならないと指示された封筒があった。後にその情報提供者は、FBIは自分が送った情報を気に入ったかとロシュフォードに訊ねた。問い合わせ後に開封、という指示のある封筒のことだった。

「あの封筒を開けたかね」と男は言った。

「いいえ、あなたに確認するまで開けるなということだったので」

「間抜けなやつだな。君ならわかってくれると思ったんだが。あの指示は、取り扱いに用心しろという意味に過ぎなかったんだ。構わないから開封するがいい」

封筒の中には、カセットテープが入っていた。それには、ニューヨークにあるFBIの出張所からヴァージニア州の公衆電話に、KGB職員あてにかけられた電話の会話が録音されていた。電話の二人は、もし連絡が取れなくなった場合は、ロシア側が架空の自動車の販売広告を新聞に掲載して再び連絡を付けることで合意していた。ロシア側は、そのスパイと個人的に会う場合に身元を確認する手段として、会話を録音していたのである。

テープを聞いたFBI分析官のジム・ミルバーンとロバート・キングは、すぐにその声の主が同僚のロバート・ハンセン捜査官であることに気付いた。その間、FBIは情報受渡し場所でロシア側が回収したビニール袋に残されていた指紋の照合を試みていた。テープと同様に、そのビニール袋も「開封不可」と書かれた封筒の中に入っていた。ビニール袋の指紋も、すぐにハンセンのものと特定された。

開封が遅れた代償は、高くついた。二〇〇〇年一一月一三日、ハンセンはロシアにかつてないほど多くの情報を漏洩していた。FBIが封筒を開け、指紋を照合し、テープを聞いたのは、その一週間後だったのである。

「もしハンセンがスパイだとわかっていたら、彼を尾行して情報の受渡しを阻止できただろう」とロシュフォードは言う。「一一月一三日にハンセンがロシア側に渡した書類は、厚さが四センチ弱もあった。その中には、CIAやカナダやオーストラリアやイギリスの情報提供者の身元が明かされていた」

一一月一五日午前六時三〇分、二人の分析官がワシントン支局のロシュフォードのオフィスに入ってきた。

「スパイはブライアンじゃない」とミルバーンは言った。「ボブ・ハンセンだ」

「馬鹿な」。ロシュフォードは言った。

「FBIの人間だったなんて──なぜ見落としたんだろう？　おまけに、ブライアンに対してあれほど攻撃的な対応を取ったあげく、間違いだったとは。いったいどうやって償えばいいんだ」。ロシュフォードは頭を抱えた。

ハンセンが持つ機密情報取扱許可は、CIAやNSA、ホワイトハウス、そして国防総省の機密に近づくことができるばかりか、自分が捜査の対象になっているかどうか、FBIのデータベースをチェックすることもできるものだった。ハンセンはケリーが持っている情報のほとんどに近づくことができたにもかかわらず、容疑者リストに名前さえ挙がっていなかった。

「FBIの人間は誰もリストに挙がっていなかった。それは間違いなく、我々の過失だ」。しかし、とロシュフォードは主張する。「FBIの守りが鉄壁だとは、誰も思っていなかった」。FBI捜査官リチャード・ミラーがスパイだと判明したときのことは、まだ記憶に新しかったという。また、やはりロシアのスパイだったFBI捜査官アール・ピッツの事件を、ロシュフォードは個人的に捜査していた。

ケリーがポリグラフ検査にパスしたという事実については、「オルドリッチ・エイムズは逮捕前に受けたポリグラフ検査にパスしていたとCIAから聞いたのが、頭の隅に引っかかっていたんだ」とロシュフォードは言う。「後で彼の検査結果を見たFBIの分析官は、彼はクロだと言っていた」。それに加え、ケリーのポリグラフ検査を担当したケンドール・シャルが、予備検査で「ブライアンに出し抜かれた」と語ったのだとロシュフォードは言う。

シャルがFBI屈指のポリグラフ検査官であることを指摘した上で、ロシュフォードは言う。「だから我々としても、仕方がなかったんだ。彼があんなことを言わなければ、放っておくことはずっと簡単だっただろう。でも、私にはできなかった」それと同時に、ロシュフォードはこう認めてもいる。「FBIの中には、他の容疑者の調査に移るべきだと言う者は他にもいた。おそらく彼らが正しかったんだろう。ただ、我々は耳を貸さなかった」

ついにハンセンに対する捜査を開始したFBIは、二〇〇一年一月一三日、彼を監視する目的で特別な役職を設け、ハンセンを本部に転属させた。二〇〇一年二月一八日、午後八時を少し過ぎた頃、一〇人のFBI捜査官らが寒さに震えながらハンセンを監視していた。ハンセンはヴァージニア州ヴィエナのフォックスストーン公園の橋の下にある、情報受渡し場所に向かうところだった。

橋の下から出てきた五六歳のハンセンを、銃を構えた捜査官らが取り囲んだ。そして、仲間であるはずのＦＢＩ捜査官に手錠をかけたのである。別の捜査官チームが、ふたつ目の情報受渡し場所に残されていた総額五万ドルの一〇〇ドル札の束を発見した。

　ロシアのスパイとして起訴されたハンセンは、機密情報や極秘プログラムが記された六〇〇〇ページに及ぶ書類と二七枚のフロッピーディスクを、二一年以上にわたってソ連に、後にはロシアに売り渡していた罪で有罪を宣告された。彼は受渡し係に渡すための小包を二四個以上も、ニューヨークやワシントンＤＣの公園の受渡し場所に残していた。

　ハンセンがソ連の軍参謀本部情報総局（ＧＲＵ）のスパイとして活動を始めたのは、一九七九年のことだった。彼はトップ・ハットというコードネームを持つＧＲＵの将軍ディミートリ・Ｆ・ポリャコフを密告した。一九六一年からＦＢＩの二重スパイであったポリャコフは、自らをロシアの愛国者と考えており、共産主義政権の転覆という大義に身を捧げていた。彼は

後にFBI捜査官ロバート・ハンセンと判明したスパイの正体を暴くため、FBIはロシア対外諜報庁（SVR）の情報提供者に700万ドルもの大金を提示した。（写真提供＝FBI）

年間三〇〇〇ドル以上の報酬を受け取ろうとせず、主に電動工具や釣り道具やショットガンなどを提供されていた。

一九八五年、ハンセンはKGBとの取引を決断した。KGBはGRUよりさらに著名で有力な機関である。誠意の証として、ハンセンはニューヨークに行ったときに、受渡し係にアメリカが勧誘したヴァレリー・マリチノフ、セルゲイ・モトーリン、ボリス・ユジーンという三人のKGB職員の名前を明かした。それから間もなく、三人はモスクワに召還された。ユジーンは一五年の刑で投獄され、他の二人は処刑された。エイムズも、すでにこの三人の名を明かしていた。

ハンセンはアメリカに協力した九人のスパイを密告した他、核攻撃を受けた場合に備えた政府存続計画や、アメリカのインテリジェンス・コミュニティーの次年度の計画が全て明らかにされている国家情報プログラム、世界中の二重スパイ作戦を評価したFBIの二重スパイプログラムなどの書類をロシアに渡していた。

ハンセンはソ連をはじめとする敵国の衛星通信を傍受するNSAの手法を教え、KGBから離反したヴィタリー・ユルチェンコの報告結果を知らせ、CIAや国家安全保障会議から入手したさまざまな書類を提供していた。

おそらく最も興味深いのは、ワシントンDCのウィスコンシン通り沿いのマウント・アルトに新たに建設されたソ連大使館の下に、アメリカが秘密トンネルを掘っていた事実を、ソ連に知らせたことだろう。アメリカはNSAが新しく開発した、音の出ない掘削技術を用いていた。NSAはまた、非常に高度な盗聴機器の開発も始めており、FBIは二重スパイを使ってそれらの機器を大使館に設置する可能性を探っていた。FBIが所有する集合住宅から掘られたトンネルのコストは、新技術の開発を含めれば、一〇億ドル近くに上った。

エイムズのスパイ行為は直接的に多くの犠牲者を出したが、ハンセンはインテリジェンス・コミュニティーの最も重要な部分を売り渡したのだ。

エイムズと比較すれば、「ハンセンの方が我々（KGB）にとって重要だった。彼が暴露する情報は、ワシントンの情報基盤の中心に及んでいた」と、元KGB大佐ヴィクトル・チェルカシンが著書『スパイ・ハンドラー（*Spy Handler*）』の中で述べている。

一九九〇年一一月、KGB幹部との会合についてFBIに調査されていたフェリクス・ブロックは国務省の職を失ったが、いかなる罪にも問われなかった。FBI捜査官がブロックに事情聴取を行なう前に、司法省のジョン・マーティンは捜査官らと、諜報活動の犯罪性の立証方法と、ミランダ警告をいつ与えるか、あるいは与えないかについて話し合った。ブロックは拘留されてもいなければ、逮捕される予定もなかった。彼は捜査官らに対して自白を始め、ソ連から金を受け取ったことについても、あと一歩で認めそうに見えた。その時点で捜査官は事情聴取を中断し、ブロックにミランダ警告を読んだ。

「黙秘する権利があるなら、黙秘します」とブロックは言った。

マーティンは激怒した。フリーがリチャード・ジュエルの事情聴取の途中で権利を読むように命じたときと同じ失敗だった、とマーティンは言う。

「私は捜査官たちに、ブロックに権利を読む義務は全くないと、わざわざ忠告したんだ」とマーティンは言う。「権利について警告する必要があるのは、ブロックを逮捕できるだけの証拠をつかんだ後で、逮捕を前提として事情聴取に臨む場合や、すでにブロックが拘留中である場合のみだ。事情聴取の最中に権利を読んでやるなど、全く考えられない。今日に至るまで、いったい彼らが何を考えていたのか理解できないね。きっと、彼らには彼らの考えがあったんだろう」

二〇〇一年二月の記者会見でルイス・フリーがハンセン逮捕を発表したとき、フリーはハンセンのスパイ行為は大きな不幸ではあったが、FBIの優れた捜査が見事に成果をあげたと語った。ある記者が、ハンセンがFBIの目を二一年間も欺いてきた事実について、長官はどれだけの責任を負うかと訊ねた。

「最終的な責任は私が取る」とフリーは宣言した。「私には説明の義務と、責任がある」

フリーは巧妙にコメントしたが、一九九四年にエイムズが逮捕された後、国家保安部長のロバート・「ベア」・ブライアントが、防諜捜査官全員に対するポリグラフ検査の標準的実施を認めるよう、フリーに強く求めていた事実が隠されていた。多くの支局担当特別捜査官やFBI捜査官協会からの反対に遭い、フリーはその提案を取り下げたのだ。

ポリグラフ検査は完璧ではないが、抑止力にはなる。もしフリーが一九九四年のブライアントの提案を承認して防諜捜査官にポリグラフ検査を受けさせていれば、ハンセンが引き続きロシアと関係を結んだ可能性は非常に低いだろう。ハンセン事件もまた、フリーに責任を問うことのできる大失敗のひとつだ。

映画『アメリカを売った男』について言えば、あの作品では、FBIがどのようにしてハンセンを特定したかを描くことは意図されていない。その代わり、エリック・オニールを主人公に仕立て、FBIがハンセンに狙いを定めた後にハンセンに対する容疑を立証した協力者として描いている。現実には、特別支援グループ（SSG）のメンバーであったオニールの仕事は、ハンセンがFBIの監視下に置かれた三か月間に、六週間にわたってハンセンの行動を記録することに過ぎなかった。それにひきかえ、ロシュフォードは一九八六年から彼を追跡していたのである。

ドラマチックな演出のために、映画ではロックリーク公園でハンセンが発射したリボルバーの弾丸が、オニールに命中しそうになる場面がある。

「実際には、あのような事実はなかった」とロシュフォードは言う。「私が記憶している限り、エリックは一度オフィスでハンセンのブリーフケースに銃が入っているのを見ただけだ。そして、エリックは管理捜査官に――その捜査官は女性だったが――少し怖いと報告していた」

オニールに加え、FBIはハンセン捜査にロバート・キングとリッチ・ガルシアという覆面工作員を二人投入していた。彼らの貢献もオニールに劣らない、とロシュフォードは言う。スパイに要らぬ疑念を抱かせないため、キングは逮捕に至るまでの一か月間、さまざまなレストランでたびたびハンセンと昼食を共にした。

「キングはハンセンを油断させ、モグラ捜しが進展していないと思わせた。実際には、我々はハンセンがモグラだという事実をつかんでいた」とロシュフォードは言う。

逮捕の二日前、ハンセンは思いがけず、FBI本部の四階のスパイ捜査司令部に現れた。そこは内外からの電磁気放射を遮断するために部屋の中に部屋がある造りになっていたため、「金庫室」

と呼ばれていた。司令部では、捜査官らがハンセン逮捕に向けてワシントン支局の計画の仕上げをしているところだった。ハンセンはキングと話がしたいと言った。

「キングは金庫室の唯一の扉から部屋の外に出て、廊下でハンセンと話をした」とロシュフォードは言う。「その間、他の捜査官たちは金庫室の中で熱心に仕事を続けた。ハンセンは金庫室の中の活気ある様子について訊ねた。キングは通常の分析仕事だと答え、ハンセンの疑惑を逸らした」

映画に反して、オニールはハンセンや彼の妻と親交を結ぶことはなかった。オニールが実際にしたことは、ハンセンがオフィスを離れたときに、小型情報端末の置き場所をFBIに報告したことである。それは、彼の革製のブリーフケースの中だった。FBIは外国諜報活動偵察法（FISA）に基づいて裁判所命令を取り、FBIの戦術作戦支援センターと事件担当捜査官のステファン・プルータが侵入作戦を行なえるように取り計らった。ハンセンの小型情報端末のメモリーカードから彼が収集した電話番号や機密情報をダウンロードしたのはオニールではなく、新米FBI捜査官のレジーナ・ハンソンだった。

合計で「三〇〇人を優に超える捜査官やSSGやパイロットや分析官やCIA職員が、この事件の捜査に関わった」とロシュフォードは言う。「映画でエリック・オニールの功績とされていることの九〇パーセントは、彼の手柄ではない。CIAとFBIの長年にわたる合同捜査が、すばらしい成果に結びついたのだ」とロシュフォードは言う。「エイムズやハロルド・ジェームズ・ニコルソン、ピッツ、ハンセンを逮捕することができたのは、そのおかげだ」

自分が果たした役割と映画の人物像との相違について訊ねられた当初、オニールは、キングは作戦とは無関係だったと主張した。作戦の詳細を聞かされると、自分は彼らの存在に気付かなかったと答えた。また、レジーナ・ハンソンも作戦に関係していないと主張した。「そんな人物は存在しなかった」と彼は言った。このときも、詳細を知らされると、彼女の役割に気付かなかったと弁明した。

しかしオニールは、自分の最大の功績はハンセンの小型情報端末からデータをダウンロードすることを思いついたことであり、それが作戦の決め手となったと主張している。

「彼（ハンセン）はあの情報端末をまるでわが子のように大切に扱っていた」とオニールは言った。「ぜひともあの機器を彼から奪う必要があると思ったんだ」。その情報端末から、捜査官らはハンセンが次に書類をKGBに渡す日時を知った。そしてそのとき、ハンセンを逮捕したのである。

ロシュフォードは、オニールがどこかの時点で情報端末内のデータをダウンロードすることを提案していたとしても、この種の捜査ではそれは「標準的手続き」なので、オニールに言われるまでもなかっただろう、と言う。ハンセンは「四六時中」監視されていたので、日時をあらかじめ知らなくても、捜査官らは次の受渡しを察知していただろう、と。

事件解決の本当の鍵はハンセンを密告した情報提供者を勧誘したことだったと指摘されると、映画のアイデアをいち早く売り込み、ストーリーの権利を売ったオニールは、「映画には多くのフィクションが含まれていますし、私の果たした役割が過大評価されていたことは認めます。映画ですから、興行収入を伸ばさねばなりませんし、善玉と悪玉も必要なんです。私には映画全体の支配権はありませんでした。いくつか指示を出し、実際に起きたこととそうでなかったことを教えただけです」

ハンセンはスパイ行為の動機について、二〇〇〇年三月に芝居がかった手紙をKGBに送っている。「人は私のことを、非常識なほど勇敢なのか、あるいは非常識そのものだと言うかもしれない。だが、私に言わせれば、そのどちらでもない。言うなれば、私は非常識なほど誠実なのだ」

ハンセンは非常識ではなかったとしても、歪んだ人物だったことは間違いない。表向きは家庭を大切にし、妻と六人の子どもたちと、ヴァージニア州ヴィエナのタリスマン・ドライブの突き当たりにある、四つの寝室がある乱平面造りの住宅に住んでいた。ほとんど毎日、ヴァージニア州グレートフォールズにある聖カタリナ教会のミサに出席していた。偶然にも、それはフリーも通っていた教会だった。ハンセンは、その教会のオプス・デイという、強硬な反共主義を唱える保守的な団体に属していた。

しかし、ハンセンは常に浮かべていた薄笑いの裏に、多くのことを隠していた。ソ連のスパイであることに加え、ワシントンのストリップクラブで働くスタイル抜群の女性、プリシラ・スー・ゲイリーと親密な関係にあった。ハンセンは彼女に中古のメルセデス・ベンツや宝石を買い与え、海外支局の視察先の香港に彼女を同伴する費用も払っていた。

ハンセンの高校時代の友人ジャック・ホショウァーが彼の自宅を訪れたとき、ハンセンは寝室に監視ビデオを設置し、ベランダに立たせた友人に自分と妻のボニーのセックスを見物させていた。また、自分と妻の実名と、Eメールアドレスを掲載したポルノ小説をインターネットで発表していた。

あらゆる人間を軽蔑していたハンセンは、とりわけFBIの女性職員を蔑視していた。女性を捜査官として受け入れるべきではなかったのだと、あるとき同僚に漏らしている。女性情報分析官と論争になったとき、ハンセンは彼女を突き飛ばして転ばせた。そこで一九九五年、ベア・ブライアントが彼を国務省海外作戦室に転属させたため、ハンセンが機密情報に触れる機会は減ってしまった。

二〇〇一年七月六日に有罪を宣告されたとき、緑色のジャンプスーツ姿のハンセンはやつれて見えた。判決の直後から、週に二度の報告聴取が開始された。ハンセンは保釈なしの終身刑を言い渡された。

ハンセンは金銭的報酬以上に、FBIへの意趣返しや、インテリジェンス・コミュニティーを出し抜くスリルや、支配権を手にした感覚を楽しんだようだ。自分は不確実なものを憎むと、ハンセンはKGBに語っていた。彼はスパイ行為によって権力を手に入れ、KGBとFBIの両方に対し、支配権を握ったのである。

第17章 出所不明の大金

ロバート・ハンセンが逮捕された日の晩、シカゴ支局担当特別捜査官のキャスリーン・マクチェズニーは、補佐官のウォルター・B・ストウ・ジュニアに電話し、二〇分後に迎えに行くと告げた。その理由について、彼女は何も語らなかった。

ストウがマクチェズニーのFBI公用車に乗ると、彼女はハンセンがスパイ行為で逮捕されたと説明した。逮捕についてマーク・A・ウォウクに知らせろと、上層部に指示されたのだ、と。

シカゴ支局に勤めるFBI捜査官のマークは、ハンセンの妻ボニーの兄だった。

午後八時頃、マクチェズニーとストウはイリノイ州パークリッジにあるウォウクの自宅に車を停め、ドアをノックした。ウォウクの末息子がドアを開け、父親を呼んだ。「パパ、お客さんだよ」

ウォウクはマクチェズニーを知っていた。五〇〇人の捜査官が所属するシカゴ支局を統率する、彼の上司だ。しかし、ストウのことは知らなかった。ウォウクは二人の捜査官を書斎に案内した。

ストウによると、義弟の逮捕を告げられたウォウクはすぐに、一〇年前にシカゴ支局対ソ連防諜監督官のジェームズ・ライルに、ボニーがハンセンのタンスの引き出しから現金五〇〇〇ドルを発見したことを報告した事実を口にしたという。FBIは自分の報告を受けて追跡調査したものとばかり思っていた、とウォウクは語った。

実際には、調査は行なわれていなかった。ライルの記憶によると、ウォウクはボニーがタンスから出所のわからない現金を発見したとしか言わなかったという。そこでライルはその件について何の処置もとらず、本部に報告もしなかったのだ。

「それがどうした、と私は答えた」と、ハンセン逮捕当時、CIAの防諜グループ主任を務めていたライルは言う。「何が問題なんだ、マーク? なぜ妹さんはその金の出所を聞かない?」。そのとき金額も聞いたかもしれないが、いくらだったかは覚えていない、とライルは言う。

しかしウォウクは、はっきりとライルに話したと言い、ハンセンが対ソ連防諜活動に携わっていることから、ボニーの発見について――他のふたつの厄介な事実についても――報告すべきだと思ったのだと言う。なぜなら、義弟がソ連から金を受け取っている可能性があったからだ。一〇年前のライルとの会話について、自分はスパイ行為の疑いがあると報告したとウォウクが語ったことを、ストウははっきりと記憶していた。

「マークが妹の発見した現金五〇〇〇ドルについて言及したことを覚えている」とストウは言う。「私は驚愕した。『なぜ誰もその金について調査しなかったんですか?』とマークは訊ねた。私の目には、彼は極めて率直に語っているように見えた」

ストウの言葉を裏付けるように、マクチェズニーもウォウクがすぐに五〇〇〇ドルの現金の件と、その不審な金についてライルに報告した事実を持ち出したと語っている。

「一介の公務員が多額の現金を自宅に隠し持っていれば、怪しまれて当然です」とマクチェズニーは言う。「そのような事実を発見したら、捜査官は上司に報告すべきです。現金の出所がどこであるかにかかわらず」

一九九〇年にウォウクが自分の疑惑をFBIに報告していたという事実は、すでに明らかにされていた。しかし、今日に至るまで公表されていなかった事実がある。それは、ハンセンの逮捕を知らされたウォウクが、かつて自分がライルに警告したことを直ちに持ち出した点である。自分に都合のよい話を捏造する暇がなかったという事実を考慮すれば、ウォウクのとっさの反応は、自分の発見はぜひとも調査すべき危険信号だと報告したという、彼の主張を立証している。

この事実を知らず、ライルが彼の主張を退けたことも考えれば、多くのFBI捜査官がウォウクの意見に取り合わなかったのも無理はない。それはあまりにも、常識に反していたからだ。

「FBI捜査官になったつもりで考えてみてほしい。家族の誰かが何らかの事件に関与している疑いがあるとして、その家族というのがたまたま義理の兄弟だったとしたら？　そして、相手が自分と同程度の機密情報取扱許可を持っているとしたら？　訓練を積んだFBI捜査官として、いったいどうすべきだろうか？」と、ライルを高く評価しているロシュフォードは言う。

「自分に対して事情聴取を行なうように要求すべきだ。上司に耳打ちするだけでは、十分とは言えない。もし事情聴取が行なわれない場合は、調査依頼書を書くなりテレタイプするなりして、文書化しなければならない。ウォウクは文書化しようとしなかった。そこが私には理解できない。そんな状況で調査を行なおうとする捜査官はいない。ウォウクの主張は、逮捕後に事実を脚色し、実際より自分をよく見せようとしているとしか思えないね」

ストウはハンセン逮捕の晩に、ウォウクに同じ質問をしたことを覚えている。

「どうして強く主張しなかったんだと訊ねたところ、ライルに報告したことで自分の責任は果たした、上司が何もしないことを決断したのにそれ以上強く言えない、とウォウクは答えた」

しかしウォウクは最初の事情聴取で、事の次第を詳しく説明したうえ、自分の話を裏付け、ライルが自分の疑惑を調査し本部に報告したと思い込んだ理由を説明する、詳細な情報を新たに提供したのである。

ウォウクが初めて義弟に疑惑を抱いたのは、ニューヨーク支局からシカゴ支局の対ポーランド防諜課へ転属が決まり、ポーランド語を学び始めた一九八五年のことだという。ウォウクがそのことをボニーに告げると、ボニーは「いいわねえ！　ボブも引退したらポーランドで暮らしたいって言うのよ」と言った。

当時、ポーランドはソ連の支配下にあった。亡命してポーランドやソ連の情報部に協力でもしなければ、FBI捜査官が住むことを許されるはずもなかった。

「ボニー、そんな馬鹿なこと言うもんじゃない」とウォウクはたしなめた。

妹の言葉に不審を感じはしたが、ハンセンは敬虔なカトリックで、ポーランド出身の教皇ヨハネ・パウロ二世を尊敬していることから、引退後にポーランドに住むなどという考えが浮かんだのかもしれない、と自分を納得させたとウォウクは言う。

一九九〇年、ウォウクはワシントンで国務省が行なった、ソ連と東ヨーロッパ諸国に関する二週間のセミナーに出席した。

「自宅に帰ると、妻のメアリー・エレンが、私の別の妹ジーン・ベグリスから聞いた話を教えてくれた。ジーンが言うには、ボニーが彼女の家に「駆け込んできた」という。妹たちは、ごく近所に住んでいるのでね。ボニーはジーンに、ボブのタンスの靴下の引き出しから五〇〇〇ドルが出てきたと話したらしい」

現在で言えば、八三四〇ドルに相当する額だ。FBI捜査官がそんな大金を持っているという話も、ましてやそれを靴下の引き出しに隠しているという話も、ウォウクは聞いたことがなかった。

ハンセンが逮捕された後、ボニーは――彼女はいまだにハンセンの妻である――FBIに対し、一九八〇年頃から夫がソ連と独断で取引をしていたのを知っていたと認めた。ニューヨーク州スカーズデールに住んでいた頃、地下室でハンセンがソ連軍参謀本部情報総局（GRU）に渡すメモを書いていたときに、うっかり部屋に入ってしまったのだ。

ハンセンがメモを隠そうとしたので、ボニーはハンセンの浮気を疑った。ハンセンは妻の疑惑を晴らすため、現金数千ドルと引き換えにソ連に情報を提供していたことを認めた。ハンセンはそれらの情報は無価値であると言い、今後ソ連とは関係を断ち、司祭に告白し、受け取った金をマザー・テレサの慈善活動に寄付すると約束した。

ボニーはFBIに対し、大金を発見した事実を否定した。しかし、妹のジーンがその話を兄のグレッグやメアリー・エレンにしゃべっており、メアリーからさらにウォウクにも伝わっていた。

本部のFBI監督官からFBIがインテリジェンス・コミュニティー内のモグラを追跡していることを聞いた同僚の話を耳にし、ウォウクはさらに不安を募らせた。

出所不明の現金のことを知った後、ウォウクは妻と話し合った。自分が知り得た事実をFBIに報告すれば、家族からもFBIからも反発を受けるかもしれない。別の捜査官がスパイである可能性を示唆すれば、自分の評価にも影響するかもしれない、と彼は考えた。その当時、スパイ行為で逮捕されたFBI捜査官は、リチャード・W・ミラーただ一人だった。そして、ミラーが漏洩したのは重要性の低い情報だった。

「当時のFBIでは、国家への反逆だのスパイ行為だのはCIAのインテリ連中のすることで、実直なFBI捜査官がそんなことをするはずがないと考えられていた」とウォウクは言う。

皮肉にも、当時のFBIはスパイ行為の調査を行なっても、そのような懸念を報告できる内部セキュリティを担当する部署が存在しなかった。それに加えて、ウォウクにはそのようなデリケートな情報を安心して打ち明けられる知人が本部にいなかった。

ウォウクの妻は、彼自身が正しいと思うことをするよう励ました。ウォウクは自分が知り得た事実をライルに報告することにした。ライルとは、ニューヨーク支局に勤務していた当時同じ班に所属し、一緒に通勤していた。さらに、ウォウクはハンセンが他の国ではなくソ連のスパイに違いないと推測していた。ライルは本部からソ連関係の捜査の監督官としてシカゴ支局に配属されたばかりであり、ウォウクの報告を本部に取り次ぐには最適の人物だった。

ウォウクの記憶によると、彼はライルに、オフィスでは話せないデリケートな問題について相談があると申し入れ、上階にある、窓のない事情聴取室で話すことを主張した。「私はあの現金と、モグラ狩りと、引退してポーランドに住むという話を彼に告げた」とウォウクは言う。「少なくとも三〇分以上、私が報告した事実の意味について、あれこれ話し合った。そのうち彼は、『君は自分が何について話しているか、わかっているのか』と訊ねた。そこで私は『はい、スパイ行為です』と答えた」

ウォウクはハンセンがスパイだという確信はなかったが、ライルに打ち明けた三つの疑惑について、予備調査が行なわれるはずだと確信した。

ウォウクによると、ライルは「私に任せておけ」と言ったという。

その後、ウォウクはそれらの問題について調査が進められているものだと思っていた。FBIの方針では、捜査に関する情報は、基本的に必要がある場合にのみ知らされることになっていた。「自分はできるだけのことはしたと思っていた。それに私の立場では、FBIが調査を引き継いでくれたと信じる他はなかった」とウォウクは言う。「スパイ行為の調査には何年もかかる場合があるし、モグラが常に活動しているとも限らないことはわかっていたからね。実際、ハンセンの場合もそうだった」

ウォウクは普段ハンセンと会うことはほとんどなく、親族の結婚式などでたまに顔を合わせるだけだった。他の人々と同様、ウォウクもハンセンを変わり者だと考えていた。

「私の両親とハンセン、そして親族の約半数は、オプス・デイに所属していた」とウォウクは言う。「私は入会の勧めに逆らっていたので、いつも両親にハンセンを見習えと言われていた。ハンセンはオプス・デイに所属して完璧な家庭生活を築いている、と両親は考えていた」

ウォウクがハンセンと二人きりで話をしたのは、弁護士であるウォウクが、一九九〇年代の初めにクアンティコで法律学の教官になる訓練を受けていたときの、ただ一度だった。ウォウクはハンセンの自宅を訪問した。ウォウクがハンセンの車に乗ると、ハンセンは本部からワシントン支局に転属になったことについて、激しい不満を露わにした。

「彼がしゃべっている間、私は用心深く黙っていた。なぜならそのとき、『もしかしたら、本部はハンセンを内部調査した結果、デリケートな情報から遠ざけることにしたのかもしれない』という考えが頭をよぎったからだ」とウォウクは言う。

一九九七年に初めてEメールアカウントを設定したウォウクは、パソコンにインストールするオペレーションシステムについてハンセンに相談したことから、メールのやり取りをするようになった。ハンセンをスパイだと考えていたのなら、なぜ彼と親しくメールをやり取りしていたのか？ ウォウクがライルに警告したという話をでっち上げと見なすFBI捜査官らは、そう質問した。

「その頃には、何も証拠が見つからなかったらしいと思うようになっていた」とウォウクは言う。「シカゴ支局の現場捜査官という私の立場では、捜査の結果を教えてもらうことは期待できないのがわかっていたからね」

ウォルト・ストウが提供した裏付けを除けば、一九九〇年の会話に関するライル側の主張は、筋が通らない。妹が夫の引き出しから現金を発見した事実を報告するのに、背景事情や報告する理由を説明しないなどということがあるだろうか？

ストウによると、ハンセン逮捕の夜にライルとの会話について語り始めたウォウクはすぐに、「一〇年前に何かが見落とされたことははっきりしています。私があの情報を現場に報告しなかったなんて、絶対に言われたくありませんね」と言ったという。

第18章
「はい、こちら殺人課のミュラー」

二〇〇一年九月一一日午前八時四五分、ロバート・S・ミュラー三世は、記者たちとの昼食懇談会を計画していた。そのとき、テレビを見てください、と秘書が言った。

FBIの新長官は七階のオフィスを飛び出し、本部の染みひとつない真っ白な廊下を全力で駆け抜け、戦略情報作戦センター（SIOC）に向かった。それは総工費二〇〇〇万ドルを費やした全二〇室の複合施設で、電話や防諜対策を施されたコンピュータ、ビデオモニターなどで、最新の重要事件の監視と調整にあたっている。ミュラーは前の週にFBI長官に就任したばかりだというのに、長官の仕事について学ぶ一方で、テロ攻撃に対処し新たな攻撃計画を暴かねばならないという、二重の苦しみを背負うことになったのだ。

ジョージ・W・ブッシュに長官に任命されたミュラーは、プリンストン大学出身だった。ベトナム戦争に従軍し、青銅星章と、戦傷者に与えられるパープル・ハート勲章を授与されていた。海兵隊を除隊した後、ミュラーはFBI捜査官になろうと考えた。彼はその希望を胸に、一九七三年にヴァージニア法科大学院で博士号を取得した。しかし、FBIに入局する代わりに検察官となり、最初にサンフランシスコの、後にボストンの連邦検事事務所に勤務した。その間に、高校時代からの恋人アン・スタンディッシュと結婚した。

一九九〇年、ミュラーは司法省犯罪課担当の司法長官補に任命され、ジョン・ゴッティやパン・アメリカン航空一〇三便爆破事件のリビア人容疑者ら、そしてパナマの指導者マヌエル・ノリエガの起訴手続きを監督した。

ミュラーは一九九三年に司法省を退き、ボストンのヘイル・アンド・ドー法律事務所の共同経営者となった。しかし、ミュラーには開業弁護士が性に合わなかった。ある日ミュラーは、ワシントンの連邦検事エリック・H・ホルダー・ジュニアに電話をかけた。ミュラーが犯罪課長を務めていたときの、直属の部下である。その彼に、今度はミュラーが仕事を求めて電話をかけたのだった。

「彼は何の前触れもなく電話をかけてきて、殺人事件を扱いたいと言った」とホルダーは言う。「まったく、耳を疑ったよ。元司法長官補にして犯罪課長だった男が、連邦検事局にやってきて、下っ端のように裁判に出たいって言うんだからね」

一九九五年五月、公務員の給与と引き換えに年俸四〇万ドルの共同経営者の地位を捨てたミュラーは、ナイフや銃を用いた犯罪の起訴に取り組み始めた。電話を取るときは、「はい、こちら殺人課のミュラー」と名乗った。

一九九六年、ミュラーは連邦検事局の殺人課長になり、後にサンフランシスコ連邦検事になった。ブッシュ大統領が政権についた後、ミュラーは司法副長官代行となった。その後ブッシュは、五六歳のミュラーをFBI長官に指名した。

ミュラーは指名承認公聴会で、ポリグラフ検査を受けるかと問われた。受けると言いつつも実際には検査を受けようとしなかったフリーとは対照的に、ミュラーはこう答えた。「海兵隊時代に受けた訓練のせいかもしれませんが、私は自分自身が気の進まないことを他人に求めてはならないと考えています。私はすでにポリグラフ検査を受けました」

「結果はいかがでしたか?」とオーリン・ハッチ上院議員が訊ねた。

「御覧のとおり、ここにこうして座っています」。ミュラーの答えに、上院議員らから笑いが上がった。

フリーとは対照的に、ミュラーは新しいテクノロジーの推進者だった。彼は一九八九年に自宅にゲートウェイコンピュータを購入し、クイッケン・プログラムを用いて税金の計算が容易にできるようにしている。サンフランシスコでの連邦検事時代は、事件の追跡のために新たなソフトの開発を優秀なコンピュータプログラマーに依頼している。そのプログラムはアルカトラズと呼ばれ、全米の連邦検事局に採用された。

長官職を引き継ぐ数週間前、ミュラーはFBIの新たなコンピュータの権威、ボブ・ディーズに面会した。ミュラーはマイクロソフト・オフィスなどの、自分のコンピュータに必要な標準的なソフトウェアを次々に数え上げた。しかし、それらのソフトを長官のコンピュータにインストールすることはできるが、FBIの他のコンピュータではどれひとつとして使えない、とディーズは答えた。ミュラーは驚愕した。

九月一一日の直前、ミュラーは新しいデル・コンピュータを何千台も注文し始めた。しかし、FBIのメインフレームコンピュータシステムは非常に欠陥が多く、捜査官らにメモを送っても決して届かず、届いているかどうか確認する方法もなかった。FBIの自動ケースサポートシステムは、たった一件の文書を保存するだけでも一二もの別個のコンピュータコマンドが必要だった。これらの緑色の画面の端末では、「航空」や「学校」という単語で検索することはできた——それぞれ何百万件もの資料を読み出してくる——が、「航空学校」で検索するには非常に複雑な操作が必要で、それができる人間はFBIにほとんどいなかった。対照的に、CIAでは一九五八年からすでに「航空学校」などの用語で検索を行なうことが可能だった。

ハイジャックされた航空機の客室乗務員が、一部のハイジャック犯の座席番号を知らせてきたので、FBI捜査官らは座席表と乗客名簿に載せられたハイジャック犯の名前を照合し始めた。捜査官らはクレジットカードや通話記録から、さらに手掛かりを広げていった。ハイジャック犯と住居やホテルを共にしたことのある人物は、直ちに警戒対象者リストに載せられた。

九月一一日のテロ攻撃から数日以内に、司法長官ジョン・アシュクロフトは、監視下にある可能性のあるテロ容疑者リストをFBIに要求した。しかし、そのようなリストはFBIに存在しないという答えが返ってきた。ファイルは全国の支局に散在しているうえ、全て紙の記録だったのだ。なぜそのような情報をコンピュータで管理していないのかとアシュクロフトが訊ねると、FBIには少なくとも四〇のコンピュータシステムがあるが、ほとんど互換性がないという返事だった。

自動ケースサポートシステムがあまりに原始的だったので、捜査官らはラピッドスタートを設計していた。この間に合わせのコンピュータプログラムは、最新の事件の捜査にあたる捜査官が捜査報告書を記録するためのもので、大事件の記録の管理は全く意図されていなかった。しかし、フリーがテクノロジーを軽蔑していたため、それ以外にFBIが有するコンピュータシステムはなかった。テロ攻撃に関する報告書や指示書がどっとなだれ込んできたため、ラピッドスタートはオーバーロードし、資料を検索することができなくなってしまった。このため、さらに遅れが生じた。

そのうえ、ラピッドスタートは支局と接続していなかったため、報告書をいちいちダウンロードし、自動ケースサポートシステムで各支局に転送しなければならなかった。時間がかかることに加え、プロセスの信頼性が低かったため、SIOCの捜査官らは指示書を支局に送るのに、しばしば電話やファックスを利用していた。壁際に何十台も並んだファックスが吐き出す紙で、SIOCの床は埋め尽くされた。

「ときには、ひとつの捜査班で済むところを、一件の家に三つも捜査班が派遣されることもあった。同じ指示書を三回も重複して送っていたためだ」とディーズは言う。「余った人手は別件の捜査に必要だったというのに」

また、ダウンロードされた資料がいっこうに出てこないため、確認の電話やファックスができないこともあった。そのため、手掛かりが何日も放置されるという事態が発生した。

九・一一テロ以前に本部のテロ対策課長を務めたロバート・M・ブリッツァーは、FBIにはテロに対処するだけの資質がなかったと語る。バック・レヴェルやビル・ベイカーのように、早くからテロの危険性を認識していた幹部らは、とうにFBIを退いていた。残った者の多くは、脅威に対して新たな戦略を立案するだけの能力を持たなかった。また、たとえ立案したとしても、フリーが耳を貸さなかった。

「フリーが少しでも我々を信頼していたとは思えない」とブリッツァーは言う。

九・一一以前は、CIAや国務省、NSA、国防情報局（DIA）から寄せられる脅威の情報や手掛かりへの対応に大わらわだった、とブリッツァーは回想する。FBIはそれら全てを分析することができなかったばかりか、それぞれの手掛かりを追って論理的な結論に達することもできなかった。

「FBIの力量不足のために、オサマ・ビンラディンに関する情報の全てを分析し利用し尽くすことはできなかった」とブリッツァーは言う。「私のデスクには、常に大量の書類が積み重ねられていた。まるで狂気の沙汰だった。週末返上で働いた。仕事はいつ果てることなく続いた。テロの脅威は毎年数千件にも上った。よく自分自身に問いかけたよ。『この件はどうすべきだろう？この脅威は本物か偽物か？　これはどこに送ればいいのか？』と。理解しようと努めたが、まるで歯が立たなかった」

テロリストたちは暗号を使ってインターネットで通信しているというのに、捜査官らのコンピュータにはCD-ROMドライブもなかったのだ。分析者もコンピュータも不足していたために「自分たちがどんな手掛かりを持っているかも知らなかった」と元FBI副長官のベア・ブライアントは言う。「自分たちが何をつかんでいるかも知らなかったんだ」

ミュラーは決してフリーを公に非難しなかったが、側近によると、長官職を引き継いだとき、フリーがFBIのテクノロジー面や管理面を「壊滅状態」のまま放置していたことに対し、「衝撃」を露わにしたという。ミュラーは、FBIが国内に潜在するテロリストたちについてあまりにも無知なことに動揺した。

新長官となったミュラーは、FBIの建て直しに乗り出した。テクノロジーや分析を重視し、テロ事件の捜査を本部に集中させた。これらの改革は、フリーや彼の方針に対するミュラーの考えを明らかにするものだった。フリーは一九九六年六月二五日にサウジアラビアのダーランで発生した米軍宿舎爆破事件で、事件担当捜査官として多くの時間を費やした。九・一一直前までの長官職における最後の年、フリーは八回にわたってニューヨーカー誌の記者エルザ・ウォルシュのインタビューに応じている。その記事では、フリーはFBIのホバルタワー爆破事件の捜査の中心人物として描かれ、彼がサウジ政府と会見し協力を取り付けたことが報じられていた。

フリーとは対照的に、ミュラーは自らを事件担当捜査官ではなく、管理者と見なしていた。彼は経営に関する書物を読み、IBMのルー・ガースナーなどのビジネスリーダーに助言を求めた。ハーバード・ビジネススクールの教授陣や学生を招き、自らが着手したFBI改革の事例研究を依頼した。フリーとは違い、ミュラーは決して自己を宣伝しようとしなかった。私とのインタビューでも、青銅星章やパープル・ハート章を授与された経緯について、「何度か銃撃戦に巻き込まれたんだよ」と言うだけで、何も語ろうとしなかった。そして、「自分では勲章に値すると思う行為をしても、勲章は決して貰えない。いつだって、貰おうとも思っていないときに与えられるものだ」と付け加えた。

しかし海兵隊を取材した折に、ミュラーの青銅星章に添えられた謝辞を読むことができた。一九六八年一二月一一日、ミュラー率いる小隊が、北ベトナム軍中隊による、小火器や自動小銃、擲弾発射筒などの激しい攻撃を受けたという。「冷静に防衛線を確立したミュラー少尉は、果敢に戦場を駆け回り、部下に正確な対射撃を指示し、励まし続けた」とある。

そのときミュラーは自らの危険も顧みず、「危険地帯から負傷者を巧みに避難させ、あるときは自ら銃撃班を率いて弾丸の飛び交う戦場に飛び込み、前線の前で瀕死の重傷を負って倒れた海兵隊員を救出した」とも書かれていた。

後にFBI長官として直面することになる数々の試練に備え、彼を強くしたのは銃撃戦という本物の試練だったのだ。

「ミュラーにとってFBIの長官になるということは、多くの点で、事件担当捜査官の親玉というよりむしろ大企業のCEOになるのに近い認識だったのだろう。なぜなら求められる仕事の多くは、捜査に必要な手段を組織が全て備えているか確認することだからね」と、ミュラーの長官就任初年に首席補佐官を務めたダニエル・レヴィンは言う。「それらの仕事の多くは刺激的でも魅力的でもないが、極めて重要だ。技術や記録の管理、そして人事システムと適切な人材の採用。人材を職場につなぎとめ、キャリアを伸ばさせるための動機づけ。そのいずれもミュラーは極めて重要視していた」

ＦＢＩは巨大遠洋船と同じで、すぐには針路を変えることはできない。変化に抵抗し、必ずしも率直に返答を寄こさない官僚主義と、ミュラーは折り合いをつけねばならなかった。早い段階で、ミュラーは防諜課長代行のシェイラ・ホーランを解任した。彼女は概して防諜に向いていないことがわかったうえ、ロサンゼルス支局の捜査官ジェームズ・Ｊ・スミスが関与した対中国防諜活動に関して適切に報告せず、その問題についてミュラーに警告することも怠ったためである。結局スミスはＦＢＩの情報提供者カトリーナ・リョンとの関係を隠してＦＢＩに虚偽の報告をした罪で有罪判決を受けた。司法省高官はリョンが機密書類を中国に流していた二重スパイであると確信していたが、彼女をスパイ行為で起訴するには至らなかった。

もしかすると、他の何よりホーランの解任が、新長官とフリーの違いを明らかにしていたのではないだろうか。フリーには、自分に楯突く者や悪い知らせをもたらす者を罰する性癖があった。対照的に、ミュラーは事実を報告しない者を追放した。

ミュラーは外交家ではなかった。司法省の犯罪課長を務めていた当時、ミュラーはよく自宅でオフィスパーティーを開いた。その際彼は、部屋の明かりを点滅させることで、客にパーティーのお開きを知らせた。元海兵隊員のミュラーは、自分の命令が言葉どおりに遂行されることを期待し、握りつぶしなどは決して許さなかった。それと同時に、家族を亡くしたＦＢＩ職員には必ずお悔やみの言葉をかけるよう心がけていた。

「誰もがミュラーに対し、典型的な元海兵隊員という印象を抱くだろう。彼はタフで生真面目で、おふざけを容認しない」と、元司法省監察官のマイケル・R・ブロムウィッチは言う。

「長官就任当初、彼は事実を述べない相手に対し、『これについてはどうだ、あれについてはどうだ?』と、マシンガンのように矢継ぎ早の質問を浴びせたものだ」と、テロ対策課と防諜課の両方を率いることになったアート・カミングスは言う。「相手に答える隙さえ与えなかった。要するに、お前はあれも知らない、これも知らない、何も知らない、と思い知らせるわけだ。そこには、『この次は正しい答えを得るまで戻ってくるな』というメッセージが込められていた」

時が経つにつれて、ミュラーの詰問口調にも徐々に慣れたとカミングスは言う。「でも、彼は相変わらず実に辛辣で、指図が多いがね」。自分の求める水準に達しない職員や、指示を無視する職員がいれば、ミュラーは黙って追放した。

ミュラーの下、FBIの使命は再び戦争によって定義された。

第19章 情報部の理念

FBI長官の下でテロリストやスパイから国を守る直接責任を負う人物にしては、アート・カミングスの生活環境はやや異色である。

一九八七年に捜査官になって以来、テロ事件を専門とするまでに、カミングスは防諜、暴力犯罪、麻薬、児童への性的虐待など、あらゆる種類の事件の捜査に携わってきた。FBI捜査官であることにつきまとうリスクについては、一度も悩まされたことはなかった。ある意味で、彼はリスクを冒すことに慣れていたのだ。メリーランド州のボウイ高校卒業後、海軍特殊部隊SEALsに入隊し、その後カリフォルニア大学に進学した。海軍時代と大学時代を通じて、カミングスはBMW650とホンダ900という二台のオートバイを所有していた。一九八二年に結婚したとき、妻のエレンにオートバイに乗らないことを約束させられたカミングスは、二台とも売り払ってしまった。海軍時代とFBI入局後を合わせると、カミングスは一六〇回も飛行機からパラシュート降下を行なっていた。趣味でスカイダイビングを始めようとしたとき、エレンはこう言った。「ひとつだけお願いがあるの。万一の場合に備えて、子どもたち皆にお別れの手紙を書いてやってくれない?」。その言葉を聞いて、カミングスはスカイダイビングをあきらめた。

FBI捜査官として、カミングスはテロ対策課課長補佐に昇進し、国際テロ事件の捜査の責任者となった。また、国家テロ対策センター(NCTC)の副センター長を一年間務めた。NCTCにはCIAやFBI、NSAなどの機関から二〇〇人もの分析者が集められ、二四時間体制で機密情報を交換し、脅威を追跡している。カミングスはさらに、グアンタナモ基地に派遣されて自ら囚人らを尋問した経験も持っていた。

二〇〇八年一月、ミュラーはカミングスをFBI国家保安部担当次官に任命し、テロ対策課と防諜課を統率させることにした。カミングスの自宅はヴァージニア州リッチモンドにあり、エレンと三人のティーンエイジャーの子どもたちはそこに住んでいた。彼は週末ごとに車で二時間近くかけてリッチモンドまで帰っていた。

平日は、ワシントンから約四五分の距離にあるメリーランド州アナポリス近郊の港に係留された、小型ヨットに寝泊まりしていた。カミングスは目覚まし時計を午前三時一〇分にセットし、四時一五分にはFBIのジムでトレーニングを始めていた。そして六時には、シャワーを浴びて出勤していたのである。

カミングスは毎日、自分の四五口径のグロックを金庫に保管していた。その後、席について最新のテロの脅威やスパイ事件の進展に関する報告書の束を見直す。FBI本部七階にある、カミングスのオフィスのブラインドは閉ざされている。窓に向けられた盗聴機器で会話を傍受されないよう、念には念を入れているのだ。FBI本部を訪れる者は身辺調査を受けているが、カミングスやミュラーなどの最高幹部のオフィスが並ぶ廊下には、セキュリティ装置に個人識別番号を入力しなければ、誰も入ることはできない。

午前七時にカミングスはスタッフと会合を開く。七時半には長官室のミュラーを訪ねる。そして八時半に司法長官と面会する。九時には再びミュラーと会う。ときにはオバマ大統領に面会することもある。以前はブッシュ大統領にも会っていた。

夜は七時四五分か八時には、オフィスを後にする。車でアナポリスに帰る途中、チェシャピーク・ベイブリッジのそばのデリに寄る。店主はカミングスのいつもの注文を知っている。ツナサラダを半ポンド、全粒粉スナック一袋、そしてよく冷えたビール、銘柄はドスエキスかソル・ブラヴァ。ボートに帰る前にマリーナ・クラブハウスに寄り、歯を磨いてから、車で四〇〇メートル先のドックに向かう。事件が発生してリッチモンドの自宅に帰れなくなる週末も多い。

カミングスのこのような慌しい生活習慣は、世界貿易センタービルと国防総省が攻撃された、あの日から始まった。当時カミングスは、リッチモンド支局のテロ対策班を率いていた。あの日の午後、FBIの国家テロ対策責任者のデイル・L・ワトソンが泡を食って電話をかけてきた。彼はカミングスを、上司にも臆せず意見することができる切れ者と評価していた。ワトソンはワシントンにカミングスを必要としていた。真夜中までに来い、とワトソンが命じたとおり、カミングスは午後一一時三〇分に到着した。それからは連日一四時間勤務を余儀なくされたカミングスは、結局三か月間もノースウェスト九番通りとF通りの交差点にあるマリオットホテルで暮らすはめになった。

なだれ込んでくる情報の全てが、九・一一テロから数か月以内にテロの第二波がやってくることを示していた。ロサンゼルスのライブラリー・タワーが、その標的のひとつだった。それらの攻撃を阻止せねばならないという重圧は、計り知れないほど大きかった。

「諸君、あと一度でも攻撃を受ければ、我々はおしまいだ」。九・一一テロの捜査責任者パスクアーレ・「パット」・ダムーロが、ある会議でカミングスらに言った。

九・一一テロ直後の数日間は、カミングスは臨時に本部に駆り出されたに過ぎなかった。しかしパワーポイントを用いた彼のプレゼンテーションを見たダムーロは、カミングスを正式に本部に迎えることを決定した。ダムーロはカミングスを資料活用班主任に任命し、後に通信活用班主任に任じた。その後ダムーロは、カミングスを初の全米テロ対策合同タスクフォースの責任者に据えた。これは何十もの情報局や法執行機関を結集させ、テロを追及する組織である。FBIは最終的に、九・一一テロ以前は三五か所の地域にしかなかったテロ対策合同タスクフォースを、一〇六か所に増設することになった。二〇〇三年三月には、ミュラーはカミングスを国際テロ第一作戦部（ITOS1）の責任者に任じた。これはアルカイダ関連の作戦の指揮を執る組織である。

「（九・一一テロ以後の）真の不安は、『仮にテロリストが国内に存在することを認めるとして、彼らが新たなテロを起こすのを阻止するにはどうすればいいか』ということだ」とカミングスは言う。「我々には悠長に構えている暇はない。テロリストがアメリカに存在するとすれば、彼らはすでにテロ計画を立てている。あの第一波の攻撃で計画は崩壊したかもしれないが、もし第二波があるとすれば、我々が阻止せねばならない」

現在カミングスは、防諜課とテロ対策課を統率するFBI幹部として、FBIの作戦とその他のインテリジェンス・コミュニティーとの連携を図っている。テロ対策課と防諜課の責任者としてこれまで一切マスコミのインタビューに応じなかったカミングスだが、本書のために、一連のインタビューで初めて自らの経験と思想を明かしてくれた。

九・一一テロ以前、カミングスは情報活動と犯罪捜査の分離という、彼から見れば常軌を逸した方針と戦わねばならなかった。これは司法長官ジャネット・レノが築いた、いわゆる壁の一環だった。レノに雇われた司法省職員のリチャード・スクラッグスによる一九九五年の法解釈によって、テロリストが人を殺す前に彼らを追及するための国家的努力は、本質的に麻痺状態に陥ってしまった。

スクラッグスは司法省の情報政策審査局の首席法律顧問として、対敵防諜活動あるいは防テロ作戦に電子的監視装置が適用される場合、機密情報獲得の目的で集められた情報を、犯罪の起訴に利用される可能性のある情報と混合してはならないと定めた。一九七八年に制定された外国諜報活動偵察法（FISA）によって、そうした事件における電子的偵察要請を審理する法廷は、すでに設立されていた。スクラッグスが出しゃばってくるまでは、何の問題もなかったのだ。司法省防諜部部長ジョン・マーティンは、機密情報収集目的で明らかになった情報と、犯罪捜査目的で収集された情報を適切に区別し、七六人以上のスパイを起訴していた。

マーティンは捜査官たちに助言を行なうとき、日常の防諜捜査の一環として外交特権を有するKGB幹部を監視する際は、政府職員がロシア側に機密を漏洩していることを示唆する情報が明らかになる可能性が高いことを強調した。ＦＩＳＡはこれが日常的に発生していることを明確に認識しており、それゆえ多くの場合、防諜行為の捜査とスパイ行為の捜査は切り離せないことも認識していた。裁判所の判断の下、初動捜査の「第一目的」が機密情報の収集である限り、集められた証拠が起訴の裏付けに利用されても何の問題もなかった。また、控訴審で起訴が覆されたことも、かつて一度もなかった。

しかしスクラッグスは、捜査の第一目的が防諜であり起訴ではないことを実証するために、当初事件の捜査に当たった者は、絶対に検察官と接触してはならないとした。

これまで数々のスパイ行為の起訴に成功してきた観点から、ＦＢＩと司法省検察官の接触を問題視する理由を問うと、スクラッグスは米国情報庁職員ロナルド・ハンフリーと、ハンフリーから受け取った国務省の機密書類を北ベトナム軍に流していたデイヴィッド・トゥロンを起訴するにあたり、司法省が「不適切な」行為をしたことを裁判所が把握していたと答えた。しかしその事件が起訴されたのは一九七八年の初めのことで、ＦＩＳＡが制定される前だった。従って、それは無関係である。さらに、控訴審でも有罪判決は支持されていた。その点についてスクラッグスに問うと、その事件はＦＩＳＡの制定後に起きたと思っていたという返事だった。実際には、スクラッグスがその覚書を発行したとき、ＦＩＳＡの下で機密情報がスパイ事件の起訴に不適切に利用されたという裁判所の裁定はなかったのだ。

レノと司法副長官ジェイミー・ゴーリックが、ＦＩＳＡの適用の際に諜報活動と犯罪捜査の分離を求めるスクラッグスの覚書を承認した後、司法省のスクラッグスの補佐官らは、行き過ぎた行為が認められた場合は解職処分や重罪で起訴されることもあり得るとＦＢＩ捜査官らに警告し、スクラッグスの声明に従うことを強制した。ＦＢＩとＣＩＡは直ちにこの警告に過剰反応し、ＦＩＳＡの認可が申請される予定がない場合でさえ、犯罪捜査と諜報活動の情報源の分離に取り掛かった。その結果、非常に融通の利かない障壁が築かれた。同じ防諜班に属するＦＢＩ捜査官同士が、捜査中の事件について互いに議論し合うことを禁じられたのである。ＦＢＩ内部では、ひとつの事件について複数のファイルが別個に保存された。事件の犯罪的側面に関する情報には65という分類番号が振られ、諜報活動的側面に関するものは199の番号が振られた。

「実際、この障壁のために、二〇〇一年九月一一日以前にハイジャック犯を捕まえる最後のチャンスをふいにしてしまった」と、国家安全保障局の元首席法務顧問で国土安全保障省次官補であったスチュアート・ベイカーは、著書『竹馬でスケート——なぜ明日のテロ事件を止めないのか（*Skating on Stilts: Why We Aren't Stopping Tomorrow's Terrorism*）』に書いている。ベイカーは、この障壁が足かせとなったため、ＦＢＩによるハリド・アルミダルの発見が遅れたと指摘している。ハリド・アルミダルは九・一一のハイジャック犯の一人であり、住所や航空機の予約システムによって他の一一人のハイジャック犯らと関連付けられていた。

スクラッグスは「考え方が閉塞しており、それをジャネット・レノとジェイミー・ゴーリックが受け入れていた」とマーティンは言う。しかし、歴史的な政府のスキャンダルにも当たることに立ち向かう勇気のある者は、ＦＢＩにはほぼ存在しなかった。しかし、カミングスはその勇気を持っていた。彼は当時国家保安部法務課顧問を務め、障壁の施行を担当していた弁護士のマリオン・「スパイク」・ボウマンに抗議したことを記憶している。「スパイク、こんなのは馬鹿げている！　私には承服しかねるね」

「だが、他にどうしようもない」とボウマンは言った。

カミングスは障壁を回避する方法を考案した——もっとも、詭弁というべきものだったが。彼はボウマンに言った。「私は諜報事件の捜査を開始する。あくまで諜報事件として捜査を行なうが、犯罪事件としての補助ファイルも作成するつもりだ」

「それなら、犯罪事件として捜査すべきだ」とボウマンは言った。

しかし、カミングスはそのつもりはないと言い張った。ひとつの事件にもう一人余分に捜査官を投入し、犯罪面と情報面の捜査を別個に行なう余裕はなかった。補助ファイルを作成することは、ボウマンの顔を立てながらスクラッグスの決定を回避するためだけの、無意味なジェスチャーだった。

九・一一テロ以後、米国愛国者法がこの障壁を取り払い、スクラッグスの覚書から始まった法律の解釈を覆した。また、愛国者法によって、FBIは電話の種類に関係なく、テロ容疑者の電話を盗聴する許可を得た。以前は容疑者が固定電話から携帯電話や公衆電話などに切り替えた場合、FBIはその都度新たにFISAの傍受命令を申請する必要があり、そのために何週間も捜査が遅れる結果になっていた。信じがたいことだが、FBIはロービングバグと呼ばれる盗聴器を組織犯罪や麻薬取引などの捜査に利用することはできたが、国家の存続にかかわる脅威であるテロ事件の捜査にそれらの機器を使用することを禁じられていたのだ。しかし、カミングスはF

BIのテロ対策責任者として、これよりはるかに大きな問題に取り組まねばならなかった。すなわち、FBIの精神風土を犯罪予防重視に作り変えることである。

九・一一テロ発生から二日後、ミュラーとアシュクロフト司法長官は、ブッシュ大統領に対する報告を開始した。

「彼らはテロリストらが航空券を入手し、飛行機に搭乗し、空港から別の空港へと移動し、我が国の国民を攻撃した方法について語った」と、ブッシュの首席補佐官を務めたアンディ・カードは言う。「大統領は非常に興味深げに聞いていたが、こう言った。『長官、それは事件を告発するための情報だろう。私が知りたいのは、現段階では明らかになっていないテロの脅威と、それを防ぐ方法についての情報だ』」

ミュラーは大統領のメッセージを本部に持ち帰っている。攻撃に対処するだけでなく阻止せよ、と。当然ながら、FBIはそれまでも常にテロが発生する前にテロリストらの攻撃の阻止に努めてきた。そして、たびたび成功を収めてきた。九・一一テロ以前の六年間で、四〇件ものテロ計画を未然に防いだのである。アルカイダによるニュージャージー州とマンハッタンを結ぶホランド・トンネルやリンカーン・トンネル、国連本部、そしてFBIのニューヨーク支局の爆破計画を、FBIは阻止してきたのだ。

しかしフリーの指揮の下では、FBIはそれぞれの事件を別個に扱う傾向があり、より大きな脅威を認識することもなければ、かつてクー・クラックス・クランやマフィアを相手にしたときのように、アルカイダという組織全体に対する取り組みを仕掛けることもなかった。

その上、九・一一テロ以前は、執拗なマスコミの批判や、司法省のガイドラインの下での明白な根拠の不足により、FBIは必要以上に銃の使用を控え、政治的正当性を追求するようになっていた。そのため、テロリストらがモスクでテロを計画していたとしても、FBIはそこにいる容疑者らを追跡しようとしなかった。容疑者が聖職者だというだけの理由で、FBIと司法省は、一九九三年の世界貿易センタービル爆破事件で後に有罪となったシェイフ・オマル・アブドゥル＝ラフマーンの調査に着手すべきかどうか、何か月も論争したのである。

九・一一テロ以前のガイドラインでは、テロリストの募集や爆弾製造に関する情報の拡散などを行なう人物の手掛かりをつかむ目的で、FBI捜査官がインターネットのチャットルームを閲覧することとさえできなかった。捜査を行なう正当な根拠がなければ、一二歳の子どもでさえ入れるチャットルームに加入することもできなかったのだ。

言い換えれば、「実質的に、捜査を行なうためには、まず犯罪が行なわれなければならなかった」と、元FBI副長官ウェルドン・ケネディは言う。「それを理解していなければ、捜査を開始することはできなかったのだ」

「九・一一テロ以前は、インターネットで捜査活動を行なうことは許可されないと言われていた。インターネットは一般市民に広く公開されているというのに」とカミングスは言う。「モスクについても同様だった。一般市民に対して開かれている集会だが、FBI捜査官としてモスクに入ることは絶対に禁じられていた。また、情報提供者にモスクで行なわれていることを報告させることも、モスクの内部を覗かせることも、モスクの中に具体的なターゲットが存在しない限り、禁じられていたんだ」

アラブ人が飛行訓練を受けていることに懸念を抱いたフェニックス支局の捜査官のメモに示唆されていたように、アラブ人に捜査の的を絞ることも厳禁だった。

「考えてもみてくれ、九・一一テロ以前の政権下では、プロファイリングを行なったというだけで司法省がピッツバーグ警察を調査していたんだ」とカミングスは言う。「当時、プロファイリングは完璧に悪者扱いされていた。例えば九・一一テロ以前に航空学校へ行って『中東出身の生徒全員のリストをくれ』と言ったとしても、『何だって？　中東出身者に何か問題でもあるんですか？　アメリカ自由人権協会やアラブ系アメリカ人反差別委員会に行って、同じことを頼んでごらんなさい』と言われるのが落ちだ。ＦＢＩに対する非難がさらに強まったことだろう。アラブ人が飛行訓練を受けているというだけでは、捜査を正当化させることはできなかったに違いない」

九・一一テロ後、ブッシュとの会見からミュラーがＦＢＩに戻ってくるやいなや、その風潮はがらりと変わった。カミングスは捜査官らにこう告げた。「長官からのお達しだ。『新たな使命が下った。それは、テロ防止任務だ』」

これまでのＦＢＩの第一目標は常に、犯罪者を捕まえることだった。しかし実際には、その路線では国家を危険にさらしかねないとカミングスは捜査官らに語った。事件を起訴に持ち込むことより、情報を集めてテロ組織に深く食い込み、将来の計画を阻止することを第一目標とすべきである。「諜報」とは情報を聞こえの良い言葉に言い換えたものだとカミングスは見なしていた。

シカゴのバイオグラフシアターでジョン・ディリンジャーを追い詰めるために内部情報を追求していた時代から、ＦＢＩは諜報を利用していた。諜報を利用して、クー・クラックス・クランを撲滅し、マフィアをほぼ撲滅した。しかし「諜報」という言葉には、むやみな逮捕を控えることの重要性が強調されている。

容疑者を別件で逮捕したいと言う捜査官に対し、カミングスはこう言う。「では君は、自分の仕事は終わった、容疑者について知るべきことは全て知った、と言うんだな？　所属組織のことも、経歴も、旅行先も、友人関係も、家族構成も全部わかっているんだな？　情報源としても役に立たず、生産的な情報を引き出せそうにないと言うんだな？」

するとしばしば、沈黙が流れる。

カミングスはその捜査官に言う。「これは熟考の上で決断すべき問題だ。君の目的は、逮捕ではない。容疑者を情報収集基盤に仕立て上げることなのだ。その男は、その窃盗事件がどれだけ大掛かりで広範なものか教えてくれるだろう。彼は今や、情報収集のターゲットではなく、情報収集の手段なのだ。君には彼の世界の全てを理解してもらいたい」。それから、カミングスはこう付け加える。「情報源として見込みがなく、ろくな情報を引き出せなければ、そのときは法執行官として全力を挙げて逮捕すればいい」

ＦＢＩに入局した目的は悪人を刑務所送りにすることだと考えていた多くの捜査官たちは、頭を掻いた。

「コミュニケーション上の問題があった」とカミングスは言う。捜査官たちはよくこう言った。

「我々はＦＢＩに入ってからずっと、テロ事件の捜査をしてきたんだ。いったいボスは、我々がテロ攻撃の阻止以外に何をしてきたと思っているんだ？」

カミングスが言うには、その意識の違いは、ＦＢＩが一九九三年の世界貿易センタービル爆破事件の首謀者ラムジ・ユーセフを逮捕したとき、それで事件は解決したと考え、将来のテロ計画を暴くための手掛かりを広げるためにもう一歩踏み出さなかったことに表れていた。

「九・一一テロ以前に真っ先に考えたのは、これで起訴状を手にした、ということだった」とカミングスは言う。「ＣＩＡならば正反対だっただろうが、それも当然だ。彼らは法廷で証言するなどまっぴらだと考えていたのだから。我々は、起訴状があるなら利用することを前提としていた。起訴状をテーブルに叩きつけ、容疑者を引っ立て、飛行機に押し込む。有罪を認めさせ、刑務所にぶち込み、『ああ、今日はいい仕事をした』と言っていればよかったんだ」

もし現在そのようなことをすれば、「諸君はアメリカ国民に対する危険を減らしたのではなく増やしたのだ、と部下に言ってやるだろう。過去の手法とは全く異なり、類似点もほとんどないアプローチなのだ」とカミングスは言う。

その点を裏付けるように、テロ対策と防諜に携わって二八年になる捜査官のニック・アベイドは回想する。「諜報活動は時間もかかり、しばしば退屈でもあるが、必要な情報を収集するには最も効率的な方法だという事実を上層部の連中や捜査官たちの頭に叩きこむのは、なかなか難しかった。ＦＩＳＡ命令の取得期限を勘違いしたり、勧誘プロセスの監督に痺れを切らしたり、逮捕と有罪判決にこだわったりという性質は、私が記憶している限り、ＦＢＩを支配していた。そのほとんどは、統計的数字を出す必要があるためだった。連邦議会の前で証言するとき、我々が成し遂げたすばらしい業績の数々を自慢できるように」

そのような近視眼的思考を新たな諜報理念に置き換えることには、リスクが伴う。カミングスは容疑者の扱い方を決定する際、より多くの情報を得る必要性と、FBIの目の前でテロリストに攻撃を起こさせない必要性のバランスを取らなければならなかった。

「そのバランスを誤れば、死人が出るんだ」とカミングスは語った。

第20章 ザ・センター

ＦＢＩの工学研究施設の入り口は、古代ローマの剣闘士の兜によく似ている。四角く開いた穴が、訪れる者全てを鋭く睨みつけているようだ。クアンティコのＦＢＩアカデミーの敷地にある、流線型をした二階建てのこの受付棟は、ガラスと煉瓦で造られた背の高い二棟の施設への立入許可を与えられる場所だ。ここに入るためには、訪問者は身辺調査を受けなければならない。

建物の二階には、戦術作戦部門の心臓部がある。しかし、最も秘密にされている部分――極秘侵入チームを配備する戦術作戦センター――は、ヴァージニア州のさる極秘の場所に存在する。捜査官たちは簡潔に「ザ・センター」と呼んでいる。

工学研究施設では、盗聴機器や追跡装置が製造される他、錠前や警報装置、監視システムを破る方法も開発されている。一例を挙げれば、この施設は一〇〇万ドルを費やし、ピッキングやドリルでは歯が立たないと言われるイスラエルの高セキュリティロックシステム、「マルチロック」シリーズを破っている。

防犯会社が開発する最新技術に後れを取らぬよう、ＴａｃＯｐｓ捜査官らは民間の防犯会社が催す防犯講座に潜入している。FBI捜査官という身分を明かせば、出席を断られてしまうためだ。また、エレベーター制御講座やトラック運転講座に出席することもある。極秘侵入を行なうためには、オフィスビルに隠れ、エレベーターの天井に潜むだけでなく、盗聴器を仕掛けているフロアにエレベーターが止まらないように、エレベーター制御プログラミングも学んでおかねばならないのだ。

TacOpsが極秘侵入を行なうのはFBIの事件だけでなく、麻薬取締局やNSAなど、他の機関から外国大使館の通信の傍受や麻薬事件の容疑者の盗聴に協力を要請された場合にも行なう。場合によっては、FBIと外国の機関が共通の関心を抱くターゲットに対し、外国機関の同意を得た上でTacOpsが海外で極秘侵入を行なうこともある――ロシアの組織犯罪がその例だ。

時折、機密情報取扱許可を持つ連邦議会議員や政府役人に、TacOpsに関する報告を求められることがある。それに対し、FBIは質問をはぐらかすか、やむを得ない場合は、オバマ政権の行政管理予算局長のピーター・オルザグに対してしたように、詳細をほとんど省いて報告する。しかし、FBI長官の承認のもと、次官のルイス・グレーヴァーが本書のために、現役の作戦責任者たちとのインタビューを手配してくれた。インタビューに応じてくれたのは、戦術作戦部門主任のJ・クレイ・プライスと、戦術作戦センターの責任者である主任補だ。彼は覆面捜査に携わっているため、ここではジミー・ラミレスという仮名で呼ぶことにする。

彼らとのインタビューのひとつは、工学研究施設の西棟二階にある会議室で行なわれた。この建物では、盗聴機器が製造され、警報装置やコンピュータのセキュリティシステムを破る方法が開発されている。新たに建設された東棟では、通信やEメールの傍受と遠隔通信の暗号解読が専門的に研究されている。外観の厳めしさとは対照的に、建物内部は明るくて風通しがよく、広々としている。

ラミレスはTacOpsに配属されてからの一四年間で、五〇〇〇回以上もの極秘侵入を行なったと言う。作戦のリーダーとなった今も、特に難しい作戦には参加することがある。

「極秘侵入の現場に出ている方が、よっぽど性に合っているんだ」とラミレスは言う。

外国の情報機関に極秘侵入を挑むことは、最も困難な課題だ。侵入を察知するための罠が仕掛けられているのである。ある敵国の情報部員がアメリカを訪れた際、FBIは彼のノートパソコンのハードドライブをコピーしようと考えた。そのパソコンは宿泊先のホテルの部屋にあると、捜査官らは目星をつけた。情報部員がセキュリティ対策の取られていないパソコンでデリケートな情報を検索し保存している可能性は低いが、彼らも人間である以上、ときにはヘマをすることもある。あるいは、アメリカ入国前にデリケートな情報を削除してきたかもしれない。その場合は、FBIで修復することができる。

敵国の情報部員をターゲットにしたFBIは、ホテルの別の部屋に陣取った。ターゲットはホテルで開かれている会議に出席していると監視チームから連絡を受けたラミレスは、侵入作戦にゴーサインを出した。

捜査官たちは、まずターゲットの荷物から探し始めた。情報部員らは侵入を察知する方法として、荷物の周りにロープをかけ、特定の結び方で縛っておくことがある。あるいは、ファスナーの一部を開けてある場合もある。そこで、捜査官らは全てのものを確実に元通りにしておかねばならない。

「我々の仲間には、「フラップ・アンド・シール(開封と封印)」と呼ばれるチームがいる。物品に手を触れる前に、彼らがまず写真を撮影するんだ」とラミレスは言う。「また、彼らは特定の品物に髪の毛や繊維が付着していないか調べる。いわゆる罠というか、スパイ活動に欠かせないノウハウだね。コンピュータを移動させる場合は、後で確実に元に戻せるようにする。例えばパソコンの上に、眼鏡が特定の向きに置いてあるかもしれない。特に洗練された手法である必要はない。効果があればそれでいいんだ」

捜査官たちが写真を取っているとき、ラミレスはホテルの部屋のドアで物音がするのを聞きつけた。

「ドアに近づいて覗き穴から見てみると、ターゲットの人相とぴったり合致する人物が立っていた」とラミレスは言う。

ラミレスは事件担当捜査官に確認を頼んだ。

「あいつだ」と捜査官は言った。つまり、その男はターゲットだったのだ。

「そんな馬鹿な。たった今イヤホンに、ターゲットが電車に乗ったという監視チームからの報告が入ったばかりだ」

どうやら監視チームは、ターゲットを見失っていたのだ。FBIの隠語で、監視チームは「キーホルダーチーム」と呼ばれている。彼らは鍵《キー》を所持している者《ホルダー》を「手の内に収めて」いなければならないのだ。ターゲットを見失ったときは、「鍵を失くした」と言う。このときも、監視チームはターゲットを完全に「失くした」のだった。

「ターゲットを会議に出席していた別人と取り違えて本物を見失ったことに気付かなかったのか、見失ったことを誰にも言いたくなかったかのどちらかだ」とラミレスは言う。「すぐにでもターゲットを発見できると考えていたのかもしれないし、このような作戦を行なっているのにターゲットを見失ったことを無線で認めたくなかったのかもしれない。見失ったなら見失ったで構わないが、必ず知らせてくれと彼らには言い聞かせている。頼むから隠さないでくれ、と。なぜなら、彼は今まさにこの部屋に入ろうとしているのだから」

情報部員は鍵を錠に差し込もうと何度も試みていたが、あらかじめラミレスが工学研究施設で開発された装置を取り付け、ドアが開かないようにしてあった。その間に、ラミレスはホテルに待機しているヒスパニック系の捜査官に無線で連絡をとった。ホテルの整備担当者に扮し、困っている情報部員を偶然見かけたふりをしろと命じたのである。また、情報部員をさらに混乱させるために、もっぱらスペイン語で話しかけるように指示した。

「その捜査官はたどたどしい英語で、その錠前は壊れていると情報部員に告げた。そして、仕事を失いたくないから管理部には連絡しないでほしいと言って謝罪し、コーヒーをおごると申し出た。我々のチームには、こうした事態に対応する要員が揃っている。彼は我々が無事に引き揚げるまでの間、その情報部員を部屋から遠ざけてくれた」

侵入の手段として、電柱や地下の電話線からターゲットの電話に大きな雑音を入れることがある。ターゲットが電話の不調について電話修理会社に連絡しようとすると、特定の電話の発着信番号を記録するペンレジスタという装置に、発信番号が表示される。番号を確認した捜査官は、電話会社の従業員になり済ましてターゲットからの電話に応対し、至急修理班を派遣することを約束する。そして電話会社の制服を着た偽の修理工らがターゲットの家に上がり込み、問題の電話か近所の電話線収納ボックスに盗聴機器を設置するというわけである。

あるブルックリンのマフィアの例では、ラミレスと、二〇〇回の極秘侵入経験のあるプライスが、ターゲットのアパートに近づく方法を模索していた。その男は、三階建てのブラウンストーンの建物の二階に住んでいた。クリスマスの三日前、彼らはターゲットがクリスマス飾りを取りにたびたび地下室に下りていくようになったことに気付いた。そこでターゲットの動きを見計らい、地下室へ飾りを取りに行った隙に隠しマイクを設置した。ところが、電話機に取り付けたマイクが原因で、ターゲットの電話が混線するようになってしまった。

「そのことがわかったのは、電話をかけようとしたターゲットが、電話が故障したと口汚く文句を言い始めたためだった」と、四九歳になるプライスは言う。

マフィアの男が電話会社に連絡すると、FBIは喜んで協力の手を差し伸べた。

「ターゲットが電話をかけると、我々はそれを傍受し、さらにターゲットの電話の応対もした」とプライスは言う。

「何かお困りですか」と捜査官の一人が応対した。

「ああ、うちの電話がおかしいんだ」とマフィアの男は言った。

「直ちにお伺いします」と捜査官は答えた。

「我々は偽の電話会社の制服を着、偽の電話会社のトラックに乗って駆けつけた」とプライスは言う。「その男は、我々の仕事ぶりを傍で見張っていた。我々は電話機を分解しますと断ってから古いマイクを外し、新しいマイクを仕込んで元通りに組み立てた」

「たいしたもんだ」。男はすっかり感心していた。

後にFBIに逮捕されたとき、男はすぐに容疑を否認した。「どんな証拠があるってんだ」

捜査官らは録音された会話の断片を聞かせた。

「結局、彼は自白して協力してくれた」とプライスは言う。

犬に対しては、扱い方を決める前に、まずテストをする。警察犬や軍用犬でない犬は咬みつく恐れがあるが、人を襲うように訓練された犬ほど獰猛ではない。もし獰猛な犬である場合は、鎮静剤を打つことになる。

「その評価を行なう際には、犬の体重を正確に見積もらねばならない」とラミレスは言う。「鎮静剤の量が多すぎると、侵入作戦中に犬に蘇生処置を施すはめになる。少なすぎると、逆上してかえって攻撃的になる犬もいる。もちろん、犬は犬なりに与えられた責任を果たし、家族を守っているだけなんだが」

鎮静剤を打つよりは、犬を手なずけるか、消火器を使う方法が好まれる。無用な危害を加えたくはないからだ。鎮静剤を打った場合、下痢などの副作用を起こすことがあり、ターゲットに要らぬ疑念を抱かせる可能性もある。

あるとき、ラスベガスの組織犯罪容疑者の自宅を評価した捜査官らが、ターゲットは体重一六キロのシュナウザー犬を飼っていると報告してきた。しかし、ラミレスが自ら評価に出向いてみると、ターゲットが飼っていたのはジャイアント・シュナウザーによく似た、体重三五キロのブーヴィエ・デ・フランドルという犬だった。ラスベガスで犬のテストをし、家の周囲にセンサーを取り付ける際、ラミレスは犬に特大ハンバーガーを与えた。

「犬は特大バーガーに大喜びだった。最初は、金網のフェンスに咬みついて歯でフェンスを引き倒してしまうほど獰猛だった。だが、それよりハンバーガーにありつく方がずっといいとわかったんだろう。二日続けてハンバーガーをもらった後は、フェンスまで私を出迎えてくれるようになり、吠えることもなくなった」

ラミレスとグレーヴァーがようやく侵入を果たしたときも、その犬はハンバーガーがもらえるのを待っていた。ラミレスがハンバーガーを与えると、犬は攻撃するどころか、彼の顔をペロペロ舐め始めた。それ以来、ラミレスはＴａｃＯｐｓのメンバーに「ドッグマン」と呼ばれるようになった。

ワシントンで外国の情報部員のアパートに侵入したときは、一匹の猫がラミレスを出迎えた。

「その猫は私を見て、飼い主ではないことに気付いた。怯えた猫は、裏口のドア目指して逃げ出した。裏口は幅一・八メートルの引き戸だった。猫はガラスに激突し、ノックアウトされてカーペットの上に転がった」

飼い主に極秘侵入を気付かれてはまずいので、ラミレスは必死に猫を蘇生させる方法を考えた。

「ようやく猫は意識を取り戻した。一時的に失神していただけだったんだろう。起き上がって私を振り返り、寝室へ逃げていった。作業中、その猫が再び姿を現すことはなかった」

ロシアの組織犯罪容疑者の自宅に侵入したときは、警報装置が鳴りはしないかと耳を澄ましていた。警備会社に通報される前に、電子的に抑制するつもりだったのだ。しかし何事も起こらなかった。家に誰かいるから警報がセットされていないのかもしれない、とラミレスは考えた。

「そこで、我々は家に誰もいないことを確かめようと思い、暗視装置を身につけてそろそろと動き回った。すると突然、「誰だ?」という声がした」

捜査官らはぎょっとして、互いに顔を見合わせながら銃を抜いた。その途端、オウムがペラペラおしゃべりを始めた。さっきの『誰だ?』は、そのオウムだったのだ。オウムはサンルームにいて、あたかもその家の主のようにふるまっていた。

「あのオウムはターゲットよりも英語がうまかった」とラミレスは冗談めかして言った。

万全を期すために、ラミレスはFBIとの合同捜査に加わっている警察官にも状況を説明することにしている。捜査官らが警察署長に情報を与えることは、滅多にない。警察署や個々の警察官が実際の捜査のターゲットである場合もあるからだ。

ワシントンでのある例では、ターゲットの家の住人全員が外出していたのだが、向かいの家に住む少女が、近所の友達の家に泊まりがけで遊びに行っていた。彼女は友達と喧嘩をしたらしく、一緒に連れていった飼い犬とともに、夜中の二時に家に帰ることにした。

「ターゲットの家の裏口には、解錠要員二人と私が配置されていた」とラミレスは言う。「我々は一晩中侵入しているつもりでいた。ところがそのお嬢さんが通りかかり、彼女が連れていた小さな犬が、おそらく裏口の門から入ったときの我々の臭いを嗅ぎつけた。犬は彼女に鼻面を押し付けて異変を知らせ、彼女は我々のうちの二人の姿をちらりと見た。そして我々にも、向かいの家に向かって歩いている人物がいるという無線連絡が入った」

ターゲットの家の敷地で不審者を二人見かけた彼女は、賢明にもそのまま自分の家まで歩いて帰り、父親を起こして、向かいの家に侵入者がいると告げた。

「父親は警察に通報した。我々は無線傍受装置でその報告を盗聴していた」とラミレスは言う。「しかし、通報を受けた警察官の代わりに、我々は合同捜査班に加わっていた警察官を派遣した。彼は現場を調べ、少女の家を訪れて彼女に事情聴取を行なうふりをした。それから数か月間は、ターゲットの家には近づけなかったよ」

この事例では、FBIとの合同捜査に加わっていた警察官が出動命令を取り下げてくれた。しかし、実際に警察が出動してきた場合も、捜査官らはFBI証を見せ、「任務遂行中だ」と告げるだけでことは済む。

捜査官が警察官に変装する場合もあるが、それもまたリスクを伴う。

「慎重に策略を立てないと、相手はシフトに入っている仲間を全員知っているのだから、決して騙されない」とラミレスは言う。近所に住む警察官には、決して協力を要請しない。なぜなら、ターゲットの友人である場合や、ターゲットに買収されている場合があるからだ。

ある例では、極秘侵入中に同じアパートの向かいの部屋に住む住人に気付かれ、警察に通報されたことがあった。その男は応対した警察官に、自分は銃を持っているから泥棒にも立ち向かえると言った。

「もちろん、警察としては市民にそんなことをさせたくない。その警察官は賢明にも、落ち着いて待つように指示した。関係者一同ほっとしたことに、通報者はそのアドバイスに従ってくれたんだ」。警察が出動してきた頃には、「捜査官らは引き揚げていた」。

任務遂行の際、ＴａｃＯｐｓはイギリスやオーストラリア、ニュージーランド、カナダの情報局にも技術を提供する。テロ事件では、捜査官らはイギリス情報局保安部（ＭＩ５）と緊密な協力体制を取って捜査を進める。

「彼らは我々よりもはるかにリスクに対して臆病だ」とラミレスは言う。「彼らが計画を立てるだけで何か月も、ときには何年もかけるところ、我々は二、三週間で実行してしまう」

各支局には、特殊な侵入作戦を行なう際に戦術作戦センターに協力する技術捜査官が存在する。ごくまれなケースだが、ターゲットに関するリスクと情報を評価した後、地元支局だけで極秘侵入を行なうことをＴａｃＯｐｓが許可することもある。

ときには支局担当特別捜査官が、必要な調査もせずに、直ちに極秘侵入を行なうよう、ＴａｃＯｐｓに要請することがある。

「そうした要請は、よく金曜日の夜に入ってくる。そして向こうは、我々が週末返上で働かねばならないという、ありとあらゆる理由をひねり出してくる」とラミレスは言う。「我々はターゲットについて何も知らない。それが一番恐ろしいことなんだ」

TacOpsは、リスクに対して作戦で得られる利益を評価する。もしターゲットが今まさに爆弾を起爆させ、化学兵器をばらまこうとしているテロリストなら、TacOpsは要請に応じ、必要ならば調査要員としてさらに多くの捜査官を動員する。そのようなケースでは、「我々はやるべきことは全てやる。テロリストを捕まえるために必要ならば、リスクを冒すことも厭わない」とラミレスは言う。

差し迫った危険がないと判断されるケースでは、問題が生じた場合は支局担当特別捜査官のキャリアが危うくなることを穏やかにほのめかす。そうすれば、彼らは直ちに引き下がる。

極秘侵入を行なわない場合は、支局の技術捜査官が独力で任務を遂行する。例えば二〇〇七年四月二六日、シンシナティ支局の技術捜査官らが、ヘラルド・ムラート所有のメルセデス・ベンツにGPS追跡装置を設置した。ムラートはメキシコからの不法移民で、メキシコからシンシナティにブラックタールヘロインを密輸しているギャングの一味であることを疑われていた。GPS装置は車の床下の裏に設置されることになっていたので、厳密には極秘侵入には当たらなかった。

ムラートは車をウェイクロス通り一九九五番地の自宅アパートの駐車場に停めていた。盗難防止に、駐車場に面した窓辺にマイク付き監視カメラが設置されていた。そのカメラからの映像と音声で、彼は建物の奥のアパートの寝室から駐車場を監視していたのである。

午前四時二〇分に目を覚ましたムラートは、自分の車の周りに数人の男が屈み込んでいるのを発見した。九ミリ口径のルガーをつかんで外に飛び出した彼は、Tシャツと短パン姿で見知らぬ男たちに立ち向かった。その男たちは、地元支局のFBI技術捜査官だった。

「ムラートは男たちが自分の車をいじくりまわしているのを目にした」とプライスは言う。「ムラートは巨大なリボルバーを抜いて近づき、彼らが何をしているか窺った。彼は捜査官の一人に銃を向けた。その捜査官は言った。『銃を捨てろ！ FBIだ！』。ところがムラートが銃を捨てなかったので、捜査官は彼を殺してしまった」

この悲劇的な結末のために、FBIは方針を変更し、いわゆる「お仕置き《スラップ・オン》」が導入されるようになった。

「現在は、やむを得ない事情がない限り、地元の法執行機関に通知する必要がある」とグレーヴァーは言う。「技術捜査官らには、防弾チョッキの着用と、容易に入手できる公的身分証明書の携帯が義務付けられている。不測の事態に対応するための、文書化された作戦計画がなければならない。無防備な状態の捜査官がターゲットと鉢合わせしないよう、阻止チームが付近に待機していなくてはならない」

現在では、そのような作戦は街中や駐車場などではなく、グレーヴァーが婉曲に「制御された環境」と表現する場所で行なわれる。例えば、FBIが裁判所命令を受けてターゲットの電話を盗聴する際は、ターゲットが車を修理点検に出す日時を聞き出す。その自動車修理会社が信頼できるなら協力を要請し、ターゲットの車が修理に出された時にGPS追跡装置を取り付ける。

「もうひとつの方法は、車を盗んでしまうことだ」とグレーヴァーは言う。「もちろん、厳密に言えば盗むわけではない。我々は裁判所命令を受けているのだから、好きなだけその車を差し押さえ、法に認められたどんな装置も設置することができる」。少し考えてから、グレーヴァーはこう言った。「たぶん、『借りる』と言った方がいいだろう。通常、我々は車を借りている間、そっくりな替え玉の車を同じ場所に停めておく。万が一、ターゲットや仲間が車をチェックしに来た場合の用心のためにね」

ニューヨーク市でのある例では、ターゲットが現れて替え玉の車を覗き込んだが、結局妻の車で出かけていった。実際には、そのとき彼の車は少し離れた場所にある消防署の駐車場で、追跡装置を設置されていたのだ。しかし、そのような場合にターゲットの疑惑を和らげるためのノウハウとして、「必ずターゲットの車からバッグやブリーフケースなどの目につきやすい品物を取って、替え玉の車の中に入れておく」とグレーヴァーは言う。

TacOpsは替え玉の車のロックやイグニッションを本物に合わせて取り替えることも検討したが、実際に運転してみれば、特徴的なきしみや臭いで偽物と気付かれてしまうだろう。幸い、「今のところ、我々が用意した替え玉の車でドライブに出かけようとした者はいない」とグレーヴァーは言う。

第21章 追跡

九・一一テロの後、FBIやCIAは、点と点を結び付ける努力をしなかったと後付けの批判を受けた。あたかも、コンピュータ画面上でカーソルを動かすだけでテロ計画を暴くことができたはずだと言わんばかりの主張である。しかし、オサマ・ビンラディンと数名の腹心によって細部まで周到に練り上げられた計画は、そんなことでは決して暴けなかっただろう。

確かに、既存のデータを順序良く並べ、適切に分析することがより積極的な捜査につながり、より多くの手掛かりを発見できたかもしれない。そうした捜査がテロ計画を阻止できたかどうかは、誰にもわからない。しかし、将来のテロ計画を暴くためには、そのような捜査が必要であることは間違いない。

九・一一テロ以前の問題は、テロ計画を暴くはずの情報が、そもそも存在しないことだった。点と点をつなごうにも、その点がほとんどなかったのだ。

アート・カミングスの仕事は、それらの点を暴いてくれる情報を明らかにすることだった。彼の考えによると、テロ対策活動とは結局、獲物の追跡に行き着くのである。

「テロリストが存在し、殺人を犯そうとしていることを、私は知っている。では、どうすればそいつを発見できるだろう？」とカミングスは問う。「それには、テロリストの習慣と行動を理解し、彼らがどのような外見をし、どんな臭いをさせ、どのように呼吸するかを知ることだ。彼らを追跡するシステムを実際に作り上げるのは、それからだ」

これ以前にカミングスはグアンタナモ基地でＦＢＩの尋問過程を確立しており、強制的な手段を用いずにテロリストに協力させる方法を、身を以って学んでいた。カミングスが初めてグアンタナモにやってきたとき、責任者であるアメリカの将軍がこう言った。「君がここに来た理由がわからない。捕虜たちを逮捕するわけでもないのに」

「将軍、あなたはＦＢＩの仕事に対する理解が根本的に欠けています」とカミングスは言った。「我々は手錠を持ってここに来たのではありません。私の職務は、情報収集です。彼らの頭の中にあるものを、口に出させることが仕事なのです」

カミングスをはじめ、捜査官たちはグアンタナモでの尋問中に甚だしく不当な行為を目にしたときは、ＦＢＩ本部に報告した。二〇〇二年一〇月、ある海兵隊の大尉がイスラム教徒の捕虜に対する集中尋問の最中に、コーランを尻に敷いた。同月、捕虜がコーランを引用するのをやめないという理由で、複数の取調官が顎鬚を生やしたその男の顔を粘着テープで覆った。ある取調官は、捕虜に悪魔崇拝のメタルミュージックを何時間も聞かせた後、カトリックの聖職者に扮して彼に「洗礼を施した」と自慢した。そのような行為は、軍隊の方針で認められていなかった。強制的な尋問手法は、カミングスにとって特に目新しいものではなかった。海軍特殊部隊での訓練中に、水責めを含むその種の拷問を受けたこともある。もし敵の捕虜になれば、そのような目に遭わされる場合もあり得るからだ。しかしカミングスは、強制的かつ屈辱的な手法は筋金入りのイスラム過激派に対して効果を挙げないと主張した。

「わかった、つまりこういうことだろうか」とカミングスは言った。「君らは何らかの方法で、過酷で不快な状況の中、わが身を捧げるために、砂漠や慣れない土地を何千キロも旅してきたばかりのイスラム聖戦士の若者に自白を強要できると言うんだな。彼らは全く何の訓練も受けずに、過酷で不快な状況の中、わが身を捧げるために、砂漠や慣れない土地を何千キロも旅してきたばかりだ。いったいどんな目に遭わせれば、そんな奴を苦しめることができるのかね？　この男は洞窟の中で発見されたとき、水しか飲むことができず、餓死寸前だった。そんなやつに何かを強要しても、憎しみを煽るだけの結果にしかならないだろう」

その一方で、「街を歩いているアメリカの中流家庭育ちの男に対してなら、そんな手段も通用するかもしれない」とカミングスは言う。「だが、イスラム聖戦士に関しては、通用するかしないかは五分五分だろう」

強制的な手法の方が情報を早く引き出せる場合もあることは、カミングスも認めている。しかし、「結果的には、虚偽の証言が増えることになるかもしれない。水を張ったバケツから頭を出すためならば、言えと言われたことはどんなことでも言うだろう」。

カミングスはどんな手法が効果を挙げるか知っていた。おそらく他の人間には、ＦＢＩ捜査官は攻撃的な戦術も使わずに、どうやって殺人者を協力的な情報提供者に変えるのか、理解できなかったことだろう。しかし実際には、「我々は九・一一テロ以降、さまざまな事件で正真正銘の悪人たちとホテルの部屋に閉じこもり、何週間もぶっ続けで彼らが胸の内をぶちまけるのを聞いてきた」とカミングスは言う。

彼らの尋問が効果を挙げる理由をFBIが高い道徳水準に帰そうとする一方で、「動機は必ずしもモラルではない」とカミングスは言う。「率直に言って、組織として強制的でない手法をとった方がずっと効率的だからだ。それに、たいした時間もかからない。やっているうちに、自然に身につくことなんだ。相手に働きかけているうちに、何が心の琴線に触れるかわかってくる。彼を駆り立てているものは、家族だろうか？　それとも子どもたちだろうか？　キャリアだろうか？　自由だろうか？　彼をやる気にさせ、そのやる気を維持させているものは何だろう？」

その手法は、犯罪事件の捜査で用いられているものと同じだ。

「飲酒運転のドライバーを捕まえたときは、合理化をはじめ、ありとあらゆるさまざまなテーマを試す」とカミングスは言う。「こんな風に言葉をかけるんだ。『もちろん飲酒運転なんかするつもりはなかったんだよな。現場から逃げたのはまずかったが、まずいことのひとつやふたつ、誰だってしでかすさ』と。たとえ実際にはそうでなくてもね。少しでも相手に反応が現れれば、そのテーマに的を絞ればいい」

その一方で、CIAは強制的な尋問手法で明らかにされた個々のテロリストにつながる手掛かりによって、隠れたテロ計画を指摘することができた。どのような手法を用いるにしろ、CIAはテロリストから引き出した情報の全てに対して裏付けを取る努力をする、とCIA職員は言う。たとえ通信傍受で得られた情報でも、絶対に確実とは言い切れないと言うのだ。その会話は仕組まれた罠かもしれないので、CIAはつかんだ情報の全てについて、検証を試みなければならない。

グアンタナモでテロリストに協力を求める際、カミングスはさまざまなテーマを試みた。「どんな相手だろうと、そいつを理解しようと努めることだ」とカミングスは言う。「テロリストのほとんどは、非常に若い。彼らの文化に基づいて、彼らを駆り立てるものが何なのか、彼らが何を大切にしているのか、突き止めようとすべきだ。結婚や、子どもたちということもある」

例えば、「お前はもう二度と母親に会えないだろう」などと言う。その理由を、カミングスはこう説明する。「連中は手ごわいかもしれない。だが、彼らが決して失うことのない価値観のひとつが、深い共感だ。理由もなく冷酷になれる人間はいない。我々が成果を挙げるのは、我々が偉人の集まりだからではなく、深い共感が実際に効果的だからだ。銀行強盗の前に座り、お前は完全に人生を踏み誤った、普通の人間らしい生活を取り戻したいなら正道に戻らねばならない、と言ってやるんだ。この論法は実に説得力がある」

テロリストから最も大きな反応を引き出すには、将来について考えさせることだとカミングスは気付いた。

「わかっているだろうが、お前はこの鋼鉄の箱の中で死ぬことになる」とカミングスは言う。「死んでしまえば、お前の人生は全くのゼロになる。死んでしまえば、お前は誰にとっても無価値になる。死んでしまえば、墓標もない墓に葬られ、いつ、どのように死んでどこに埋められたのか、誰にもわからなくなるんだぞ」

カミングスは自分のアプローチが効いているかどうかを知る目安となる身体言語を探す。もし何も見つからなければ、別の路線を試すのだ。

「身動きもせずにじっと座っている若者がいた。子どもを一人も持つことができないな、と話しかけたとき、彼の目から大粒の涙がこぼれ始めた」とカミングスは回想する。「号泣しているわけではなかったが、私が彼の心をとらえたのはわかった。おそらくまだ二、三日はかかるだろう。だが、彼の横っ面を張り飛ばすつもりはなかった。そんなことをしても、彼の態度を硬化させるだけだ——我々に歯向かう勇気を固めさせてしまう。それほどまでに我々を憎む理由を、さらに強めてしまうことになる」

殴る代わりに、カミングスは希望を与えてやる。「もし私に助けてもらいたいという気があるなら、私はお前をここから出してやれる。私はお前の味方だ。私の目を見ろ、私は味方だ！世界中で、私だけがお前の味方なのだ。お前は私に協力しなくてはならない。そうすれば、私もお前に協力してやろう」

また、たいていの者は快適な環境に弱い。

「十分な時間さえかければ、必ず効果を現す方法だ」とカミングスは言う。「結局のところ、連中は過酷な状況での生活に嫌気がさしている。彼らの協力のレベルによって、政府がさまざまな待遇を提供するんだ。グアンタナモ基地で、私はジハードを行なおうとした若者に会った。私の唇に噛みタバコの滓がついているのを見て——今はもう私は噛みタバコをやらないが——自分にも分けてくれとせがんだ。私は『いいとも』と言って分けてやった」

基地の医者たちは、「私が彼に噛みタバコを与えたことに激怒した」とカミングスは言う。「私は言った。『教えてくれ、いったい何が問題なんだ?』。すると、『健康に悪いじゃないか』と医者たちは答えた」

「彼が私に対して口を開くのは、私が嚙みタバコを与えるからだ」とカミングスは医者に言った。「今後彼を尋問するたびに、嚙みタバコを一缶与えてやるつもりだ。毎回たっぷりと嚙みタバコを口に入れれば、必ず口を割ると保証するよ」

結局そのテロリストは、カミングスに自白することになった。

キューバから戻ったカミングスに、ミュラーはどんなことがわかったかと訊ねた。

「彼らの思考様式全般をおおむね理解することができました」とカミングスは報告した。

「戦術に関する返答は得られたか?」とFBI長官は訊ねた。

「戦術に関する情報は、拘束後一、二週間程度しか役に立ちません」とカミングスは言った。「彼らはすでに何か月も拘束されています。しかし、組織が資金や人をどのように動かしているか、彼らがどこで教育されたか、いつ、何歳で過激派になったかについて彼らが語る情報は有効です」

カミングスは、宗教的狂信が必ずしも全てのテロリストの動機ではないことに気付いた。

「イスラム原理主義も要因のひとつだった。しかし、テロリストの多くは若く、冒険を求めていた。家族に強制されて入会申込書を書かされた者も多かった。つまり、名誉ある聖戦士の印が欲しかったんだ。死んだら七二人の処女が待ち受けているとか、アラーに命を捧げるのは素晴らしいことだとか信じることだけでは、動機にはならない」

カミングスは拘束者と同様に、容疑者も情報収集基盤とみなしていた。そのアプローチは、二〇〇二年にイマン・ファリスに対して大きな効果を挙げていた。ファリスは九・一一テロの立案者であるハリド・シェイフ・モハメド（頭文字のKSMで呼ばれていた）に、ブルックリン橋の破壊を命じられていた。パキスタン当局はモハメドの親族を逮捕しようとしていたが、カミングスは、その逮捕に何らかの反応を示すことが予想される人物に対する監視体制が整うまで、逮捕を見合わせるようパキスタン当局に要請してほしいとCIAに求めた。

パキスタン当局は「合計四時間くれた」とカミングスは言う。「我々は四時間のうちに、その男のアメリカにおける協力者らを大筋で特定した――彼らのうちの数名は、我々の知る人物だった――そして、情報収集（電子的監視）装置を設置し、そこからファリスにつながった」

FISAの適用が認められた後、FBIはファリスに対する盗聴を開始した。

「ファリスは海外に出てアルカイダと接触を図った人物だった」とカミングスは言う。「彼はパキスタンに伝手を持っていた。そしてKSMに会い、アメリカに戻ってブルックリン橋を破壊する方法を検討する任務を与えられた」

ファリスは「実際に、ケーブルを切断する機具について調査していた」とカミングスは言う。「どこかの間抜けが直径四五センチのケーブルにまたがって、切断トーチで焼き切ろうとしているところを想像してみるといい。いくらも切らないうちにニューヨーク市民につかまって、死ぬほどぶん殴られるのが落ちだ。しかし、ファリスは同時に他の方法もいろいろと調べていた。問題は、彼がアルカイダの中枢に直結する調査役だったことだ。つまり、何がしかの有用な情報を与えられる地位にあったと思われる。また、彼は多くの人物を知っていた」

九・一一テロ以前なら、「彼を起訴し、刑務所に収監し、弁護士を通じて彼に協力する意思の有無を探ることになっただろう。それは間違いない。しかし九・一一テロ以後は、そんなことは絶対にあり得ない。積極的に彼に近づき、経験豊かで頭の切れる捜査官を使って、我々に協力することが彼にとって最も利益になると納得させる」

ファリスは速やかに協力に同意した。

「我々は一か月以上、彼に関して情報収集を行なった——何度も繰り返し、念には念を入れて」とカミングスは言う。「CIAや軍隊など、あらゆる人々が協力した」

二〇〇三年六月、ファリスはアルカイダに対する物質的援助と資金の提供と、ターゲットになり得るアメリカの公共施設に関する情報をテロ組織に渡した罪で有罪判決を受けた。一〇月、ファリスは禁固二〇年を言い渡された。

カミングスはモハメド・ジュナイド・ババルにも同様のアプローチを適用した。ババルはロンドン在住のアメリカ人で、定期的にアメリカやパキスタンに出かけていた。FBIは、ババルがニューヨーク市立図書館からアルカイダの工作員にEメールを送っていた事実をNSAが突き止めた時点で、彼に疑惑を抱き始めた。後にアシュクロフト司法長官は、ババルの事件を例に挙げ、図書館のコンピュータの監視をFBIに許可する必要があるとした。一方、イギリス当局はロンドン各地の爆破計画に関する情報を入手した。その携帯電話から得られた手掛かりは、ババルにつながっていた。

「我々は彼らと合同捜査を行なった。彼らはイギリスで得た携帯電話に関する情報と、ババルとのつながりについて教えてくれた」とカミングスは言う。「我々はそれら全ての情報を、全ての機関――CIA、FBI、NSA――で、至急調査を行なった。ババルを追跡したところ、彼は飛行機でアメリカに向かっていた。当初インテリジェンス・コミュニティー全体は、ババルのアメリカ入国を直接的に阻止すべきだという意向を示した。『今すぐこの男を何とかしなくては。こいつを入国させるわけにはいかない』と」

しかしカミングスは、ババルをFBIの情報収集基盤として利用すべきだと主張した。「みんな引っ込んでいてくれ、この男に手を出すな」とカミングスは言った。「我々はやつの写真を持っている。アメリカに入国する日時も、飛行機の便も全てわかっている。街でやつを拘束しても、アメリカ政府やテロ対策活動にとって何の利益にもならない。我々が得することは何もないんだ。やつがアメリカに来る理由や、どんな人脈を持っているかはわからない。しかし、彼に対する情報を収集する機会は最大限に利用すべきだ」

他の機関と合同捜査を行なっていたFBIは、カミングスの言葉どおりにした。「ニューヨーク支局が作戦を担当し、それを本部が綿密に管理した」とカミングスは言う。「我々はババルに対し、可能な限り手を尽くした。あらゆる方面から彼を包囲した――情報収集の網を張り巡らしたんだ。技術班、物理班、航空班、監視班などの、全員体制で」。カミングスはこう指摘する。「その多くは大げさすぎるように見えるだろうが、そんなことはない。ババルはテロの仕掛け人だった。訓練を通してすでに数名の実行犯を送り込んでおり、そいつらが殺人を犯そうとしていたのだ」

カミングスは、司法長官とFBI長官を説得する必要があった。FBIの統制の下、捜査官がババルに関する情報を収集する間、彼を泳がせておいても支障はない、と。

「このような作戦で日々重要なことは、バランスだった」とカミングスは言う。「日常的に議論されたのは、ババルに関する最新情報、目下の脅威、司法長官とFBI長官に対してババルが我々の目を盗んで殺人を犯さないと一〇〇パーセント自信を持って保証できるか、ということだった。我々は九九・九パーセントしか保証できなかった。不測の事態が起こる可能性は、常に存在する」

ババルに関する全ての情報をつかむや、捜査官たちは直ちにババル逮捕に乗り出した。二〇〇四年四月、ニューヨーク地区のテロ対策合同タスクフォースとの協力の下、FBIはロングアイランドでババルを逮捕した。終身刑の可能性を臭わされたババルは即座に寝返り、協力に同意した。

「ババルはただ、自分の身を守ろうとしただけだ」とカミングスは言う。「自分はアメリカの刑務所で死ぬことになると、ババルにははっきりとわかっていた。そこで、彼に何を提供してやるかが、取引の腕の見せ所だ。自白させるには、それなりの餌を与えてやらねばならない」

ババルはアフガニスタンで多国籍軍と戦っているアルカイダのテロリストたちに資金と物資を提供したとして、共謀罪など五つの訴因で有罪判決を受けた。二〇〇六年三月、二〇〇四年三月にロンドンで発生したクレヴィス作戦と呼ばれる爆破事件を計画した罪に問われた男に対し、ババルは証言を行なった。検察官らは彼のFBIに対する「尋常ならざる」協力を評価し、二〇一〇年一二月にババルを釈放した。

第22章
武装した危険な敵

ＦＢＩアカデミーは、ヴァージニア州クアンティコのＩ‐９５号州間高速道路の外れ、約二二一万四〇〇〇平方メートルの敷地に建つ。入り口に続く並木道沿いと、二一棟の黄褐色の煉瓦造りの建物が並ぶ明るい構内の周囲には、ピンクと白のベゴニアの花が咲き乱れている。建物の間を縫う通路の木陰には、斑点模様の子鹿が、母鹿の帰りを待っている。

駐車場の奥にある高台から、銃殺隊の一斉射撃のような銃声が響き渡るが、その音に怯む者は誰もいない。九・一一記念庭園を引きしまった表情で行き交う訓練生や教職員は、射撃場から聞こえてくる射撃訓練の音には慣れっこなのだ。ここＦＢＩアカデミーでは弾丸の音も、鳥のさえずりのようにありふれたものなのである。

指導力開発回廊の壁には手書きの掲示が掲げられ、控えめに注意を促している。「必要以上に親切であれ。人は皆、何ものかと戦っているのだ」

フーヴァー時代には、それがＦＢＩの手法だった。容疑者に対し、敬意を以って接した上で、閉じ込める。しかしフーヴァーは、現在のＦＢＩアカデミーと、ごく平凡な男女をＦＢＩ捜査官に仕立て上げる二〇週間の訓練プログラムを、決して認めはしないだろう。

ロバート・ミュラーが長官就任後に真っ先に取り組んだことのひとつは、FBIアカデミーにおける分析官の訓練プログラムの導入と、データ処理訓練や指導力養成訓練の強化だった。二〇〇八年には、「阻止」をモットーとするFBI情報訓練所を創設した。捜査官のジェフリー・マザネクは、「訓練生は、わかっていることだけでなく、わからないことを知ることの重要性を教えられる」と言う。「つまり、情報を集めるためには、まず自分が何を知らないかを認識すべきだということだ。我々は先を見通して行動しなければならない。事件が起きてしまった後で対処するようでは遅いんだ」

毎年、新捜査官の応募者は七万人に上る。しかしアカデミーへの入学を認められ、さらに訓練を修了できる者は、一〇〇〇人にも満たない。訓練生の平均年齢は三〇歳で、ほとんどの者は別の仕事を経験している。大多数の訓練生は、法律の学位や他分野の修士号を取得している。

訓練中は、新捜査官らは寮で生活する。そして、恐ろしく犯罪発生率の高い架空の小さな町で、犯罪者を逮捕する技術を学ぶ。その町の名はホーガン横丁。何も知らない見学者を出迎える、「ホーガン横丁へようこそ」という標識が目印だ。

この町の中心的施設が、ホーガン銀行である。証明こそされていないが、アメリカで最も強盗被害の多い銀行という評判だ。一週間に二度強盗に入られなければ、廃業してしまうかもしれない。そして、郵便ポストがある。本物の郵便物が投函されてしまうことがよくあったので、今では差出口は閉ざされている。架空の町なので、郵便配達人が集配に来ることはないのだ。しかし、周囲で派手な銃撃戦がくり広げられていることを思えば、秘密文書の受渡し場所に使われてもおかしくはない。

見学者が通るルートに、トール・パインズ地区がある。この地区の名前は、一九三四年にFBIが悪名高き銀行強盗ジョン・ディリンジャーに最初に遭遇した公園にちなんで付けられている。ディリンジャーが宿泊していたウィスコンシン州のリトル・ボヘミア・ロッジを捜査官らが包囲している間に、彼は背の高い松の木々の間から逃亡した。しかし、その三か月後の一九三四年七月二二日、特別捜査官クラレンス・ハートとチャールズ・ウィンステッドが、シカゴのバイオグラフシアターの前でディリンジャーを射殺した。ホーガン横丁にあるバイオグラフシアターのレプリカの看板には、いつもクラーク・ゲーブルとマーナ・ロイ出演の『男の世界』のポスターが貼ってある。これはディリンジャーが最後に見た映画なので、上演終了になることは決してない。

この架空の小さな町では、少数ながら偽物のブティックやバー、本物のサンドイッチを売っているデリ、コンピュータ修理店などがある。店の窓に書かれた「これが現実だ」というキャッチフレーズが、コンピュータに関する悩みを抱えた人々全ての目を引く。

ホーガン横丁の町長を務める実戦応用部長のジョン・ウィルソンによれば、今まさにモーテルで、強奪された金品の受渡しが行なわれているという。訓練生に求められるのは、犯罪者らを倒すことだ。容疑者らは武装しており、危険である。タイヤが鋭い音を立て、サイレンが物悲しく鳴り響く。ホーガン横丁では一日中犯罪のシナリオが展開されており、その多くはモーテルで決着がつけられる。そこに控えている教官と法律の専門家が、訓練生の対処の仕方を評価するのだ。

ホーガン横丁は次第に拡大しており、現在では二万八〇〇〇平方メートルもの広さがある。最近メモリアル通りに、戦術訓練用住宅が三戸建設された。メモリアル通り一〇二番地では、落ち着いた物腰の白髪の女性が、リビングのソファーに腰かけて雑誌をめくっている。彼女はFBIに雇われているポリー・レインズという役者だ。今はモナリザの微笑を浮かべてゆったりとソファーの背にもたれているが、これまでに何度も手錠をかけられ、銃で撃たれている。彼女の夫も役者だという。「主人は今日、悪人役なの。もう何千回も逮捕されているのよ」

曲がり角には大きなモーテルがある。宿泊客は一人もおらず、銃を預ける必要もない。強奪された金の受渡しが終わる頃、銃が発射され、悪人役が部屋の外に倒れる。訓練生が携帯している青い銃の弾丸は空砲だが、役者の演技は実に真に迫っている。

もう一人の悪人役が叫ぶ。「救急車を呼んでくれ!」。訓練生は彼を無視する。陽動戦術の可能性があるからだ。一方、コンクリートにうつぶせに倒れている悪人役はピクリとも動かない。再び仲間が叫ぶ。「ちくしょう、早く救急車を呼べ!」。しかし、救急車は現れない。悪人たちの逮捕で実戦シナリオは終了し、続いて評価が始まる。

一方、戦術・緊急車両作戦センターでは、野球帽にサングラス姿のスタンリー・スウィタラ捜査官が、荒地での運転技術訓練を実演して見せてくれる。四輪駆動の不整地走行車ジープ・グランドチェロキー・ラレードで草地を走り始めると、これは普通の田舎道での運転とは全く別物だ、と実感する。説明の端々に「フロントエンド・スウィング」や「リアウィール・チート」などという言葉が出てくるが、不倫行為の話ではなく[“swing”には「夫婦交換」、“cheat”には「浮気」の意がある」、急カーブの入り方と抜け方についての解説である。

スウィタラは二五度の急勾配を上りきり、森の中に入った。ニレやカエデやカシ、ユリノキ、ブナ、マツの若木がオフロードのぬかるんだコースに群生しており、それが約二キロも続いている。スウィタラが「隘路走行コース」と呼ぶこの場所に差し掛かると、「車体の四つの角を否応なく意識する」という。道幅に全く余裕はないが、彼はまるで毎日通る道のように――実際、毎日通るのだろうが――すいすい走り抜けていく。

「森の中では、奥行きの感覚がなくなる」。生い茂った木々や、一定の時間帯に射し込む日光が斑模様を作るせいだとスウィタラは言う。「オフロードではサングラスを外した方がずっと運転しやすいことが、経験的にわかっている」とスウィタラは言い、道路標識の前で急カーブを切った。

橋を渡りながら、この橋は木の棒でできているんだ、とスウィタラは言う。振り返ってみると、それは文字通りただの二本の棒きれだ。それぞれの棒きれが、車の両輪を支えている。緑陰の下でのんびり走行していたかと思えば、一転して内臓をひっかきまわすような激しい走りになる。斜めに傾いて丘を上っていくところは、まるで急降下する前にゆっくりと高みに登っていくジェットコースターを思わせる。

このオフロード訓練は、人質救出部隊やSWATチームのような技術部隊のためのものだが、訓練生は全員、FBIのセダンで障害物コースを走行しなければならない。こちらは、巨大な運動場にくねくねと曲がりくねったラインが引かれ、その上に狭い間隔で配置されたオレンジ色のコーンが点在するコースである。コーンをひとつ倒すたびに、スタート時のスコアの一〇〇点から五点ずつ減点されていく。合格点は七五点だ。また、急カーブもあるこのコースを、FBI公用車でずっとバックで走る訓練もある。

訓練生は衝突回避訓練にもパスしなければならない。地図を読み、無線で質問を受けながら、犯人——実際にはマネキン——の特徴を窓外の町に捜しつつ、なおかつ安全に走行することが求められる。

銃器訓練シミュレーター設備のある教室では、訓練生は大きなスクリーンに映し出されるさまざまな逮捕のシナリオを見て学ぶ。スクリーン上に双方向ビデオが映し出されると、訓練生は自分もシナリオに参加し、すばやく展開する状況の中で生死に関わる決断を下す。必要とあれば、デジタル式ピストルを撃つ用意もできている。容疑者が手を伸ばしているのは銃か、それとも携帯電話か？　発砲する前に完全に確認する必要はないが、合理的確信がなければならない。犯人に撃たれるまで待っていることはできないのだ。

未来の捜査官にとって、銃器訓練シミュレーターはストレス耐性を養うための予防措置である。人々が理性を失うような状況で、冷静さを保つ強い意志を持つための訓練なのだ。交感神経反射は曲者なので、発砲の準備が整うまで引き金に指をかけてはならない。そして発砲しなければならないときは、身体の重心か、頭部を狙う。

さらに、「ティナ」には気をつけなければならない。これは引っかけのシナリオだ。大きなモニターに映る、倉庫で働くチェックのシャツとジーンズ姿の女性が容疑者である。訓練生は、相棒とともに彼女に職務質問を試みる。女性は次第に怒りを募らせ、いきなり相棒を殴り倒し、空手キックで攻撃してくる。もはや話し合っている場合ではない。驚いたことに、彼女はこちらの銃を奪い、発砲してくる。

「差し迫った脅威を退けるためには、殺傷武器を用いる」と捜査官のジョナサン・ラッドは言う。「脅威が継続している間は、武器の使用を続ける。威嚇射撃は行なわず、戦闘能力を奪う目的での発砲もしない。胸部への銃撃が、相手の身体の自由を奪う可能性が最も高い。重心を撃ったからといって、必ずしも相手を殺すことにはならない」

訓練生は身体的訓練や武器取扱訓練とともに、倫理学の講義も受ける。

「芝を刈っているときでも、FBI捜査官であることを忘れてはならない」と、捜査官のジェームズ・T・リーズは言う。FBI捜査官は、近所の住人から厄介事の調停を頼まれる場合もあるが、それは避けるべきだ。「そんなときは、警察に通報するよう勧めるといい」とリーズは言う。「自分はバットマンではないと、筋道を立てて説明すべきだ」

訓練プログラムでは、相手役を使って、訓練生に事情聴取を行なう方法が指導される。秘書、捜査官、そして料理人などが協力を求められ、悪人を演じるのだ。しかし、一九八七年にホーガン横丁が建設されるまでは、訓練生はFBIアカデミーの中で、犯罪者に扮したFBI捜査官を追跡していた。ある日、当時FBIアカデミーの会計監査官を務めていたヴィンセント・P・ドハーティが、公賓を施設に案内していた。短気なところのあるドハーティは、たまたま訓練生に与えられた銀行詐欺犯の人相書きと特徴が一致していた。訓練生の一人がドハーティを見つけ、お決まりの警告を発した。「動くな、FBIだ！」

客を案内しているところだと説明したドハーティはこう言った。「失せろ」すると、いきなり訓練生はドハーティに襲いかかった。気が付けば、ドハーティはカーペットの上に倒されていた。

約二パーセントの訓練生は試験に落第するか、規則違反で退学させられるか、自分に適性がないと判断して、アカデミーを去る。他人の命を奪わざるを得ない事態が起こり得ることに気付き、それに耐える自信がないために辞めていく者も多い。

最近退学になった訓練生は、訓練中に酩酊して車を運転して逮捕されたことが理由だった。ジェームズ・D・マッケンジーは訓練主任補を務めていた当時、アカデミーを歩いていて、ある訓練生が自動販売機でキャンディーバーを買っているのを見かけた。その訓練生はキャンディーの包み紙を破ると、キャンディーを捨てて包み紙を食べ始めた。マッケンジーはその訓練生をオフィスに呼んだ。

「廊下を歩いていたとき、君がキャンディーバーを買うのを見かけた。キャンディーを捨てて、包み紙を食べただろう」と彼は訓練生に言った。

「はい」と訓練生は答えた。

「何のためにそんなことをするんだね？」

その訓練生は、幼い頃に両親が自分の部屋でキャンディーを食べるのを許してくれなかったので、こっそり持ち込んでいたのだと説明した。「キャンディーを食べた後、証拠が残らないように包み紙も食べていたんです。しばらくすると、包み紙の方が好きになってしまったんです」「そんな男がＦＢＩ捜査官になるところを想像できるかい？」とマッケンジーは言う。「監視任務についていて腹が減ると、監視記録紙を食っちまう。少しばかり常軌を逸しているんだ。当然ながら、監視記録紙を食っちまうような人間は、ＦＢＩ捜査官にはならない。彼はそれを理由に辞めてしまった」

新米捜査官らは、訓練の終わりに、訓練で使用した四〇口径のグロック２３と、コルトＭ４カービンと、レミントン８７０一二口径ショットガンと、ヘッケラー＆コッホＭＰ５一〇ミリ口径サブマシンガンを支給される。

「実のところ、見習い時代から捜査官は自分の天職だと思っていた」と、もうすぐ卒業を控えたインディアナポリス出身の訓練生のライアンが言う。「自分が世の中の役に立っていると実感できる。アメリカを守ることに手を貸せる仕事だからね」

第23章 聖戦を説く

テロ対策の責任者であるアート・カミングスは、ミュラーの支持を受けて、ＦＢＩはあらゆる手掛かりを見過ごさないという声明を発表した。九・一一テロ以前は、シアーズタワーを爆破するというＥメールが届いたとしても「ちらっと見ただけで、『現実的でない』と言い捨てただろう」とカミングスは言う。「今では、あらゆる可能性を虱潰しに調査している。九九パーセントまで出鱈目にしか見えない手掛かりもあるとしても、たとえ〇・一パーセントの可能性でも見過ごすことはできない。それが誰かの命を奪うことになるかもしれないのだから」

アラブ人の不審な行動に関する手掛かりは、何百件と寄せられる――例えば、バーでテロリストの作戦について語り合っている、など。

「しかし、アラブ人が、英語で、ビールを飲みながら、他人に聞かれる可能性のある場所で、大っぴらに作戦について話すということがあり得るだろうか?」とカミングスは問う。「『せっかくですが、それは何でもありませんよ』と言うことができれば、どんなにいいだろう。しかし万が一、非常に可能性は低いが、ふと魔がさして実際の計画についてしゃべってしまった可能性もあり得る。敵のほとんどは、そんな危険を冒さないだろう。それらの手掛かりのおかげで、我々の捜査力は向上するかもしれないし、しないかもしれない。ただ、忙しくなることは間違いない。その種の手掛かりが的を射ていた例はないからだ」

それでも、FBIは破綻し捜査官は間抜けぞろいだと批評家に批判されながらも、数か月ごとにテロリストの検挙にこぎつけるようになった。ビンラディンに触発されはしたものの、操られているわけではないイスラム聖戦士が増えていることに、カミングスは気付いた。例えば、ヴァージニア州北部のモスクの宗教指導者アリ・アル－ティミミである。彼は集会を開き、信徒らにパキスタンに行くことを勧めていた。アフガニスタンでアメリカ軍と戦うために、外国テロ組織に指定されているラシュカレトイバの軍事訓練を受けるためである。彼らがパキスタンから帰国すると、FBIは監視を開始した。

二〇〇二年九月一三日、ニューヨーク州ラッカワナで、FBIはさらに五人のアメリカ生まれのテロリストを逮捕した。彼らはアルカイダに物質的支援していた。六人目の男は、バーレーンから送り込まれていた。この事件はFBIに届けられた匿名の手紙によって発覚し、その後グループ内部に情報源を開拓したことで、ビンラディンへの支援が明るみに出た。

これらの男たちはイエメン系アメリカ人で、結束の固い地方のコミュニティーで生活していた。彼らは二〇〇一年の夏にアフガニスタンへ行き、オサマ・ビンラディンのアル－ファルーク・ジハード・キャンプで訓練を受け、爆発物やロケット推進式擲弾発射筒、地雷などの武器製造法を学んだ。

彼らがテロ行為に携わっているなどと疑う者は一人もいなかった。実際、ヤセイン・タヘルは一九九六年に高校を卒業した同窓生から、最も友好的な人物に選ばれている。高校時代はサッカーチームのキャプテンを務め、チアリーダーだった恋人と結婚していた。また、逮捕された別の人物のサヒム・アルワンは、ニューヨーク州メディナのイロコイ・ヨブ・センターでカウンセラーを務めていた。

「聖戦を説く美辞麗句は数多くあったが、そんなものは言葉の綾に過ぎない」とカミングスは言う。「我々はそれを、聖戦士の虚勢と呼んでいる。法執行の観点から見れば、聖戦士の虚勢など、考え方のひとつであるという以外、何の意味も示さない。もっとも、調査すべき人物の指標くらいにはなってくれるのだが」。しかし、FBIがさらに捜査を進めたところ、彼らが大真面目であることが明らかになったのだ。

「彼らは本気で聖戦を行なおうとしていた」とカミングスは言う。「海外の訓練キャンプへ行き、帰国してからは極めて禁欲的な生活をし、トレーラーに住んでいた。しかし、彼らは二世のアメリカ人だった」

二〇〇三年三月、容疑者は全員罪を認め、FBIに協力した。彼らは八年から一〇年の刑を宣告された。

ラッカワナの事件を手紙でFBIに密告した人物は名乗り出てこなかったが、テロリストの友人か家族のイスラム教徒であることは明らかだった。イスラム教徒がFBIに手掛かりを提供した別のケースに、モハメド・オスマン・モハムドの父親が、息子の過激主義的傾向をFBIに密告した例がある。後に、モハムドは二〇一〇年にオレゴン州ポートランドで開催されるクリスマスツリー点灯式を爆破し、暴力的聖戦を遂行する意志を持っていたことがわかった。

FBIにはイスラム教徒のコミュニティーに情報源を開拓する計画があり、内部情報を求めているが、カミングスの見るところでは、ほとんど受け入れられていない。イスラム教徒がFBIに事件の情報を持ち込むことも、確かにある。だが、特にイスラム教指導者らは、アメリカを脅かしているのがイスラム教徒である事実を認めようとしないことに、カミングスは気付いていた。「私はその点について、ワシントンDCの非常に有力なイスラム教組織の指導者と話し合った。彼は、『君たちはなぜいつもイスラム教徒コミュニティーを目の敵にするのか』と訊ねた」

それを聞いたカミングスは笑い出した。

「わかった、じゃあアイルランド人コミュニティーから調査を始めようか、それとも日本人コミュニティーにするか？　あんたは我々にアイルランド人を調べさせて、時間と税金を無駄にさせようというんだな。彼らはアメリカ人を殺しはしない。私はたった今脅威が存在する場所に、資金と人材を投入するつもりだ」

カミングスは彼に、FBIがアメリカで検挙した組織を調べてみろと言った。

「全員がイスラム教徒で、アメリカ人を殺したがっている地元の組織の名前はいくらでも挙げることができる」とカミングスは言った。「脅威はアイルランド人でもフランス人でもなければ、カトリックでもプロテスタントでもない。イスラム教徒たちだ」

そのような指摘に対し、乱暴な見解だとイスラム教徒グループはカミングスに抗議した。

「私の態度が乱暴なわけじゃない」とカミングスは彼らに言う。「そっちが率直な発言に慣れていないだけだ」

彼らはカミングスに腹を立てる。

イスラム教徒がアルカイダを非難することはまれにあるが、「『コミュニティーの中に、不審な男が三人いる』と我々に教えることは滅多にない」とカミングスは言う。「コミュニティー内部で始末をつけようとする。彼らは極めて閉鎖的な集団だ。自分たちのコミュニティーの中で問題を解決することは、彼らの文化の一部なのだ。彼らは実際にそう我々に語り、そのことに私は激怒した」

その一方、「彼らは自分たちのコミュニティーに過激派が存在することを知られまいとしている」とカミングスは言う。「全くたいしたものだ。彼らは新聞を読まないのだろうか？ 皆とっくに知っている。もはや手遅れなんだ。だから、契約に関する噂はたくさんあるが、現実には、まだ道のりは遠い」

あるイスラム教徒グループとの会合では、グループのメンバーとロバート・ミュラーが一緒に写真撮影することを提案してきた。そうすれば、彼らのコミュニティーがテロリスト集団ではなく、テロとの戦いのパートナーであることを示せるというのである。

それに対し、カミングスはこう答えた。「こちらからも提案がある。アメリカで何事かを企んでいる本物の過激派、テロを支持する人物を教えてくれ。その情報に基づいて事件の捜査を行なうことができれば、長官をあんたたちの隣に立たせてやろう」

カミングスが驚いたことに、彼らは「それは絶対にできない。そんなことをすれば、我々は支持基盤を失ってしまう。仲間をFBIに売ることは絶対に認められない」と答えた。

「そうか、たった今問題点が明確になったようだな」とカミングスは彼らに言った。

九・一一テロ以降、アメリカに存在する二〇〇〇ものモスクの指導者の一〇パーセントが、アメリカに対する聖戦と憎悪を説いたとカミングスは言う。ピュー・リサーチセンターの統計によると、一八歳から二九歳までのアメリカ在住のイスラム教徒の約四分の一が、自爆テロに正当性を認めている。しかしさらに近年では、「アメリカに対する聖戦と憎悪が公然と説かれることが少なくなり、内輪で行なわれるようになってきた。だが、インターネット上の過激な発言が急速に増加し、その空白を埋めている」とカミングスは言う。

「アメリカ・イスラム関係協会やイスラム教徒広報委員会、あるいはアラブ系アメリカ人反差別委員会などのウェブサイトを閲覧すれば、テロ行為に対する消極的な、ほとんどおざなりな批判姿勢が目に付く」とカミングスは言う。「アラブ人とイスラム教徒コミュニティーにとって最も大きな危機は、テロ行為を行なっているのは一部の人間に過ぎないにもかかわらず、彼ら全体がテロリストと認知されてしまうことだ。殺人は不道徳で不法な行為であり、イスラム教の教えに背いていると、テロを支持しテロリストを匿う者は問題だと、断固として積極的に呼びかけるプログラムを、彼らはなぜ持たないのか？」

一部のイスラム教徒が個人的にFBIに手掛かりをもたらしていることは、確かな事実だ。そのおかげでラッカワナの事件やカリフォルニア州ローダイの事件、そしてジョージア州アトランタの事件が発覚したのである。

「だが、コミュニティーぐるみで手掛かりを与えてくれた例はない」とカミングスは言う。「私はアメリカで非常に著名な宗教指導者と話をした。我々が用意したお茶とお菓子を楽しみながら、イスラム教について多くのことを語り合ったよ。我々はイスラム教徒を理解し、どこから彼らがやってくるかも知っていると言った。我々の任務は彼らにアメリカ人を殺させないこと、もちろんアメリカ人以外の人間も殺させないことだ、と彼に言った」

何か月も経ってから、その指導者のモスクには、あまりに過激な思想を持っていたためにコミュニティーから追放された人物が二人いたことが判明した。その二人の過激派が、FBIの関心を引きそうな人物であることは明らかだった。彼らが反アメリカ的な言動をとっていただけならば、FBIも放っておいたことだろう。だが、彼らは自分たちの言辞に則った行動計画を立てていた。

カミングスはその宗教指導者に訊ねた。「一体どういうことだ」

「何のことでしょう」と宗教指導者は訊ね返した。

「なぜ彼らのことを教えなかった」

「あなたにお教えする理由はありません。彼らはテロリストではない。アメリカ政府を嫌っているだけなのです」

FBIがテロリストを検挙し、さらなる攻撃を阻止することに成功したにもかかわらず、カミングスには新たな脅威が待ち受けていた。FBIのテロ対策活動を廃し、イギリスのMI5に似た新たな対テロ機関と置き換えようとする動きが高まってきたのである。その機関は捜査能力を持っていても、FBIのような法執行能力は持たない。

そのような構想を最初に打ち出したのは、退役陸軍中将で元NSA局長を務めたウィリアム・E・オドムだった。ワシントン・ポスト紙に「なぜFBIは改革されないのか」という見出しの論説を寄稿したオドムは、テロとの戦いにおけるFBIの欠陥は構造的なものだと指摘した。「法執行機関を効率的な諜報機関に変えることはできない」とオドムは述べた。「警察の仕事と諜報の仕事は相容れない。それぞれの技術と組織的動機は正反対だ。FBIに諜報の仕事で成果を挙げることを期待するのは、野球チームのワシントン・ナショナルズがフットボールのスーパーボウルで優勝すると信じるようなものだ」

FBIを解体しようという同様の提案は他にも挙がったが、それらの提案者たちは、テロ事件の捜査に携わった経験もなければ、九・一一テロ以降FBIがどのようにテロに取り組んできたかも全く知らないようだった。それにもかかわらず、連邦議会はこの構想を承認し、再びテレビに報道されるチャンスを与えたのである。

実のところ、MI5構想にはほとんど意味がなかった。それはテロ対策活動を二分する新たな障壁を作り出すことを意味していた。イギリスのMI5は、容疑者を逮捕する必要が出てくると、スコットランドヤードにあるロンドン警視庁などの警察機関に事件を提示し、その事件を追及してくれるように警察機関を説得しなければならないのだ。従って、MI5を模倣した機関をアメリカに設立することは、協力や情報の共有を阻害する障壁を取り払うどころか、新たな障壁を作り出すことになる。

さらに重要な点は、ＭＩ５は法執行力を持たないため、情報を引き出したり情報提供者を募ったりする際に、起訴という脅しが使えないことだ。テロリストはタバコの密輸や盗品のブランド衣類の売買、麻薬取引などで活動資金を得る場合が多いため、ＦＢＩの構造では、犯罪事件捜査官からテロ対策専門の捜査官へ、円滑に手掛かりが受け渡される。

新しい機関が設立されれば、捜査官を募集し、訓練し、他国の機関との関係を構築するまでの間、アメリカは攻撃に対して無防備になるだろう。二二の機関を統轄する国土安全保障省の混沌ぶりは有名だが、もし新たな機関が創設された場合、スタート時に混乱が生じるであろうことは、あの例からも明らかだ。

ＦＢＩの長所は、捜査対象が刑事法の違反のみに絞られているため、捜査官が市民の自由を侵すことができない点だ。そうした枠組みがなければ、Ｊ・エドガー・フーヴァー時代のように、捜査官らが政治的指導者を脅迫する目的で政治的信条や意見の相違について調査したり、個人情報を収集したりする逸脱行為に走るかもしれない。そうなれば、彼らは指針を失い、自分たちが何を標的にしているかを忘れ、適切な焦点を失ったために捜査に失敗してしまうだろう。

カミングスは、そのような強大な権力を法執行の訓練がされていない新たな機関に渡すという構想を、愚策だと考えていた。カミングスをはじめイギリスでＭＩ５と合同捜査を行なった経験を持つ捜査官は、法執行力を持たないことでＭＩ５の捜査はいちいち支障をきたしていることを知っていた。もっとも近年は変更が加えられ、ＭＩ５と警察の連携は改善されている。

「法執行力を奪おうとしながら『さあ、テロと戦ってこい』などと言うなんて、言語道断だ」とカミングスは言う。「国内の諜報機関を全くのゼロから作り上げようなんて、しかもよちよち歩きすらできないものを一〇年足らずで一人前にしようなんて、とんでもない話だ。そんなことが可能だと思い、しかも憲法と市民の自由に基づいた組織を持つことができると考えることも、私に言わせれば実に愚かだ」

諜報に関する著書を持ち、MI5のような機関の創設運動の推進者である連邦高等裁判所判事リチャード・A・ポズナーは、ワシントン・ポスト紙の論説に、FBIは「テロリストのネットワークを深く理解するという観点から忍耐強く情報を収集することより、テロリストを逮捕し起訴することを重視している」と書いた。

「容疑者を逮捕してしまえば、もはや彼に対する情報を収集することができなくなる」とカミングスは述べる。「容疑者のことを何も知らなければ、目をつぶったまま捜査を行なうも同じだ。街で誰かを捕まえ、翌日自分を殺すことになる人物を見逃すようでは、仕事をしたとは言えない」

「FBIのように諜報と法執行の責任を併せ持つ構造は、イギリスを含めた同盟国の機関の羨望の的だ」と、司法省の防諜部部長を二五年間務め、MI5とも関係の深いジョン・マーティンは言う。

「実際、MI5は情報収集活動を速やかに逮捕や起訴に結び付けられないために、常に活動を阻害されている。テロの脅威に迅速に対応するため各機関の連携を高める必要があるこのときに、アメリカにMI5のような機関を設立すれば、テロやスパイと戦う際に重大で不必要な障壁を作り出すことになるだろう」

第24章 ポンジー詐欺の年

九・一一テロ以降、ミュラーは犯罪捜査に携わっていた捜査官二〇〇〇人を、テロ対策に異動させた。これにより、テロリストを追跡する捜査官は倍増し、当時の捜査官の総数一万一〇〇〇人のうち、四〇〇〇人を占めるようになった。ミュラーは本部でテロ対策に携わる監督官も、三〇人から八五〇人に増員した。その結果、かなりの数の知的犯罪や政治汚職が追及されぬままに残された。

「さっき出席してきた会合で、詐欺事件により多くの人員を割くべきだと連邦検事らに強く言われた」と、FBI国際作戦部の元次官補トーマス・フエンテスは言う。

捜査官らは——彼らはそもそも変化を好まない者が多い——ミュラーの方針に不満を持っていた。しかし景気停滞により、経費削減に努めていた業績不振の銀行や金融会社の不振が明らかになると、ミュラーは犯罪捜査に携わる捜査官を増員し始めた。それが可能だったのは、FBI捜査官の人数が毎年増え続けていたからだった。

その取り組みの先頭に立っていたのは、犯罪捜査・サイバー・緊急時対応・サービス部門次官のトーマス・J・ハリントンである。ハリントンは、幼い頃から捜査官に憧れていた。マサチューセッツ州フィッチバーグの幼稚園に通っていた頃、父親の職業を紹介する授業があった。ハリントンはFBI捜査官の父を連れていった。すると父は、子どもたちの尊敬のまなざしを集め、大喜びで迎えられたのだ。

会計士として教育を受けたハリントンは、順調にFBIの出世の梯子を上り、テロ対策と金融詐欺の監督官となり、FBIの運営とコンピュータシステムの改善に携わるようになった。デンヴァーで小型株式市場内部の腐敗を暴くため、FBIの傘下にあるふたつの会社の株式を上場する、おとり捜査を計画した。また、調査団を率いてグアンタナモ基地の囚人虐待事件の視察を行ない、FBIを代表して一部の過酷な尋問手法に異議を申し立てる書簡を国防総省に送った。

FBIの犯罪捜査部の長として、ハリントンは景気後退が金融犯罪に及ぼす影響を目の当たりにしてきた。

「残念ながら、我が国の経済は破綻し始めた」とハリントンは言う。「ここ二、三年は、ポンジー詐欺［次々に新しい投資家から資金を集め、古い投資家の配当や解約金の支払いに資金を回す連鎖的な出資金詐欺］の年だった。大掛かりな投資詐欺事件が次々に発生した。このことを最も的確に言い表しているのは、おそらく投資家のウォーレン・バフェットだろう。誰が裸で泳いでいるかは、潮が引くまでわからない。まさにその言葉どおりだよ」

二人の息子たちに警察に突き出された七〇歳になるバーナード・マドフは、マンハッタンの自宅アパートでFBI捜査官二人に対し、彼の会社の投資部門が「基本的に巨大なポンジー詐欺」

であり、何年間も破産状態にあったことを認めた。会社の収益は二二五億ドルだったのに対し、投資家への報告書では、彼らの口座には六〇〇億ドルの残高があると主張していたのだ。株式市況の急落が原因でマドフは破産し、投資家らの払い戻し要求に応じることができなくなった。この事件は史上最大のポンジー詐欺であり、何千人もの投資家が老後の蓄えを失った。何百万ドルもの配当を得るどころか、社会保障費で生計を立てねばならなくなった人々が続出したのである。「これらの人々は、地域社会におけるマドフの地位ゆえに、彼を信用した」と捜査を担当した監督官のパトリック・キャロルは言う。「マドフに身辺調査は必要ないと考えたばかりに、被害者は多額の金と、人間としての尊厳を失った。彼らはマドフを信用したんだ」

金融詐欺に関する事件は最も時間がかかるとハリントンは言う。「平均的な詐欺がらみの銀行破産のケースでは、捜査開始から起訴状にたどり着くまで、少なくとも二年はかかる」

詐欺に関わる会社の規模もまた、大きくなっている。

「九・一一テロの日には、被害額一〇万ドル以下の事件がおそらく七〇パーセントを占めていただろう」とハリントンは言う。「その傾向は全く逆転してしまった。実際のところ、金融機関がらみの詐欺で被害総額が一〇万ドルという事件は現在ほとんどない。抵当権詐欺の六八パーセントは、一件につき被害額が一〇〇万ドルを優に超えるんだ」

増加し続ける事件に対応するため、FBIは、追及すべき事件を決定する際に、よりターゲットを絞ったアプローチを開発することになった。

「我々はこれまで以上に戦略的になった。必ずしも個々の事件を綿密に調査するのではなく、ある特定の領域で脅威を捜すようになったのだ」とハリントンは言う。「支局担当特別捜査官と膝を交えて話し合えば、彼らの管轄地域にどのような脅威が存在するか明確に教えてくれる。以前ならば、追及している事件そのものについて語ろうとしたはずだ。今日では、例えばギャングについて質問すれば、縄張りの大きさや存在するギャングの数、構成員の人数、彼らが仕切っている地域について教えてくれるだろう。事件は、ＦＢＩが組織に浸透し、最終的に崩壊させ解体させるために利用する道具なのだ」

会合はミュラーを交えて行なわれる。「ミュラーは気に入らないことを耳にすると、会議に持ち出して説明を求めるんだ」とハリントンは言う。

「いまだに『ＦＢＩに入ったのは、悪人を刑務所にぶち込みたかったからだ』などと言う捜査官がいる。些細なことに時間を使い過ぎていると、彼らは思っているんだ」とハリントンは言う。「それに対し、私はこう答えることにしている。『君が立ち向かっている脅威は何だ？　例えばそれが暴力犯罪だとしたら、今日は状況が改善されたか？』。ほとんどの者は、悪化していると答える。『それでは、我々は戦略を変えなければならない。捜査の的をさらに絞り込まなくてはならない』。犯罪者全員を逮捕することはできない。だから、悪人どもの中でも最悪なやつらを追及し、これらの地域社会をよりよい場所にすべく、できる限り努力するんだ」

現在ＦＢＩは、誘拐事件からマフィアまで、あらゆる種類の犯罪事件を六万件も抱えている。銀行強盗への対応はおおむね地元警察に委ねられている。それに代わり、サイバー犯罪が犯罪的側面と国家的安全保障の側面の両方から、最優先課題のひとつになっている。

「最近の例がグーグルだ。グーグルはソースコードを紛失したことと、それが中国の工作員に奪われたと考えられることを公表している」とハリントンは言う。「そこには国家的安全保障面における課題が存在する。政府のコンピュータは、敵国のスパイや犯罪ネットワークによって、日常的に攻撃されている。彼らはできる限り多くのデータをつかみ、自分たちに都合よく利用しようとしている」

急激に増加している犯罪は、ボットネットという手段を用いて何万という家庭やオフィスのコンピュータを操るものである。ボットネットとは「ロボット・ネットワーク」の略語で、インターネットを通じて各コンピュータにスパイウェアやウィルス、ワーム、トロイの木馬など、悪意のあるプログラムを送り込むことにより、犯罪者が多くのコンピュータを操ることを可能にするシステムである。

ボットマスターはコマンドひとつで感染コンピュータに特定のコンピュータネットワークにアクセスさせ、そのコンピュータのポートにかける負荷を大きくすることによってネットワークをダウンさせる。これにより、企業が何百万ドルも損失を出す場合もある。警察署や病院が標的にされた場合、コンピュータシステムがシャットダウンされることで、市民の安全や健康が危険にさらされかねない。

その上、感染コンピュータはさらに多くのコンピュータに感染を拡大させたり、フィッシング詐欺や銀行を騙る偽Eメールに個人情報を記入させたりするのにも利用される。

ハリントンは、キャッシュカードの暗証番号を盗んでロイヤルバンク・オブ・スコットランドから九五〇万ドルを騙し取っていたグループを例に挙げた。銀行のコンピュータセキュリティの欠陥が、侵入を招いたのである。

「それらの暗証番号は東欧の犯罪組織に譲り渡され、その後偽造キャッシュカードが作られたと考えられる」とハリントンは言う。「彼らは一二時間から二四時間以内に、世界数十か国にある数百のATMから、文字通り何百万ドルもの現金を奪った。その後その金はどこかの場所に集められ、組織犯罪シンジケートに払い戻されたんだ」

もうひとつの新たなサイバー犯罪の種類は、企業のコンピュータシステムをダウンさせ、システムを回復させる鍵を教える見返りに現金を要求するというものである。

「最近では、企業のシステムに侵入してシステムをロックし、パスワードで保護して恐喝に利用する事件が起きている」とハリントンは言う。「被害に遭った企業は、自社のデータにアクセスすることさえできなくなる。その後、パスワードを教える見返りに現金を要求するという恐喝が始まるわけだ」

言われるままに金を払った企業もあるが、それ以外のケースでは、FBIのサイバー部が暗号を解読し、システムの解除に成功している。

二〇〇九年には、サイバー犯罪課は二六〇〇件のコンピュータ侵入事件とコンピュータを利用した犯罪七三〇〇件について捜査を行ない、一九〇〇件を有罪に持ち込んだ。

それと同時に、FBIは公職者の汚職事件の爆発的増加を目の当たりにしてきた。ハリントンは、元イリノイ州知事ロッド・ブラゴジェヴィッチと、現金九万ドルを冷凍庫に隠していたルイジアナ州選出の元民主党下院議員ウィリアム・J・ジェファーソンを例に挙げた。

ハリントンはこのような事件について、残念ながら「公務員は、最も高値をつけた人間に自分たちのサービスを売り渡す例が多い」と言う。「捜査局の歴史始まって以来最多の捜査官を、公職者の汚職事件に動員している」と、その後FBI副長官補に任命されたハリントンは言う。「現在捜査中の事件が三四〇〇件あり、七〇〇人以上の捜査官が公職者の汚職事件に取り組んでいる。

捜査官シンシア・デイトルは、黒人殺害に関与した
クー・クラックス・クランのメンバーを
1960年代にまでさかのぼって追及している。
（写真提供＝FBI）

私が思うに、それは両刃の剣だ。多くの捜査官がたくさんの事件を解決するのはいいことだが、つまるところ、それだけターゲットに事欠かないということだ。そういう意味では、不運なことだと思う」

ミュラーは、捜査中の事件が爆発的に増加しているにもかかわらず、捜査官シンシア・デイトルが開始した、クー・クラックス・クラン（KKK）のメンバーによる一連の黒人殺害事件を、一九六〇年代にまでさかのぼって起訴する試みを支援することを決定した。この取り組みの発端は、FBIが一九六三年九月一五日に発生したアラバマ州バーミンガムの一六番通りバプティスト教会爆破事件について、調査を再開することに成功したことだった。

その日、一一歳のデニス・マクネアーと、一四歳のキャロル・ロバートソン、シンシア・ウェズリー、アディ・メイ・コリンズは、白いパーティードレスとエナメル革の靴を履いて若者礼拝に出席していた。吹き抜けの階段の下に隠されていた一九本のダイナマイトの束が、至近距離にいた少女らを吹き飛ばした。四人は死亡し、サラ・コリンズというもう一人の少女が片目を失明した。この爆破事件は全米に衝撃を与え、一九六四年の公民権法可決に至る道筋を作った。

当時起訴された者は一人もいなかったが、近年のFBIの取り組みにより、元KKKのメンバーのトーマス・E・ブラントン・ジュニアとボビー・フランク・チェリーが、それぞれ二〇〇一年と二〇〇二年に有罪判決を受けた。この事件が上首尾の結果に終わることができたのは、FBI捜査官ウィリアム・L・フレミングの創意と忍耐の賜物である。フレミングは、バーミンガム支局担当特別捜査官G・ロバート・「ロブ」・ラングフォードが爆破事件の捜査を再開し、新たに調査を開始することを決定した後、同事件の捜査に携わっていた。

二〇〇七年以来、公民権関連事件捜査班主任デイトルと部下の捜査官らは、発生から何十年も経った事件を、一二二件も調査してきた。それらの約二〇パーセントが、殺人ではないか、人種問題とは無関係であったことが判明した。それ以外の事件の多くは、当時の州法や連邦法が適用できず、容疑者は白人の陪審員たちによってすでに無罪とされ、あるいは有罪にするには証拠が弱すぎた。殺人事件は、発生から日が浅い場合でも、証拠を明らかにすることは難しい。しかし、ディトルはどうにか六件の事件を起訴可能として州当局に持ち込むことに成功し、他の六件についても最終的には同様にできると期待している。

「当時、これらの容疑者の多くは裁判にかけられ、白人ばかりの陪審員たちによって無罪放免されていました。そのため、一事不再理の原則により、再審議することはできません」とディトルは言う。「たとえ一件も起訴に持ち込めないとしても、遺族に捜査の結果を話すことはできます」

これまでのところ、再捜査に対する反応は、感謝からあからさまな敵意までさまざまである。FBIの捜査の徹底性を疑問視する声もある。また、自殺や交通事故であったことが明らかになり、KKKによる殺人ではなかったという事実を認められない人もいる。

「『再捜査していただいて感謝します』から、不起訴のまま捜査が打ち切られた理由を説明する手紙など要らないというものまで、遺族の反応はさまざまです」とディトルは言う。

第25章　仕掛け網

ＦＢＩはテロリスト追跡のために、「仕掛け網」とアート・カミングスが呼んでいる、テロ活動を察知する方策を考案した。例えば化学薬品会社は、爆発物製造に利用できる薬品を、大量に、あるいは不自然に購入した顧客を特定するデータを明らかにするよう、ＦＢＩから強く要請されている。

そうした試みを補足するため、カミングスは三五万ドルを投じ、実質的にテロリストの作戦を解析し模倣するプロジェクトを開始させた。テロの潜在的可能性を調査し、逆方向からたどって、テロリストが目的を達するために必要とするはずの要素を全て特定する。そうすれば、ＦＢＩはそれらの手掛かりに目を光らせていればよい。

「仕掛け網を張り巡らしておけば、それに引っかかる者が現れたときに通報することができる。そう、例えばデュアルユース・テクノロジーや神経ガスの化学反応前物質や工業用過酸化物を購入した人物がいたという場合にね」とカミングスは言う。「そんなことをする者がいれば、たちまちドカンだ。個人からのＨＵＭＩＮＴ（人的諜報活動）警報か、技術的警報が鳴り響く」

テロリストになるには、「コミュニケーション戦略が必要だ。資金を集め、運用する能力も必要だし、それを可能にする組織的構造も必要だ。そして、母体組織に戻るための連絡網も必要だ」とカミングスは言う。

そこで、FBIは一万ドル以上の現金を所持して税関で拘束された人物を調査する、とカミングスは言う。

「現金を持ち出そうとしている人物と、その人物の連絡網の相互関係を調査する。もし彼がハマスの資金集めをしていて、占領地に連絡を取っていることがわかれば、要注意だ」

それから、「銀行から個人取引報告書を取り寄せる。すると、報告要件の一万ドルをわずかに下回る金額が、入金されたり出金されたりしていることがわかる。その男がパレスチナ人で、ハマス支持者やパレスチナ人が支配しているモスクに通い、占領地に定期的に送金していることがわかる。ここまで来れば、ハマスの資金調達者の人物像が浮かび上がる」とカミングスは言う。

同様に、FBIは美容室や美容用品店にも、高濃度の過酸化水素水などの薬品を購入した人物について通報するよう求めている。

「そのような工業用薬品を大量に購入する人物について、不審な点を感じれば、どんなことでもFBIに電話するように要請している」とカミングスは言う。「我々は、過酸化水素水を購入したというだけの理由で市民の自由を侵してはならないというガイドラインに従っている」

マスコミの報道では、FBIはそのような物品の購入報告を通じて、アルカイダに協力していたニューヨーク市の地下鉄爆破を計画したナジブラ・ザジの存在を突き止めたとされている。しかし実際には、その作戦はCIAなどのインテリジェンス・コミュニティーからもたらされた情報をつなぎ合わせたことから始まったとカミングスは言う。

「海外にいる連中は着々と自分の仕事をしていたのに、それが我々に知らされたのは、ぎりぎりになってからだった」とカミングスは言う。「ザジはすでに爆発物を製造していた。あまりにも時間的余裕がなさすぎたよ」

それに加えて、ニューヨーク市警察(NYPD)が先走った行動に出てしまった。

「NYPDの情報部が出しゃばってきて、あれこれ質問したり写真を見せたりしたものだから、その相手がザジの父親に『おい、お前の息子が目をつけられているぞ』と教えたんだ」とカミングスは言う。「父親はザジに電話した。だが、ザジはすでに勘付いていた。監視されていることに気付いていたのかもしれない」

警察側に悪意があったとは思われないにせよ、「我々が提供した情報に基づいて何らかの行動に出る場合は必ず我々と連携して行なうと、ニューヨーク市警とFBIのニューヨーク支局は協定を結んでいた」とカミングスは言う。「そしてこの事件では、協定が守られなかった」

事件の詳細をつかんだマスコミがザジの家族に捜査について知らせたため、FBIはカミングスが想定していたよりも早く、ザジを逮捕しなければならなくなった。

「マスコミには煮え湯を飲まされた」とカミングスは言い、さらにこう付け加えた。「私は報道の自由を心から支持している。しかし、報道には責任が伴うということが、もっと強く認識されるべきだとも考えている。国民には知る権利があるというセリフは、しょっちゅう聞かされる。

しかし、彼らが何について知る権利を主張しているかと思えば、そんなことを知らせて国民にどんな利益があるんだと訊ねたくなるようなことばかりだ。我々は作戦戦略に関して、常にマスコミと競争しなくてはならない。彼らに嗅ぎつけられたことがわかれば、戦略をがらりと変える必要がある。何らかの記事が報道されることや、それが報道されてしまえば集めてきた情報が失われてしまうことがわかっているからだ。主要な報道機関に対して記者会見を開くと、一部の機関は多少協力してくれるが、たいした助けにはならない。おかげで我々は仕事がやりにくくなり、人命が危険にさらされる恐れも出る」

ザジの事件には、一〇〇〇人以上の捜査官が携わった。その中には、爆発物探知犬を貯蔵施設に走らせるための要員も含まれていた。展開の速い事件でしばしばそうするように、カミングスはオフィスの黒革のソファーで寝起きした。ソファーの周りには、妻と三人の子どもたちの写真が並んでいた。

仕掛け網のおかげで、元大統領ジョージ・W・ブッシュのダラスの自宅を爆破する計画を立てていたとされる二〇歳のサウジアラビア人留学生、ハリド・アリム・アルダウサリの逮捕につながった。二〇一一年二月一日、カロライナ・バイオロジカル・サプライ社は、アルダウサリが爆発物製造に利用可能な高濃度フェノールを大量に購入しようとした事実をFBIに通報した。アルダウサリの発注情報は運送会社に送られ、運送会社はアルダウサリが住むラボックの警察に通報し、警察もまたFBIに連絡した。

TacOpsチームがラボックのアルダウサリのアパートへ二回にわたって極秘侵入を行なっ

た結果、防護服と爆発物製造に用いる薬品と、爆弾製造の装置一式が発見された。アルダウサリの日記からは、「英語を習得した今、爆発物の製造法を学び、異教徒のアメリカ人を標的とした連続爆破計画を立てている。聖戦のときが来た」という書き込みが発見された。彼が奨学金を受け、聖戦を行なう目的でアメリカにやってきたことを示す記載も見つかった。

アルダウサリが自分に送ったとされるEメールの件名に「圧制者の家」というものがあり、ブッシュ元大統領のダラスの自宅住所が記されていた。他のEメールには「格好の標的」がリストアップされ、貯水ダムや原子力発電所、そして水力発電所などが挙げられていた。それに加え、彼は自分宛てに爆発装置の作り方や携帯電話を起爆装置に転用する方法をメールしていた。アルダウサリは過激な主張をつづった自分のブログに聖戦士のメッセージを掲載し、オサマ・ビンラディンに感銘を受けたことを明らかにしていた。

仕掛け網を張り巡らすことに加え、FBIは理論的枠組みを変更し、手掛かりや内報は無効だと宣言した。今や、ある手掛かりが無価値だとわかれば、FBIは捜査官らに「彼らが脅威ではないことを示す情報が明らかにされたが、我々はその情報の事実を立証できなかった」と結論づけるように求める、とカミングスは言う。

捜査官が捜査を打ち切るときには、必ず理由を問われる。

「そのときに、『彼らがテロリストであることを示す証拠が何も見つからなかった』と返答しない方がいい」とカミングスは言う。「それより、『私は自分が集めた情報に基づいて、彼らがテロリストではないと判断した。テロリストに電話をかけた形跡もなく、財政的にも、家族的にもつながりはない。彼らの接触は具体的に説明できた』と答えるべきだ」。それは、「何も発見できなかったのだから、テロリストではないだろう」という答えとは、全く別物だとカミングスは言う。

新たな理論的枠組みでは、「関連する作業量が五倍から一〇倍に膨れ上がった」とカミングスは言う。「彼らがテロリストではないと確信できるまで、情報を集め続けなくてはならないんだ。基本的にCIA記録も、NSA記録も、FBI記録もないというのに。そいつはテロリストではない、ごく普通の人間に見える。生命保険会社のセールスマンをしていて、国外に出たこともない」

新たなアプローチの一例として、爆発物の製造に利用可能な化学薬品の購入報告についてFBIが捜査しても、法に基づいた仕入れと見なされる可能性もあった。その人物がプール用品の発送を生業としており、プール会社からその薬品を購入した場合である。

「その説明だけでは十分ではなかった」とカミングスは言う。「『どうやらプール用品のようだ、一件落着』で終らせるわけにはいかないのだ。具体的に、プール会社の誰からその薬品を購入したのか？　具体的な取引内容はどんなもので、そこからどんな結果が生じたか？　その薬品を利用するのは彼の友人か、同僚か、それとも我々に危害を加えようとしている人物か？　かつて『ただの商取引に過ぎないのだから、心配いらない』と片付けてしまった時代があった。今では全ての手掛かりはいずれもとことんまで追及される」

そうした万一のための用心を重ねることが──九・一一テロ以前は決してなかったことであるがゆえに──捜査官たちを苛立たせている。

「捜査官たちは言う。『いいじゃないか、プール用品会社なんだから、プール用品を発送して当然だ』と」とカミングスは言う。「我々はこう答える。『それはよかった。では、その会社に行って記録を調べてこい。誰が何を購入し、どこに発送され、それが正確には何という製品で、別の用途に利用される可能性があるかどうか、それらを全て調べ終えて初めて、情報に基づいた的確な判断ができるのだ』と」

九・一一テロ以前なら、「アルダウサリの逮捕は実現しなかっただろう」とカミングスは率直に認めている。

カミングスは二〇〇八年に司法長官マイケル・ムケージーの下で成立した新たな司法省のガイドラインを認めている。これは、テロ攻撃発生以前に潜在的テロリストを捜すために必要とされる自由を、FBIに認めたものである。FBIは捜査を行なう前に適切な目的を示す必要があるが、不正行為を疑われることはない。

「以前のガイドラインでは、事実上発生していない事件についてFBI捜査官が捜査することは認められていなかった」と、ガイドラインの変更を強く要求したカミングスは言う。「もちろん、捜査は目まぐるしく変化し、手掛かりはさまざまな方向へ捜査官を導く。しかし、捜査はひとつの手掛かりから、確かな情報から始まるのだ――それが財政的あるいは作戦的計画から得られたものであれ、一本の電話、ひとつの情報源、一人の情報提供者から得られたものであれ――こいつはテロに関与している、と教えてくれる情報から」

このガイドラインによって、テロ防止の新たな理論的枠組みが補強されることになり、「我々が問題を認知する前から情報を収集することが可能になった」とカミングスは言う。

ＦＢＩ法務顧問ヴァル・カプロニが言うように、「このガイドラインによって、我々は問題を人から教えられる前に、また、ビルから犠牲者の遺体が降ってくる前に、問題が存在するかどうかを調べることが可能になった」のである。

ザジの例のように、「任務は全ての道具立てが揃って初めて完遂する。ＮＳＡの情報収集なしでは、我々はテロ防止組織として機能することはできないだろう。それは間違いない。ＮＳＡの協力なしでは、我々はアメリカ以外のことはさっぱりわからないだろう」。

逮捕にこぎつけるときは、「目には見えないが、ＣＩＡや、より広い範囲のコミュニティーが絡んでいる」とカミングスは言う。「ドイツや、オーストリア、スイス、ノルウェー、イタリアなど、世界のどこであろうと、そこでテロ計画が破綻したとしよう。そのほとんどに、ＣＩＡが関与しているんだ」

九・一一テロ以前は、「よくＮＳＡと争った」とカミングスは言う。「テロ計画に一人でもアメリカ人が関わっていれば、そして彼が海外に出ようとしているのであれば、ＮＳＡは絶対にＦＢＩに教えなかった」

ブッシュ大統領によるＮＳＡの通信傍受プログラムがそれを変えた。ＮＳＡは、海外からアメリカ国内への通信を、より柔軟に傍受できるようになった。しかし、初期のプログラムはあまりに広範すぎて、価値のある情報は何も明らかにされなかった、とＦＢＩ職員は語る。時とともにプログラムは洗練され、潜在するテロリストに狙いを絞り、有用な手掛かりが明らかにされ始めた。連邦議会はそのプログラムを現行のＦＩＳＡ（外国諜報活動偵察法）に組み込むことを可決した。

単独犯の脅威が増すに従い、仕掛け網の重要性は特に高まっている。単独犯は既存のテロ組織やネットワークと何のつながりも持たない。単独犯に関しては「どれだけ調べようが、どこかの実行犯に一〇〇〇ドル流れていることがわかるような、財政的ネットワークが見つからない」とカミングスは指摘する。「見つからないのは、単独犯に一〇〇〇ドル送金している人物が存在しないからだ。ここが非常に難しいところで、だからこそ、仕掛け網やHUMINTに多くを依存することになる。彼らは街の目や耳なんだ。また、単独犯が完璧な孤立を破って姿を現すのを待つことになる。人間は孤立に耐えられず、必ず仲間を求める。最近も何人か単独犯を捕まえたが、彼らもやはり自分のイデオロギーについて人々と語り合いたがっていた」

それが二〇一〇年一〇月のファルーク・アハメドの逮捕につながった。ヴァージニア州アシュバーンに住む三四歳のアハメドは、アルカイダ工作員と彼が信じた人物たちと共謀し、ワシントンの地下鉄の駅を爆破する計画に協力した。同年四月から、捜査官らはイスラム過激派に扮し、パキスタン生まれでアメリカに帰化したアハメドと接触を持ち始めていた。ヴァージニア州北部のホテルで行なわれた会合で、アハメドは地下鉄駅のビデオ監視を行なうことに同意し、最大の死傷者を出す時間帯と場所と、爆弾を設置する位置を提案していたとされている。

それでも、問題は残る。FBIはフォート・フッド基地で銃を乱射して一三人を死亡させた陸軍精神科医のニダル・マリク・ハサン少佐も標的にしたはずだった、とカミングスは言う。だが、陸軍が彼の行動や心情に関する情報をFBIに教えなかったのだ。

例えば、ハサンは同僚にイスラム法はアメリカの法律に勝ると語り、異教徒は首を切られ、煮えたぎる油を喉に注ぎ込まれるべきだと、他の軍医らに説いていた。FBIはそのことを知らなかったが、陸軍はハサンの脅迫的な意見も、過激主義的信条も、十分認識していた。実際のところ、会議におけるハサンの発言にもかかわらず、陸軍は彼の医師としての能力を高く評価していたのだ。

「『なぜハサンが過激派宗教指導者アンワル・アウラキと話をするのを止めなかった？』明らかに彼はテロリストじゃないか』と人々は言う。しかし、彼がテロリストかどうかは明らかではない。共感を抱くことと過激派であることは、同一線上にあるが別のことなんだ」

表面上、ハサンがイエメンの過激派宗教指導者アウラキと接触したのは、テロとの戦いの中で軍隊内部のイスラム教徒に関する調査を行なうためのようだった、とカミングスは言う。

「アウラキに特定の助言を求めた接触については、誰が見ても、ハサンがアメリカ軍を代表し、軍の資金援助を受けて執筆していた論文に関する調査のように思われた」とカミングスは言う。「彼の質問は綿密だった。『これについてはどうか、あれについてはどのように正当化するのか？』と。いったい彼はどこで豹変したのだろう。ハサンが過激派に転向したのは、どの時点だろうか」

ハサンを追い込んだのは、アフガニスタンへの派遣命令のようだった。アフガニスタンに行けば、同志のイスラム教徒たちと戦うことになる。

軍がハサンの審理を行なっているために、彼の信念と共感について警鐘を鳴らしたはずの記録は、今日に至るまでFBIに提出されていない、とカミングスは言う。

第26章 ヨット・パーティー

清々しい秋の日、六人の美しく若い女性たちが、東海岸をクルージングするヨットの上で開かれたシャンパンパーティーに現れた。パーティーに出席していた男たちは、組織犯罪事件の容疑者。そして、それらの女性客は全員、ＦＢＩの覆面捜査官だった。

男たちをパーティーに招待したのは、別の覆面捜査官だ。その狙いは、ＴａｃＯｐｓがふたつの組織犯罪事務所に極秘侵入する間、容疑者らの注意をそらすことだった。このケースで使用するヨットは、ＦＢＩの所有物である。麻薬捜査で押収されたもので、ＦＢＩのステージハンド（裏方）プログラムに転用されたのだ。

ヨット・パーティーに出席する女性捜査官たちは、素性がばれる可能性を減らすために、西海岸の支局から集められていた。男たちの誰かがボートでパーティーから帰ろうとした場合、彼女らはあらかじめ定めてある暗号化された電子メッセージを司令部に送る手筈になっていた。そして司令部は、極秘侵入を行なっているＴａｃＯｐｓ捜査官らに、直ちに撤収を警告することになっている。

盗聴機器を設置し、コンピュータのハードドライブをコピーして、極秘侵入作戦は両方とも滞りなく終了した。ところがひとつ、思いがけない問題が持ち上がった。女性捜査官たちのもてなしに有頂天になった男たちは、TacOps捜査官らが極秘侵入を終えた後も、パーティーを続けたがったのだ。

「容疑者らをくつろがせ、疑念を抱かせないためにも、TacOpsチームがふたつの目標を達成した後もさらに数時間パーティーを続けなければならなかった」と、極秘侵入作戦のひとつに参加したルイス・グレーヴァーが言う。「この日の作戦は結局、監視チームと覆面チームが帰宅する前に極秘侵入チームがホテルのベッドに潜り込むことができた、非常にまれな例になった」

通信手段の爆発的な多様化を考えると、盗聴は以前ほど重要性がなくなったかに見える。しかし、通信手段の増加と暗号化ソフトの利用によって、FBIが会話を確認することは難しくなっている。その結果、盗聴機器の重要性は一層高まっているのだ。

「世界がひとつにつながったことの副産物として、たとえその権限を持っていたとしても、外部からは情報を収集できないということが挙げられる」と、FBI本部で行なわれたインタビューでグレーヴァーは言った。「データは暗号化されており、どんな通信経路を利用しているか見つけ出そうと必死に努力しても、彼らは現代の通信手段の雑音の中に隠れてしまう。結局、ターゲットの家に行き、隠しマイクを設置して通信を傍受することになる」

グレーヴァーは自分のデスクに歩み寄り、最新鋭のFBI盗聴器を手に取ると、私の掌の上に置いてくれた。それは切手くらいの大きさで、硬貨二枚分くらいの厚さしかない回路基板だった。

「それは送信機とステレオレコーダーだ」とグレーヴァーは言う。「約二一時間録音可能で、支局の受信機に暗号化された形式で送信する。送信機能は使用できない場合が多い。送信することで侵入がばれる可能性もあるのに、あえて送信する必要はないだろう？　実際、この機器は他の盗聴器に比べても大きいからね」

グレーヴァーは携帯電話の充電式バッテリーの中に盗聴器を隠す方法を見せてくれた。別の方法として、ＦＢＩは携帯電話を会話の録音と送信にプログラムすることもある。

盗聴器はＦＢＩの工学研究施設で製造され、ＴａｃＯｐｓ捜査官らが「ホスト」あるいは「隠匿地」と呼ぶ、遠隔地にある戦術作戦センターの中に隠されている。それらの盗聴器は、バッテリーや、バッジや、計算機や、あるいは本である場合もある。周囲から不審を抱かれないように、センターは工業検査会社を装っている。

「センターは表向き、会社として営業している体裁をとっている。人々が車で出入りし、機械が常時稼働している。だから、センターを訪れる郵便配達人も、配送業者も、郡の監査役も、正規の会社だと思い込んでいる」とグレーヴァーは言う。

センターにはＴａｃＯｐｓ捜査官の他、五〇人のエンジニア、木材加工の専門家、機械工、その他の補助スタッフが存在する。機械工場も高速彫刻盤もあり、さらにはプラスチック製品を製造するためのステレオリトグラフィー技術もある。その技術を利用して、底の部分に盗聴器を隠せるマグカップなどが作られるのだ。センターを含む戦術作戦部門には、年間八三億ドルのＦＢＩ予算のうち六二〇〇万ドルが投じられている。このＦＢＩ部門は国家情報活動プログラムから追加資金を受けている。

ボルティモアにある集合住宅で、錠前を破るＴａｃＯｐｓ捜査官の姿を隠すにあたり、捜査官らはまず建物の煉瓦造りの外観の写真を撮影した。それから戦術作戦センターは、建物の入り口と周辺を覆うことができる大きな防水布に、その画像を印刷した。布の片面はプラスチックでコーティングされており、反対側の面は布仕上げになっていて、その面に画像を印刷するようになっている。その後、防水布を軽量プラスチックの管に取り付け、傘のように閉じたり開いたりできるように加工した。捜査官らはそれを細長いスポーツバッグに入れて運び、真夜中に入り口から六〇センチ離れた場所で組み立てた。そしてその後ろに隠れ、通行人に気付かれることなく建物の鍵を作ることに成功した。

「ＴａｃＯｐｓの機械工場が偽の外壁を支える軽量フレームを製造し、ＴａｃＯｐｓの印刷所が実物大の集合住宅の正面入り口のカーテンを作った」とグレーヴァーは言う。「偽の外壁を適切な場所にすばやく組み立てられるよう、数回練習を行なった。薄暗い中で六メートル離れた場所から見れば、ただの絵だとはわからないだろう。作戦は時計仕掛けのように正確に進行し、その夜通りかかった大勢の人々は何も気付かなかった」

ラスベガスの組織犯罪容疑者に関わる別の作戦のために、戦術作戦センターは二人の捜査官を隠す藪を作った。その藪に隠れてガレージの扉の錠前を破り、家に盗聴器を仕掛けるのである。藪の画像が布の上に印刷され、集合住宅の画像のようにプラスチックのチューブに取り付けられ、雨傘のように開いたり閉じたりできるように加工された。開いたとき、その藪は伏せたコーヒーカップのような形をしていた。夜の闇にまぎれ、道行く人々から身を隠しながら、捜査官たちは少しずつガレージの扉ににじり寄っていった。その扉は家からおよそ三〇メートル離れた場所にあった。伏せた形にして中に身を隠すことはできたものの、疑われたときにすばやく逃走できるように、捜査官らは自分たちの前に藪を捧げ持っていた。

「その夜、この藪とターゲットの周辺の本物の藪の違いと言えば、この藪は数分おきにこっそり足が生えて、ゆっくりと建物に近づいていくことだけだった」とグレーヴァーは言う。「ありがたいことに、誰にもその姿を見られずに済んだ。さもないと、『面白投稿ビデオ集』に登場する羽目になっていたかもしれない」

ヨットに盗聴器を仕掛ける前には、全く同じ型のヨットを使って侵入の練習をする。大使館や外国政府の施設など、極めて警備の厳しい場所に侵入する際には、段階的に侵入を行なう場合もある。

「まず、第一のドアを突破して、その写真を撮る」とグレーヴァーは言う。「さまざまな測定を行ない、次の晩にはさらに深く侵入し、センサーを設置する。騒ぎにならぬよう、それぞれの段階は数週間ほど間隔を開けて行なう」

最も簡単に侵入する方法は内通者の協力を得ることだが、その人物が二重スパイである可能性もある。

「そのあたりのさじ加減は、事件担当捜査官の判断に任される」とグレーヴァーは言う。「情報提供者を募るか、それとも全て極秘裏に行なうか？　その両方という例もある。内部情報提供者を募り、その上で極秘侵入を行なえば、その情報提供者の信頼性がよくわかる。彼が知っていることを全て話しているか、その情報が真実であるか、検証できるのだ」

ＴａｃＯｐｓ捜査官は天気予報を参考にして、侵入に最適な夜を選ぶ。「信じられないかもしれないが、我々は悪天候の日に侵入を試みる」とＴａｃＯｐｓチーム主任のジミー・ラミレスは言う。「霧や寒さや雨、そして雪の日などがいい。なぜなら、そんな日は誰も散歩したがらないからね」

しかし、雪の日は特別な問題が発生する。「ターゲットとなる場所に出入りする際、雪の上に『ウサギの足跡《バニートラック》』と我々が呼ぶものを残さないように注意せねばならない」とラミレスは言う。「もし雪が激しく降っていて、我々がそこにいた証拠が残るようなら、任務に失敗してしまう。どうしても侵入する必要がある場合は、先に道路や歩道を除雪させるよう手配しておくんだ」

親切な隣人を装ったＦＢＩ職員が、ターゲットの自宅や隣接する家の歩道を雪かきすることになる。

地元支局の捜査官と合同で作戦を行なう場合にも、また別の問題が伴う。

「よく知らない捜査官と一緒に仕事をするときは、細心の注意を払う」とラミレスは言う。「床にワイヤーの切れ端を忘れていかないだろうか、錠前破り担当者は鍵を作る際にやすりの削りくずを落とさないだろうか、とね」

現場を最後に立ち去る人物が、最も大きな責任を負う。

「警報をセットし直し、ドアに鍵をかけ、ドライバーやワイヤーが忘れられていないか確認しなければならない」とグレーヴァーは語る。「責任重大だ。ときには限られた時間の中、睡眠不足で作戦を遂行せねばならないこともある。一晩中寝ていないのに、午前四時や五時に作業しなければならないときもある。なかなか恐ろしいことだよ」

TacOps捜査官らが最も大きな脅威と考えるのは、彼らが「クラヴィッツ夫人［ドラマ『奥さまは魔女』で、主人公宅を覗き見するのが好きな向かいの住人］予備軍」と呼ぶ人々である。「技術面から言えば、我々はさまざまな状況に対処するための機器を持っている」とラミレスは言う。「だが、真夜中に起きて向かいの家を覗き、『今夜のジョーンズ家はちょっとおかしいわ』などと騒ぎ出すクラヴィッツ夫人のような人間に対しては、対策が立てられない」

サンフランシスコの一戸建て住宅で作戦を行なった際、捜査官らは午前四時半には作業を終え、撤収しようとしていた。「そのとき、両隣の家の住人が外に出てきて、日課の太極拳を始めてしまった」とラミレスは言う。

その他にも厄介なのは、朝早くから垣根の剪定などの庭仕事をしようとする隣人だ。「その家の玄関に回り、しつこく呼び鈴を鳴らし続けて垣根から引き離したり、太極拳を中断させたりして、撤収班を逃がしてやらねばならない場合もある」とラミレスは言う。

簡単に見破られる可能性があるため、架空の経歴を語るときは細心の注意を払う。例えば、当たり障りのない選択だと思って高校の教員を装ったとする。「ところが相手も高校の教員だったり、勤め先に挙げた高校の教員の知り合いだったりする場合がある。そうなると、さらに嘘を重ねなければならない」とラミレスは言う。「だから、辻褄合わせの作り話をするときは、本当に慎重にやらねばならない。よくよく考え抜いておかないと、まごついたりどもったりして信憑性がなくなるからね」

TacOpsチームは、ピザの配達人に扮した捜査官をターゲットの家に派遣する場合もある。玄関のドアを開けさせ、その家に警報ボタンがあるか、あるとしたらどんな種類かを調べるためだ。

「ターゲットはピザなど注文してはいない。でも、もしかすると、ピザが食べたくなるかもしれない」とラミレスは言う。「だから空き箱を持っていくわけにはいかない。中身が入っていなければ、疑いを招くからね」

電話修理工を装うこともあるが、本物の修理工が現れた場合は厄介である。

「以前、我々がある電話会社の外部回線ボックスで作業していたとき、その会社の社員が現れた」とラミレスは回想する。「幸い、ニューヨークでの作戦だったので、捜査官の一人がその地域担当の警備員と知り合いだった。その警備員が『さっさと出ていけ』と電話会社の社員を追い払ってくれたおかげで事なきを得たんだ」

ターゲットを評価する際には、メンバーの誰にも結び付かない筋書きを考える。「迷子犬のポスターを持ち歩いたこともあった」とクレイ・プライスは言う。「捜査官の誰かの飼い犬の写真だったのかもしれない。『ここで何をしているんだ』と訊ねられれば、『犬が迷子になったんです。この犬を見かけませんでしたか?』と言って、立ち去ればいいんだ」

一部のテロ事件や防諜事件については、TacOpsはターゲットの評価に二年もの年月を費やす場合がある。そして、事件が解決するまでにさらに二年かかることもある。誘拐事件や子どもの行方不明事件では、結果はもっと早く出る。TacOpsの隠しマイクが、我が子の遺体を始末する方法を相談する両親の会話を傍受したこともある。

リノの暴走族絡みの作戦では、彼らの集会所に侵入することは危険すぎたので、捜査官らは時機を待った。やがて、暴走族の一人が交通事故で死亡した。

「暴走族らは全員葬儀に出席したので、我々は集会所に侵入する機会を得た。彼らは誰一人残して行かなかったんだ」とラミレスは言う。

これと同様に、クリーヴランドのギャングの例では、ターゲットが近所の教会で行なわれた娘の結婚式に出席している隙に、捜査官が盗聴器を仕掛けた。

それでも、TacOps捜査官らはたびたび危機一髪の事態を経験している。ニューヘイヴンで行なわれた極秘侵入で、ある組織犯罪容疑者が所有するレストランが、夜中にパンの配達を受けているという事実を、監視チームが見落としていたことがあった。

「午前四時、我々はレストランに到着し、侵入し、警報を切った。そこへパン屋の配達がやってきたわけだ」とラミレスは言う。「オーナーは配達の男を信頼し、鍵を渡して警報装置の暗証番号を教えていた」

パン屋の男がレストランに入ってきた物音を聞きつけた捜査官たちは、慌てて身を隠した。パン屋は店を出ていくとき、警報をセットし直した。おかげで捜査官らは、隠れ場所から出られなくなった。迂闊に出ようものなら、体温と身体の動きを検知されてしまう。しかし、捜査官らはあらかじめ警報コントロールパネルから電子情報を入手しており、無線技術を駆使した遠隔操作によって、警報装置を解除することができた。その後、彼らは首尾よくマフィアのレストランに隠しマイクを設置することに成功した。

サンフランシスコのスパイに対する作戦では、捜査官がオフィスビルに盗聴器を設置している間に、清掃業者が入ってきたことがあった。とっさに捜査官らがそのオフィスに勤める社員を装ったところ、清掃業者は全く疑いを抱かずに掃除を終えて去っていった。

クリーヴランドでは、ある商店に入る前に、入り口を守る重い鋼鉄のシャッターを開けなければならなかった。合い鍵を作る作業は、全く問題なかった。しかし、シャッターを下ろしたとき、大きな音を立ててしまった。監視チームは上階のアパートには誰もいないと考えていたが、それは間違いだった。近所の住人が窓から首を突き出して怒鳴ったのだ。「一体全体、そこで何やってんだ?」

監視チームは上階に向かって怒鳴り返した。「我々は警察だ。さっさと引っ込め」。その隣人は事件に関与しており、捜査令状を持った連中が来たようだと容疑者に電話した。

ラミレスの話では、その電話を受けた結果、「容疑者は不安に陥り、弁護士を連れて地元のFBI支局に出頭した。『できるだけいい条件で取引したい。あんたらは証拠をつかんだんだろう。俺の記録を手に入れたんだろう』。すっかり被害妄想に陥っていて、自分から洗いざらいしゃべってしまったよ」。

ニューヨークのあるマフィアの社交クラブでは、南京錠をかけた鋼鉄の扉が入り口のドアを守っていた。錠前のシリンダーを抜き取るのに手間取ったため、捜査官は錠前を叩いて音を出してしまった。このケースでは、すでにFBIは店の上のアパートでカード遊びをしているマフィアのメンバーを監視していた。マフィアらは物音に気付いた。

「我々はテープで、彼らが『まあ、FBIでないことは確かだ。やつらが侵入するときに、あんなでかい音をたてるはずがない』と言うのを聞いた」とラミレスは言う。

マフィアのメンバーはカード遊びを続けた。

フーヴァーの時代には、防諜事件で極秘侵入を行なう計画には、アナグラムというコードネームが付けられていた。あるソ連衛星国の大使館に侵入したときのこと、捜査官の一人が心臓麻痺を起して大使のオフィスで死亡した。遺体は運び出したのだが、大便が漏れてオフィスに敷いてあった東洋風の絨毯を汚してしまった。捜査官らは絨毯を終夜営業のクリーニングに持ち込み、きれいにしてもらった。しかし、床に敷き直した時もまだ絨毯が濡れていたので、天井にペンキで水漏れの痕を描いてごまかしたのである。

監視を行なっている最中に、まれに犯罪の発生現場に偶然出くわすことがある。身の毛もよだつ事件の例として、パレスチナ系アメリカ人のゼイン・イーサが一六歳の娘を殺害するありさまを、FBIの盗聴器が傍受したことがあった。FBIはそれまで二年間、彼と妻のマリアが住むセントルイスの小さなアパートを盗聴していた。FBIは、ゼイン・イーサがテロ活動に関与していると確信していた。

イーサは娘のパレスチナがファストフード店で働くことに反対していた上、自分の許可なしに若い男と付き合っていることに腹を立てていた。ティナという愛称で呼ばれていた娘が、一九八九年一一月六日の晩に仕事から帰宅すると、母親がアラビア語で訊ねた。「あんた、どこ行ってたの」

「仕事よ！」。FBIのテープで、ティナはこう言い返した。

「働きに出るなんて許さん」とイーサがさえぎった。

「なぜ私らにそんな仕打ちをするの」と母親が怒りを含んだ声で訊ねた。

「私は何もしてないわよ」とティナは言った。

「性悪娘め」と父親がなじった。「よく聞け、今日がお前の人生最後の日だ。今ここでお前は死ぬんだ」

イーサが本気だと悟ったティナは、長い叫び声をあげた。何かがぶつかる音が聞こえ、ティナの叫びは押し殺された。母親が娘を取り押さえ、イーサが娘の胸に刃渡り一八センチの骨取り用ナイフを突き刺し始めたのだ。

「死ね！　早く死ね！　早く！」父親はナイフを振るいながら息を切らして叫んだ。

ティナはもう一度叫び声をあげた。しかし、すでにイーサのナイフは彼女の肺を突き破っていた。聞こえてきたのは、少女の息が漏れる音だけだった。

翌日テープの会話が翻訳されると、FBIはセントルイス警察に通報した。警察は夫婦を逮捕した。テープには、イーサが電話で救急車を呼び、正当防衛で娘を殺したと主張している会話まで残っていた。

テープによって作られた印象に反し、イーサが娘を殺害したのは、彼女が反抗的で、彼のグループの活動について多くを知りすぎたためだった。仲間の一人が、口封じのために娘の殺害を指示していた。イーサは同意し、「こいつは地下で生きるべきだ」と親戚に語っていた。

テープに基づいて、イーサと妻は第一級殺人で有罪判決を受け、薬物注射による死刑を言い渡された。死刑囚監房に収監中、ゼイン・イーサと三人のテロリストたちは、数千人ものユダヤ人の殺害と、ワシントンのイスラエル大使館の爆破と、アブ・ニダルのテロ組織のメンバーへの送金を計画していたとして起訴された。

ゼイン・イーサは糖尿病により、死刑囚監房の中で死亡した。イーサの妻の死刑判決は、仮釈放なしの終身刑に減刑された。

フィラデルフィアにおける別の事件では、組織犯罪容疑者の経営するレストランにビデオカメラを設置した。捜査官らが立ち去った一五分後、対立関係にあるマフィアのギャングが押し入り、容疑者を銃撃した。その様子は全てビデオテープに収められていた。

マフィアが所有するイタリアンレストランに侵入する捜査官には、それなりの役得がある。あるTacOps捜査官は、ブルックリンのレストランに侵入した際、冷蔵庫にあった美味しいシュリンプスキャンピをつまみ食いしたことを認めている。

住宅やオフィスに押し入るには、勇気が必要な場合もある。ある捜査官は犬嫌いで、犬に出会いそうな場所に侵入することを拒否した。別の捜査官は、一九九九年の大晦日のヒューストン出張を断った。二〇〇〇年問題でコンピュータ機器が機能しなくなることを恐れたのだ。この二人の捜査官の仕事はいずれも、他の捜査官たちがカバーした。

盗聴機器をモニターする際、捜査官らはしばしば不法行為に出くわすことがある。ある例では、リネン戸棚を開けたところ、二〇〇万ドルの現金を発見した。別の例では、容疑者——組織犯罪関係者——が、自分の幼い娘とセックスをしているのを目撃した。

「そのときは通りの向かいにいた監視チームが強制侵入し、子どもを保護して警察の到着を待った」とグレーヴァーは言う。

しかし、TacOpsの極秘侵入が最も報われるのは、ジョージ・W・ブッシュ元大統領の自宅爆破計画を立てていたハリド・アリム・アルダウサリの例のように、進行中のテロ計画を阻止することができたときである。同様にナジブラ・ザジも、TacOps捜査官が逮捕につながる証拠を手に入れたときには、すでにニューヨーク市地下鉄を爆破する爆発物を製造するために薬品を調合していた。レンタカーから発見されたザジのコンピュータから、九ページにわたる起爆剤や主装薬、起爆装置、そして信管の部品の製造法や取扱法が記された記録が発見された。

アルダウサリが住むラボックのアパートに極秘侵入を行なうこと自体は、TacOps捜査官にとっては簡単な仕事だった。しかし、「最大の障害は、ターゲットのアパート内部のレイアウトに関する情報が限られていたことと、近隣住民の親密度やアルダウサリ自身が監視の可能性をどの程度警戒しているかがわからないことだった」とグレーヴァーは言う。「彼の生活パターンは非常に不規則だった。あの世代の容疑者に典型的な例だ。そこで侵入チームは数日間、ターゲットのアパート付近に待機することを余儀なくされた」

二〇一一年一月、東海岸の七つのマフィア一家の構成員と目される人物が一二〇人逮捕されたときも、TacOpsは決定的な役割を果たした。FBIによるこの史上最大のマフィアの逮捕劇は、TacOpsチームによるふたつの司法公認の極秘侵入の後に繰り広げられたのだ。

他のFBI捜査官と同様、TacOps捜査官らも、メディアの報道とFBIの実態との落差を目の当たりにして、しばしば面白がっている。ラミレスとグレーヴァー、その他数人のTacOps捜査官とその妻たちは、『アメリカを売った男』という映画を観に行った。それはロバート・ハンセンのスパイ事件の解決を、全て補助職員エリック・オニールの手柄にした映画だった。「皆で大爆笑した」とラミレスは言う。「実際の顚末を知っていたので、笑えたよ」

しかし、押し込み強盗になることには、それなりの代価がつきまとう。

「ストレスに耐えられず、やがてチームを去っていった捜査官もいる」とラミレスは言う。踏みとどまる者は、家族から計り知れないほど大きな支えをもらっている場合がほとんどだ。『あなたが外で何をしていようと、私はあなたの味方よ』という妻の言葉があるからこそ、仕事を続けていくことができる」とラミレスは言う。

極秘の仕事なので、捜査官らは司法長官から表彰されることもない。「詳しく報告書を書くこともできない。なぜなら、多くの秘密を明かすことになるからだ」とプライスは言う。

「我々はこの国に発生しかけていた犯罪を数え切れないほど阻止してきた」とラミレスは言う。「だが、その功績を認められたいとは思わない。実際、認められることはないし、認められる必要もない。よく支局担当特別捜査官から電話で、『先日の夜、君のチームがやってきたと思うと、こちらが礼を言う間もなく去っていったよ』と言われる。彼らがすばやく立ち去るのは、すでに別の極秘侵入に向かったか、二、三日眠っていないからだ。我々にはねぎらいの言葉など必要ない。だが、うちの連中が最高の腕を持っているのは間違いない」

第27章

クリスマスの日

ウマル・ファルーク・アブドゥルムタッラブのノースウェスト航空機爆破未遂事件の知らせを受けたカミングスは、その日の午後FBI本部の自分のオフィスに到着した。彼はオフィスに通じる廊下のドアに、九〇センチ×一五〇センチの大きさの、世界貿易センタービル跡地に翻るアメリカ国旗の写真を掲げていた。カミングスはFBIの青いレイドジャケットに一度も袖を通したことはなかったが、それは常にデスク脇の棚にかけてあった。

アブドゥルムタッラブが航空機を爆破するために用いた爆弾には、PETNと呼ばれるペンタエリトリトールと、TATPと呼ばれる過酸化アセトンという爆薬が用いられていた。爆弾は下着の股の部分に縫い込まれており、彼の狙ったタイミングでいつでも起爆させられるように設計されていた。

もし計画が成功していれば、ナイジェリア人のアブドゥルムタッラブは、飛行機に搭乗していた二五三人の乗客と一一人の乗員を殺害することになっただろう。しかし、彼は何らかの理由で装置を起動させることに失敗したため、爆発は起こらなかった。炎と煙に気付いた乗客たちがアブドゥルムタッラブを取り押さえ、拘束したのである。

元連邦検事で国家テロ対策センター長を務めるマイク・ライターと盗聴防止機能付き電話で相談した後、かつて爆発物処理担当特別捜査官だったカミングスは、盗聴対策が施されたテレビ電話会議を開いた。その会議にはライターの他、ホワイトハウステロ対策担当官のジョン・ブレナン、国土安全保障省副長官のジェーン・リュートらが顔を揃えた。

国家テロ対策センター（NCTC）では、SVTCs（シヴィッツ）と呼ばれる盗聴対策済みテレビ電話会議は、映画『博士の異常な愛情』をそっくり模したような部屋で行なわれる。二〇人は座れるオーク材の楕円形テーブルの上には、八台の隠されたコンピュータのマウスが置かれている。タッチスクリーンにコマンドを入力すれば、まるでアトランティス大陸のように、どこからともなくコンピュータがテーブルの中央に現れる。テーブル前方の壁には、このような場に欠かせない数多くの時計が、ニューデリーやストックホルム、上海、サラエヴォ、エルサレム、パリ、テヘラン、ニューヨークの時刻を示している。

テーブル後方の壁には、プラズマスクリーンが並んでいる。日常のSVTCsの間、これらのスクリーンには、ホワイトハウスをはじめ、FBIやCIA、NSA、国防総省、そして国土安全保障省など、インテリジェンス・コミュニティーの高官らが映し出される。

航空機爆破未遂事件に関するテレビ電話会議は、捜査官がアブドゥルムタッラブにミランダ警告を与えた直後に始まった。会議は二時間続き、協議は「我々が知る事実、現状の取り組み、連絡すべき人物、報告する必要のある人物に及んだ」とカミングスは言う。ミランダ警告については会議中一度も話題に上らなかった、と彼は言う。

ブレナンは後に、共和党議会指導者たち——上院議員のキット・ボンドとミッチ・マコンネル、下院議員のジョン・ベイナーとピーター・フックストラ——に、クリスマスの夜、アブドゥルムタッラブの逮捕とその後の対応について、全て報告したと語った。

「その時点で懸念を表明した人は一人もいなかった」とブレナンはNBCの報道番組『ミート・ザ・プレス』で語った。「『彼の身柄は軍隊に拘束されるのか？　彼はミランダ警告を与えられるのか？』とは訊ねなかった。彼らはその情報を非常に喜んだ。我々は彼らに引き続き報告を続けると告げ、その通りにした」

しかし四人の指導者たちによると、ブレナンはただアブドゥルムタッラブが逮捕されたと言っただけで、事件がその後どのように扱われるかについては何も語らなかったという。一部の共和党指導者は、外国人の容疑者にアメリカの市民に保証されている権利を読んでやる必要を省くためにも、そのような事件は軍事法廷で審理されるべきだと強く主張した。

カミングスによると、この事件が通常と異なっていた点は、FBIが扱うほとんどの事件とは対照的に、アブドゥルムタッラブがすでに税関国境警備局の職員によって拘束されていたことである。従って、FBIは容疑者の身柄が拘束される前に事情聴取を行なうことができなかった。しかし、一九八四年のニューヨーク対クォールズ裁判で、公衆の安全が脅威にさらされる可能性がある場合は、容疑者に権利に関する警告を与えるのを延期することを認めるアメリカ合衆国最高裁判所の決定に基づき、ミランダ警告は延期されていた。

「通常我々は、容疑者を逮捕することはない」とカミングスは言う。「世間話のついでに、彼の人生の現状や、将来の方向性について説明する。こうしたことはしょっちゅう起こることで、改まって『あなたにはこのような権利があります』などと説明する必要もない」

この二三歳の容疑者の場合は、初めのうちは自由に話をしていた。「最初の一時間は、アブドゥルムタッラブは進んで良い情報を提供してくれた」とカミングスは言う。「『うん、俺はアルカイダの代理でやったんだ。ああ、それはイエメンでの話だ』という調子だった」。彼はさまざまな人物の名前や場所や訓練キャンプに関する情報を暴露した。それから彼は治療のためにミシガン大学医療センターに移送された。その後、黙秘を始めたのだ。

「彼は鎮痛剤を打たれ、焼けただれた皮膚を除去された」とカミングスは言う。麻酔から覚めたとき、新たに二人の捜査官がアブドゥルムタッラブに面会しにきた。彼らは容疑者と対面したその場で取引条件を定めるように指示されていた。

捜査官らは、逮捕の翌日にそのナイジェリア人と面会した。彼は祈りを捧げていた。二人は容疑者がすでに答えた基本的な質問から訊ね始めた。「容疑者は彼らに対し、嘘をつくか答えないかの態度を取った」とカミングスは言う。「その時点で、捜査官らは『こいつからはもう何も聞けない』と判断したようだ。そこで、彼らはミランダ警告を与えた」

それから五週間、FBIはあの手この手でアブドゥルムタッラブに取り組んだ。その狙いは、彼が大切にしているものを探り出すことだった。「それは母親か、家族か、自分の将来か？　それとも家族の名誉か？　我々は、容疑者に可能性を差し出してやる。アメリカの刑務所で死ぬ代わりに、生きているうちに故郷に帰り、家族に再会し、これほどまでに憎んでいる敵国の手で処刑されずに済むという可能性を」とカミングスは言う。

自動車爆弾でタイムズスクエアを爆破しようとして失敗したファイサル・シャザードと同様、アブドゥルムタッラブは自らテロリストに志願し、アルカイダの支援を受けていた。「まさに、理解不能な状況にまで来ている」とカミングスは言う。「シャザードの場合は、基本的にアメリカで育っている。いったい何に影響を受けて、そんな若者がテロリストになる道を選ぶようになるのだろうか？　ギャングになる若者たちと、それほど大きな差はない。だが、こうした連中は、アルカイダに入って聖戦の道を突っ走るんだ」

カミングスは捜査官を二人ナイジェリアに派遣し、アブドゥルムタッラブの生い立ちや家族について可能な限り全て調査させた。「二人は彼の家族に保証した。『これは非常に重要なことです。我々と取引を結ぶことが、息子さんの最大の利益になります』と」

捜査官の一人はアブドゥルムタッラブのおじの家に泊まり込んだ後、彼をデトロイトに連れていった。後に、アブドゥルムタッラブの父親もデトロイトへ飛んだ。二人は捜査官の話に耳を傾けることがお前のためになる、とアブドゥルムタッラブを説得した。一方、捜査官らは「お前はまだ先が長い。どんな人生を送ることになるかは、お前次第だぞ」と容疑者に語りかけた、とカミングスは言う。

黙秘を始めてから五週間後、アブドゥルムタッラブは協力を再開した。

公衆の安全に関わる場合には暫時ミランダ警告を延期できるという例外が認められてはいるが、

さらに長期間の延期を認める法律が制定されればさらに役に立つかもしれない、とカミングスは言う。しかし、多くの場合では容疑者は拘留されていないので、FBIはわざわざ警告を与える必要もないのだ、とも言う。彼に言わせれば、たとえ容疑者が拘留されていて、ミランダ警告が与えられた後でも、捜査官らが自由に容疑者に近づくことを認められ、協力を誘い出すインセンティブを提示することができる限り、FBIはほとんどの場合で必要な情報を手に入れられるという。

「率直に言って、テロ事件の容疑者が自白しなかった例を思い出せない」とカミングスは言う。「やつらに捜査のあらましを教え、それから権利について知らせてやる。そして、『だが、ここにサインをすれば、話し合いを続けることができる』と言うんだ。ほとんどの容疑者は権利放棄書にサインし、自白を続ける。通常の場合問題になるのは、容疑者に自白させられるかどうかではなく、自白までにどれだけ時間がかかるかだ」

FBIがアメリカ国内で容疑者を逮捕した場合は、軍事法廷で審理する必要は全くないとカミングスは考えている。ブルックリン生まれで後にイスラム教徒に改宗したホセ・パディラが、当初は軍の留置所で敵国の戦闘員と見なされていたことを指摘し、カミングスはこのように言う。「ミランダ警告も、権利も、弁護士も与えなかった挙句、彼らは何も聞き出せなかった」

結局パディラは民間法廷に移された。彼は海外のイスラム聖戦士に協力した罪で有罪判決を下された。一部のFBI高官らは、密かに法廷を支持していた。

容疑者にミランダ警告を与える決定はFBIの権限であるにもかかわらず、国土安全保障省長官ジャネット・ナポリターノは国土安全保障省で投票を行なうべきだと主張した、とカミングスは言う。「FBIが容疑者にミランダ警告を与えるかどうかについて、国土安全保障省の代表らに口をはさむ権利があると思わせるなんて、ワシントンの連中の気が知れない」とカミングスは言う。「彼らは戦略的CT（テロ対策）作戦上の決定に関与すべきではない」

ブッシュ政権下では、国土安全保障省（DHS）はそのような問題に関わろうとはしなかった。しかし、ブッシュ政権の国土安全保障省長官マイケル・チャートフの下、国土安全保障省は地域のテロ対策合同タスクフォースへの参加を強く要請しており、FBIはこの動きに抵抗していた。「彼らの任務は社会基盤の保護だ。それについては他の誰もやらない」とカミングスはDHSについて語る。「ダムや発電所、化学薬品工場の警備を強化し、敵に標的を与えないこと。彼らの他には誰もやらないし、率直に言って、彼らもそれに専念しているとは思えない」

国家テロ対策センター（NCTC）は、テロリスト認証データ環境（TIDE）に、新たな人物を加えるかどうかを決定する。約五五万人の住所や、所有する車や武器が記載されたこのリストから、FBIはテロリスト・スクリーニング・データベース（TSDB）を開発した。そこには四三万人の名前が記載されており、領事館や国境、空港における要注意人物リストの作成に利用されている。運輸保安局は、独自に約四〇〇〇人の搭乗拒否者リストを保有しており、そのリストに挙げられた人物は、国内や海外からアメリカに入国・移動する航空機への搭乗が禁じられている。その他にも、約一万四〇〇〇人の「選抜者」のリストが存在し、そこに挙げられた人物は、特に厳重な警戒が必要だが搭乗を禁じられてはいない。これらのリストは、いずれもさまざまな基準に基づいて、さまざまな目的に利用されている。TIDEが最も広範囲にわたり、不審な点のある人物は全て含まれる。搭乗拒否者リストは、最も明らかな脅威のみに限られている。これらのリストに人名を記載することについては、アメリカ自由人権協会（ACLU）をはじめとする自由人権主義者らから、常に圧力をかけられている。彼らは、これほど多くの人名がリストに記載されていることについて、非常に陰湿な行為だと申し立てている。ACLUのプライバシー問題担当法務顧問のティモシー・スパラパニは、その数を「ショッキングだ」と述べている。

アブドゥルムタッラブの父親は、息子がイスラム過激派の犠牲となり、二度と家族に会わないと語っていたことを、かねてよりナイジェリアのアメリカ大使館に警告していた。その結果、アブドゥルムタッラブの名前はTIDEに記載されていた——しかし、さらに厳しく審査されることになったはずの、選抜者リストには記載されていなかった。

「アブドゥルムタッラブの事件は、本当に不運な見落としが重なった例だった」とカミングスは言う。

FBIが国務省にビザ発給の拒否を求めても、ほぼ聞き入れられないとカミングスは言う。カミングスとFBIは、ブッシュとオバマの両政権にビザ政策の変更を継続的に求めてきたが、効果は得られていない。

「この国ではアメリカにやってくる留学生に対し、FBIはテロリストかどうか調査することはできるが、ビザを取り上げることはできない」とカミングスは言う。「テロリストたちに、この国にいる権利があるというのか？　いつからそうなったんだろう、そのような恩恵が、いつから当然の権利になったんだ？」

しかしカミングスは、オバマ政権が発表した飛行機の乗客のスクリーニングに関する新たなガイドラインについては称賛している。これにより、政府はアメリカを訪れる旅行客の中で追加審査を行なうべき人物を特定する際、国籍のみならず、身体的特徴や移動パターンなど、潜在的な脅威に関する情報に適合する人物を選別するようになった。従来は、追加審査を受けさせられる乗客は、リストに挙げられた一四か国の出身者のみだった。しかし新たなガイドラインでは、最新情報に基づいた審査が適用されているのである。

FBIでの立場上、カミングスは日常的にホワイトハウス高官と面会している。ブッシュにも、後にはオバマにも数回会ったことがある。カミングスの目には、これらふたつの政権にはほとんど違いはなく、政略的決定と言えるものも増加していないように見える。「率直に言って、我々はそのような決定に従わなかっただろうが」とカミングスは言う。

カミングスが最も苛立たしく感じているのは、官僚組織がさらに増え、国家情報長官室（ODNI）が設立されたことである。当初九・一一調査委員会は、数百名の職員でインテリジェンス・コミュニティーを統轄する部局を構想していたが、なぜか一五〇〇名もの職員を擁する大所帯な機関に膨れ上がってしまった。それらの職員のごく一部はNCTCで重要な仕事をしているが、それ以外の職員は、カミングスの見る限り、諜報活動の役に立つことはほとんどしていないようである。

その点は、国家情報長官のジェームズ・R・クラッパー・ジュニアが、ABCニュースキャスターのダイアン・ソイヤーが二〇一〇年一二月に行なったインタビューで、ロンドンで一二人のテロリストが逮捕された事件を知らなかったと認めたことに象徴されている。逮捕当日、ニュースはこの話題でほぼ持ちきりだったというのに。カミングスは、クラッパーは歴代の国家情報長官の中でも、抜群に優秀な人物だと見なしていた。しかしこの失態によって、テロの脅威に目を光らせるべき作戦機関の頂点に官僚組織を置くことの愚が際立つ結果になった。

「インテリジェンス・コミュニティーの工作員たちはよくやっている」とカミングスは言う。「足手まといになっているのは、彼らを取り巻く巨大な官僚機構だ。その巨大な計画立案機関が、際限なく会議を生み出し続けている。我々としては、首を横に振りながら会議室から出ていく他はない」

第28章 スーツケース核爆弾

二〇一〇年、アート・カミングスはテロとの戦いが転換点に差し掛かったことを感じ始めていた。それは主に、パキスタン人らの協力が増えたことと、プレデター無人偵察機による攻撃が増加したことによる。

この変化の兆しは、二〇〇六年八月に遡る。この頃イギリス当局は、ロンドン発のアメリカの定期旅客機九便を爆破するというアルカイダの計画を阻止した。当時テロ対策課課長補佐だったカミングスは、アメリカ国内のテロ容疑者に対し、盗聴と物理的監視を行なう命令を出した。その狙いは、やがてイギリスでテロリストたちが逮捕されるという知らせを聞いた容疑者らがどのような反応を示すかを調べ、手掛かりをつかむことだった。

そのテロ計画が明るみに出て以来、ブッシュ政権はパキスタン人に対し、協力を求める圧力を強め始めた。それと同時に、ブッシュは無人機の数を三倍に増やすよう命じた。その種の飛行機の生産には数年を要するため、プレデター無人偵察機が定期的にアルカイダの指導者らを殺害するようになったのは、二〇一〇年に入ってからのことだった。

圧力が強まる以前は、カミングスは複数のテロ計画をたどった図表を壁に貼っていた。「誰もが頭を抱えていた。世界じゅう至るところでテロ計画が進行していたんだ。それらは全て、パキスタンのアフガニスタンとの国境地帯をはじめとする地域に存在する、さまざまなアルカイダの拠点に端を発していた。パキスタン当局はすでに二〇〇六年の時点で、何か手を打たなければ我々が介入してくることを知っていた。それほどまでに、事態は悪化していたんだ」

今や、「彼らはテロリストを徹底的に叩きのめしている」とカミングスは言う。「私が思うに、プレデター計画がなければ、我々はパキスタンと地上戦を行なっていた可能性もある。パキスタンで生まれたアルカイダの計画が成功することなど、我が国は決して許さないからだ。我々の苛立ちは非常に高まっていた。アルカイダがテロリストを養成しているのに、それに対処できる者がどこにもいないように見えた」

しかしFBIとアメリカがアプローチを変えると、アルカイダもアプローチを変えた。「アラビア半島のアルカイダは、イエメンとサウジアラビアの内部拠点から、アラビア半島とアメリカの両方に活動の中心を移している」とカミングスは言う。

アラビア半島のアルカイダは、二〇〇九年のクリスマスと二〇一〇年の一〇月に発生した航空機爆破未遂計画の黒幕だった。二〇一〇年の事件では、ふたつの小包爆弾がイエメンからアメリカに輸送されていた。サウジアラビアの情報部が飛行機内部の爆弾が置かれている場所を正確に突き止めていたにもかかわらず、爆発物探知犬は爆弾を発見することに失敗した。アラビア半島のアルカイダのリーダーである過激派宗教指導者のアンワル・アウラキは、フォート・フッド基地で銃を乱射して一三人を殺害したアメリカ陸軍少佐、ニダル・マリク・ハサンに感銘を与えた人物でもある。

アルカイダは大きな痛手を被ったが、彼らの新人勧誘活動はさらに効率よく洗練され、フェイスブックやユーチューブを新たなテロリストの募集に利用している。

「彼らのメディア機構は実に効率的だ」とカミングスは言う。「そのおかげで、世界中から志願者が集まっている。彼らの戦略の、何かが効いているんだ。正道を踏み外した若い男と一部の若い女に対し、強く効果的に訴えかけている」

拡散するという欠点があるにもかかわらず、アルカイダはアメリカに対して生物兵器や化学兵器、あるいは核兵器を使用したがる。しかし核兵器となると、「どれほど利用したいと思っても、資力も能力も限られているうえ常に逃亡中の身となれば、どこに資金を投じることになるだろうか?」とカミングスは言う。「核弾頭ではなく、二三〇〇キロの硝酸アンモニウムを購入することになる」

核兵器を手に入れることはそこまで困難ではないという意見もあるが、核兵器の入手にも、それを秘密にしておくことにも、「非常に高いリスクと失敗の可能性がつきまとう」とカミングスは言う。

核兵器を爆発させようというテロリストは、数々のステップをうまく切り抜けなくてはならないだろう、と大量破壊兵器調査委員会の長を務めるFBI次官補のヴァヒド・マジディ博士は言う。まず、適切な知識を持つ専門家を探さなければならない。適切な原料を見つけなければならない。装置をアメリカに持ち込まねばならず、探知プログラムの目をかいくぐらなければならない。

「成功する可能性は恐ろしく低いが、一〇キロトンの核爆弾が破裂すれば、恐るべき結果を招くだろう」とマジディは言う。「だから、たとえ可能性が限りなく低くても、その可能性と戦うために、非常に効率的で統合的なアプローチが必要なんだ」

捜査的アプローチと諜報的アプローチに加え、探知機などのテクノロジーの利用も含めた犯罪科学的アプローチも必要とされる、とマジディは言う。「これら三つのアプローチを併用すべきだ。そうすれば、それぞれのアプローチがいつでも一定量の情報を与えてくれるだろう」

テレビドラマ『24-TWENTY FOUR-』にはスーツケース核爆弾が登場するが、あのドラマの大ファンだと打ち明けてくれたマジディによると、あれは絵空事だという。

「FBIの武器庫にある最小の兵器のひとつが特殊原子破壊弾だが、これは橋梁を破壊するために設計されたもので、重量は約七〇キロある」とマジディは言う。「牛乳六五リットルを運ぶにも等しい、そんな重さなんだ。それが我々の保有する武器の中で最小の内蔵型兵器《フルアップ》だよ」

当然ながら、核兵器を新たに製造するよりどこかの国から盗んできた方が簡単だ。例えばイランは、「まるで狂犬のように全く予測不可能だ」とカミングスは言う。「何をしようとしているか全くわからないうえ、彼らには能力がある」

現在マジディは、生物兵器に利用される可能性のある新たな有機体の開発を検知する方法を研究している。定義上は、新たな有機体の検知法や、それが散布される前に解毒剤を開発することは不可能とされている。

「我々は過去の出来事に基づいて未来を予測し、手をこまねいているわけにはいかない」とマジディは言う。例えば、「以前は存在しなかった有機体を新たに作り出すことが可能になっている。はっきりとした脅威は明らかになっていないが、この技術や科学は、偶然にせよ故意にせよ、悪用される可能性もあると考えられる」

その他にも、ＦＢＩは合成生物学の研究者らと共同で、そのような有機体を開発している可能性のある人物を正確に突き止める方法について研究している。

「我々は、科学の発展を阻止するためではなく、ＦＢＩの活動を彼らの研究課題に統合するために、研究に参加している。そうすれば実際に脅威が生じた場合に、あるいはゆくゆく生じる可能性がある場合に、先手を取ることができるからね」とマジディは言う。

もうひとつの「巨大な」潜在的脅威は、敵が大気圏中の高いところで核爆弾を破裂させ、電磁パルス（ＥＭＰ）を放出させることだとカミングスは言う。その場合、爆発によって発生した電磁パルスが、北米の全ての電子機器を破壊してしまうだろう。ありとあらゆるもの——コンピュータや財務記録、溶鉱炉、冷蔵庫、警察の通信指令、病院、電話、自動車、電車、航空機など——がマイクロチップに依存しているので、そのような爆発が起きれば、アメリカは一三〇〇年代に逆戻りしてしまう。

テロリストの仕業だろうと、あるいは敵国の仕業だろうと（こちらの方が可能性は高い）、ＥＭＰ攻撃を受けた場合は、コンピュータが作動しなくなるために送電網が破壊されてしまう。変圧器の取り替えが不可欠だが、それには何年もかかるだろう。変圧器を製造している国はごくわずかであるうえ、製造には一年以上かかるのだ。

EMP攻撃がアメリカにもたらす脅威の評価を行なう連邦議会超党派委員会議長のウィリアム・グラハム博士によると、市民の大多数が飢えと病気と寒さで死に至ることが予測されるという。軍隊はシールドによってEMP攻撃からおおむね保護されているが、民間に対しては、政府はほとんど何の対策も取っていないのが現状だ、とグラハムは言う。

第29章

鑑識班（CSI）

クアンティコに広がる青々とした丘陵と森林地帯の上に聳え立っているのが、新設されたFBI研究所だ。ピカピカの窓がある長方形の建物はオフィスビルに似ているが、屋上の換気塔のせいで処理工場のようにも見える。この建物で処理されているものは、証拠だ。すなわち、血痕や人骨、遺伝情報や暗号、塗料や高分子化合物、弾丸や爆弾などである。

目撃者が当てにならないのは有名な話であり、資料が嘘をつくこともある。凄腕の被告側弁護人は犯罪証拠のビデオを曲解し、被告人の有罪に疑問を投じることができる。しかし、犯罪現場で発見された物理的証拠——発射された弾丸、ガラスの破片、精液や血液——は、最も確実な、解釈の違いに左右されにくい証明である。それによって容疑者を終身刑にすることもできれば、無実の人の潔白を証明することもできる。

FBI研究所は一九三二年、顕微鏡一台と紫外線装置数台、銃器の鑑定に用いる製図台、捜査官らが「オールド・ベウラ」と呼んでいた、犯罪現場に急行するためのパッカード一台でスタートした。フーヴァーが研究所の設立を決断したのは、チャールズ・A・リンドバーグ・ジュニアの誘拐をはじめとするいくつかの事件で、科学的犯罪分析が成功を収めたためだった。この事件では、ブルーノ・リチャード・ハウプトマンがリンドバーグの赤ん坊の寝室に上る際に使用した木製の梯子が、ハウプトマンの屋根裏の支柱から作られたものであると示すことに、地元警察が成功したのである。

FBI研究所の正面玄関は、とても静かだ。広々とした芝生の一角に、さらさらと水が流れる噴水のある池と、人影はないが車がずらりと並んだ駐車場が作られている。駐車場から玄関までは、つやつやした灌木の茂みと満開のベゴニアや百日紅の花に縁どられた通路が続いている。ときおり、建物の中に入っていく人の姿も見える。

対照的に、ラボラトリー通りに面した裏玄関は賑やかだ。国際宅配便のトラックが一日じゅう途切れることなく到着し、証拠の入った箱を配達していく。全ての箱は、黄色い半透明のビニールテープで密閉されている。研究所では、警察やFBIのために年間一〇〇万件以上もの犯罪科学検査が行なわれている。

建物の内部に入ろう。四〇〇メートルも続くベージュ色の廊下には、全く人影がない。この建物には八〇〇人もの職員が働いているのに──その一〇パーセントが特別捜査官で、残りは検査技師、科学者、化学者、犯罪科学検査官、そして補助スタッフである──廊下はどこも静かだ。研究室の窓からは、白衣を着た検査技師たちが、ビーカーや小瓶や流し台や顕微鏡が並ぶ中で、熱心に働いているのが見える。

証拠管理班では検査技師たちが、証拠保全のために箱を密閉していた黄色いビニールテープをはがし、箱を開けている。大腿骨やシャツや車のドアなど、さまざまな証拠を選別し、コンピュータで読み取った現場からの情報に従って評価する。証拠保管庫のひとつは、一八輪のトレーラーを収容することができる。

ある証拠保管庫の窓の後ろには「目録作成中――立入禁止」という表示があり、紫の手袋をはめてゴーグルをかけた検査技師が、テーブルに広げた茶色い紙の上に、慎重な手つきで一枚の布を置いている。布には血痕がついている。静けさの意味が、次第に腑に落ちてくる。

しかし、もしここで働くFBI職員が、犯罪を解決するたびに飛び上がって喜んでいたとしたら、「彼らは一日中飛びはねっぱなしになるだろう。ここでは常に何かが発見されているのだから」と、FBI研究所担当次官補D・クリスチャン・ハッセル博士は言う。

二〇〇三年に竣工した新研究所は、四万三〇〇〇平方メートルもの敷地面積を占めており、かつて本部内に付設されていた研究所の二倍の広さになっている。全てのオフィスには明るい日が差し込んでいる――窓のないオフィスにも、廊下の向かい側の窓から外を眺めることができる。もはや薄暗い地下室で作業することはない。かつて本部の三階と地下一階に研究室が分かれていた頃は、多くの検査技師が地下で働いていたのだ。

非常事態や事故が発生した場合の二次汚染を最小限に抑えるため、新しい建物にはふたつの吸気装置が設置されている。建物の両側に分かれて作られた、事務室用と研究室用にひとつずつ必要なのだ。廊下の壁際には、証拠そのものを処理することには危険が伴うことを思い出させるものが、もうひとつある。普通ならウォータークーラーが置いてあるものだが、ここでは目の洗浄器と、緊急時に頭から水をかぶることができるシャワーのレバーが設置されているのだ。

二〇〇三年九月、新しい研究施設を見学していたジョージ・W・ブッシュ大統領がこのレバーに手を伸ばし、これを引くとどうなるのかと訊ねた。研究所長は大慌てで大統領の腕を押さえた。説明を聞いたブッシュは、「なるほど、道理でシークレットサービスの連中がスーツの着替えを用意していたわけだ」と答えたという。

ハッセル博士は細いメタルフレームの眼鏡をかけ、スポーツ刈りの頭に消火栓のようながっちりした体格をしているが、捜査官ではなく化学者だ。彼が常に携帯しているのは電話であり、銃ではない。かつては、研究所を仕切っていたのは捜査官だった。しかし、ルイス・フリーが研究所職員を大異動させたため、未処理事件が一年分も溜まり、作業は滞った。一九九五年九月、FBI研究所監督官の化学者フレデリック・ホワイトハーストは、研究所が手抜き検査を行なっているのみならず、検査官は偽証と証拠捏造の罪を犯しているとマスコミに告発した。

調査の後、司法省監察官のマイケル・R・ブロムウィッチは、偽証と証拠捏造に関する告発は、いずれも根拠がないと断定した。しかし、裁判所での証言の誤りや不十分な分析作業、記録管理における問題点などが発見された。過去数年間にさかのぼり、五〇件もの不適切な処置があったと考えられた。年間六〇万回も検査が行なわれることを考慮すれば、それは大きな数字ではない。しかしその影響は何千件もの事件に及んだ可能性があると被告側弁護人が主張したにもかかわらず、研究所で発見された問題のために結果が覆った例は一件もなかった。だが、検査手続きの厳格化が必要であることは明らかだった。

FBI研究所も他の部署と同様に、外部から調査が入ることには常に抵抗してきた。FBI研究所で行なわれている検査手続きを、他の犯罪科学研究所のものと同水準に引き上げる必要があった。現在FBI研究所は、アメリカ犯罪科学研究所長会議の研究所認証委員会による認定と監査を受けている。今や研究所を仕切っているのは、捜査官ではなく科学者なのだ。そしてハッセルは科学者である一方で、犯罪科学という難解な事柄をわかりやすく説明することに長けている。

FBI研究所はアメリカ国内や海外の大きな悲劇の全てに、何らかの形で関与することになる。九人が犠牲になったワシントンの地下鉄事故についても、犯罪行為が関わっている可能性があるため、研究所が検査を行なった。また、フォート・フッド基地やホロコースト博物館の銃撃事件の証拠も検査した。裁判や事件の再現で用いるため、ツイン・タワーや国防総省や、ワシントン連続狙撃事件の犯人が使用した車のトランク部分の模型も作成した。研究所の指示の下、FBIの証拠対応チームが、ハドソン川に墜落したUSエアウェイズ機のエンジンの発見に協力した。

研究所では、毎日被害者の死因の特定を行なっているわけではない。「長い間行方不明になっていた人物の遺骨を処理する場合の方が多い」とハッセルは言う。二〇〇八年にオーランドで行方不明になり、遺体で発見された幼児ケイリー・アンソニーの遺骨も研究所に送られてきた。「ここでDNA抽出が行なわれたんだ」とハッセルは言う。研究所はFBIの五六支局の証拠対応チームと連携している。「ミルウォーキー支局に配属されても、訓練はここで行なっている」

ハッセルはあるひとつの点を真っ先に指摘した。それは、テレビドラマ『CSI』に登場する犯罪現場捜査研究所は、FBIの研究所とはほとんど別物だということだ。例えば、隠れた血痕を探し出すとき、FBIの検査技師は「ドラマのような特殊メガネや懐中電灯は使わない」という。

かつて本部で行なわれていた一般見学者向けツアーでは、銃器・工具痕鑑定班が大人気だった。クアンティコに移転した現在、保管されている武器は六〇〇〇点に及び、オートマチックから大砲、一九三五年のシアーズ・ローバック社のカタログに掲載されたステッキ銃まで揃っている。最大の目玉は、ボニーとクライドやマ・バーカー、ベビーフェイス・ネルソン、そしてジョン・ディリンジャーらが所有していた銃だ。

これらの武器には何百万ドルもの価値があるが、保険は掛けられていない。「我々のセキュリティは強固だからね」と、ハッセルはさりげなく言う。

銃器・工具痕鑑定班では、弾丸が特定の銃から発射されたものかどうかが分析される。同様に、ワイヤーカッターも実際にワイヤーを切断してみて、証拠品——例えば、爆弾製造に用いられたワイヤー——と条痕が一致するかどうかテストされる。

FBI独自のダクトテープのコレクションも、サンプル塗料パネルの目録と同様に、市内の研究所から移送されてきている。塗料パネルは、犯罪や事故の解決に決定的な役割を果たす場合がある。「フランスでダイアナ元妃の車が白のフィアットに接触されたことがわかったのも、これのおかげだ」とハッセルは言う。

暗号解析・脅迫記録班では、主任のダン・オルソンが、「我々の仕事は暗号を解くことだ」と簡潔に説明してくれた。コンピュータで生み出されたものではない、昔ながらの種類の暗号だが、難解であることに変わりはない。その多くは、スパイやギャングや組織犯罪容疑者が用いている暗号である。ユナボマーことセオドア・カジンスキーは、自分の犯罪と思想を暗号で日記に記録していた。

この班には二〇人の職員が所属しており、情報、ビジネス、コンピュータ、そして数学など、あらゆる分野にわたる研究を行なっている。風俗取締官や、元麻薬取締官もいる。「幅広い人材が欲しいんだ。知識と経験を集積するためにね」とオルソンは言う。

この班では常時五〇件もの暗号解読作業が行なわれている。オルソンによれば、典型的な暗号は携帯電話で届くという。「カリフォルニアの刑務所の独房で見つかった暗号だ。これは殺人計画だろうか、それともラブレターだろうか?」という具合に。

暗号のうち、一〇件中九件までは当日のうちに解読される。「すぐに解読できるか、そもそも暗号ではないかのどちらかだ。ほとんどはたちどころに解けるが、さもなければ決して解けないというのが暗号解読の原則だ」とオルソンは言う。

最も解読困難な例は、歴史に詳しい犯罪者が使用する暗号だ。彼らは南北戦争時代以降は使用されていない暗号を探し出したり、ナポレオン戦争中に開発されたシステムを利用したりする。「インターネットを使えば、グーグルで検索するだけで『解読困難な暗号』がいくらでも見つかる」とオルソンは言う。

FBIに十大指名手配者リストが存在するのと同様に、この班には十大未解読暗号リストがある。その筆頭に挙げられるのが、ゾディアック事件で用いられた暗号だ。この事件の犯人は一九六〇年代後半から一九七〇年代前半にかけてカリフォルニア州北部で連続殺人を犯し、正体はいまだに明らかになっていない。

爆発物班の実証室では、主任のグレッグ・カールが、ニュースで報道された最近の事件をFBIがどのように解決したか説明してくれた。彼は一九八七年にFBIに入局し、スコットランドのロッカビーで発生したパンナム機爆破事件の捜査にも携わっている。

カールによれば、爆発物班はクアンティコの研究所では珍しく、科学者と捜査官が「うまく配合されている」という。実際、「科学者は捜査官のように思考し、捜査官は科学者のように思考する」とカールは言う。

時代の趨勢と言うべきか、今やロシアのSVRの爆発物専門家が、FBI研究所の専門家と会合し、情報交換をする。そうして協力関係を築いてはいるが、FBIは依然警戒を怠らない。これらの会合は機密を扱う研究所ではなく、FBIアカデミーで行なわれる。

実証室に展示されている破片やヒューズや模造品や実物大模型の中に、サイズ六〇センチものスニーカーの靴底がある。これは靴爆弾犯リチャード・リードの靴の中敷きの断面を示した模型だ。アルカイダのメンバーを自称するリードは、二〇〇一年一二月二二日、パリ発アメリカ行きのアメリカン航空六三便の爆破を試みた。

リードは爆弾を自分の靴のゴム底内部にある格子状の空洞部分に隠していた。爆弾は両方の靴に隠されていたため、X線探知機でも異常は全く認められなかった。

ところが、リードはあまりに身だしなみが悪すぎた。そのため、パリの空港で不審者として警戒されることになったのである。警備員に搭乗を止められたリードはマイアミ行きの便に乗り遅れ、翌日の便を待つはめになった。その間、リードはスニーカーを長時間履きすぎて、足の裏に汗をかいてしまった。要するに、火薬が湿ってしまったのだ。

「彼が使用していた時限ヒューズはパキスタン製だった」とカールは言う。「質が悪いというわけではないが、内部に綿繊維が使われていたんだ」。綿は湿気を吸収するため、多くの爆弾製造者は合成繊維を使用する。起爆装置は靴の内部に隠してあり、はみ出たヒューズをリードは靴下の上から踏んでいた。その結果、爆弾に使われていた黒色火薬が湿ってしまったのだ。

機内でリードは前日持ち込んだライターの代わりにマッチを使おうとしたが、湿った起爆装置と火薬に点火することはますます困難になった。マッチの臭いに気付いた客室乗務員がリードの喫煙を疑ったことから、たちまち拘束されてしまったのである。

クリスマス爆弾犯のウマル・ファルーク・アブドゥルムタッラブが隠し持っていた爆弾もやはり不発に終わったが、彼は外見ほど愚かではなかった。下着の股の部分に爆弾を縫い込むことで、発覚を免れたのである。

「なぜ、徹底的に調べられるとわかっていながら、爆弾を股の部分に隠し持とうとするのか？それは、警備員がその部分を触りたがらないからだ」とカールは言う。

爆発物班の仕事のひとつは、もしテロリストの試みが成功した場合、どのような被害が起きていたかをテストすることである。靴爆弾犯に関して言えば、まず靴の実物大模型を爆発させてみたところ、靴は跡形もなくなった。しかし、一万一〇〇〇メートル上空を飛行中の、横腹に穴が開いて急速に気圧が下がった飛行機の機内では、状況は変わってくる。

もし爆発時にリードの靴がキャビンの壁に接触していたら、より少量の爆薬でも飛行機のアルミニウムの外板が破損していたことがわかった。アルミニウムは、いったん裂け目が入るとそのままめくれ続け、「花弁」のようになってしまう。ロッカビー上空で爆発したパンナム機の場合のように、穴がどんどん広がってしまうのだ。

ミレニアム・ボマーことアハメド・レッサムは、あれほどびくびくしていなければ、首尾よくアメリカに潜り込み、シアトルで爆弾を爆発させることができたかもしれない。一九九九年一二月一四日の晩、レンタカーでフェリーから降りる際、レッサムはポートアンジェルスの税関で、身分証明書としてディスカウントショップの会員カードを提示した。不審を抱いた職員が質問を始めると、彼は逃亡を図ったのである。

レッサムの車のスペアタイヤ収納庫には、尿素五〇キロと、延期式起爆装置の入った黒い箱が四つ、そしてオリーブオイルのラベルを張ったボトル、タイレノール、そして亜鉛の錠剤が入っていた。捜査官がオリーブオイルの瓶を動かすたびに、三三歳のアルジェリア人は首を縮めた。

「それが法執行機関における、いわゆる手掛かりというものだ」とカールは言う。

調査官らがモントリオールのレッサムのアパートを家宅捜索したところ、酸で焼けた痕のあるズボンを発見した。調査官らはレッサムが拘留されている刑務所に電話し、容疑者の脚に火傷の痕がないか確認を求めた。答えはイエスだった。この情報は証拠の一部として法廷に提示された。

瓶に入っていたものは、いったい何だったのだろうか？　もちろんオリーブオイルでもなければ、タイレノールでも亜鉛の錠剤でもなかった。FBI研究所は、熱によって起爆し一次爆薬として用いられるHMTDや、感度はそれほど高くはないが二次爆薬に利用されるRDX、そしてエチレングリコールジニトラート、すなわちダイナマイトを発見した。

実証室には、一九九六年のアトランタ五輪爆弾犯のエリック・ルドルフが使用したものに似たバックパックもある。底の部分の内部に、軍隊で用いられる時限装置付きクレイモア地雷と同等の威力を持つ爆弾が取り付けられていた。この爆弾は、爆発すると鉄球が飛び散るように設計されている。ルドルフがバックパックを置いたのは、爆発すれば少なくとも五〇〇本の釘が、五輪一〇〇周年記念公園に集まった群衆に撃ち込まれるはずの場所だった。ところが、そのバックパックを盗もうとした少年たちが、重すぎるために断念して別の場所に捨ててしまったため、ルドルフが想定していた範囲に釘は飛び散らなかった。何十人もの犠牲者が出るはずだったところを、死亡者は二人にとどまった。

アート・カミングスのように、カールも仕掛け網について語った。爆弾を製造する際は、薬局の戸棚にあるものより高濃度の過酸化水素水が必要になる。近所の薬局では三パーセント溶液しか販売されていないのに対し、美容用品直販店では一八パーセント溶液を、プール用品直販店では三〇パーセント溶液を販売している。そのような薬品の不審な購入、あるいは大量購入に関してては、FBIか地域のテロ対策合同タスクフォースに報告しなければならない。

「仕掛け網を設置しておくことは重要だ」とカールは言う。「もう古き良き時代のFBIとは違う。事件が起きるのを待っているのではなく、未然に防ぐことが重要なんだ」

第30章 スパイ交換

アート・カミングスはテロ対策課と防諜課の長として、テロリストのみならず外国のスパイやサイバー攻撃から国を守る責任を負っていた。ミュラーは彼をこの地位に任ずるにあたり、「鋭い肘鉄を食わせる」ことで評判のカミングスに対し、もっと駆け引きを利用すべきだと忠告した。「君はもう少し、砂場での遊び方というものを学ばねばならんな」とミュラーは言った。

「肘鉄を収めた私には、給与に見合う価値がありません」とカミングスは答えた。「長官ご自身も、ぐずぐずと職責を果たさず、全員の意見の一致を図ることなど我慢できないでしょう。全員の意見を一致させようとすれば、何事も失敗してしまいます。私が求めているのは、誰もが賛成するような生ぬるい解決策ではありません。私が求めるのは、確かな筋の情報であり、正しい最終的決断です。あらゆることを考慮に入れながら、大部分を切り捨てることなのです」

新たな地位についたカミングスは、新設された大統領脅迫行為対策委員会の責任者となった。これは国内及び海外のテロ行為に関係する、大統領暗殺の脅威について情報を収集し、追跡し、評価するための組織である。拙著 *In the President's Secret Service*（元版の邦訳は『シークレットサービス』吉本晋一郎訳、並木書房）のペーパーバック版に新たに追加した章で初めて存在を明らかにされたこの対策委員会は、FBIやシークレットサービスの捜査官、CIAやNSAの工作員、国防総省の職員、分析家など、関連機関の代表者二〇人で構成されている。

中国などの外国政府は、毎日一万回以上もアメリカの軍事的・商業的コンピュータネットワークへの侵入を試みている。

「中国からのサイバー攻撃が、実に圧倒的に多い」とカミングスは言う。それらの攻撃は政府からのものも企業からのものもあるが、中国政府は発信源を隠蔽することに非常に長けている、とカミングスは指摘する。

中国はコンピュータネットワークへの侵入に加え、アメリカで働いている中国人の忠誠心を利用している、とカミングスは言う。

「中国人などの外国人に高額な特許情報や知的財産を扱わせて、みすみす彼らの祖国に情報を流出させている警備の手薄な機関が非常に多いと思われる」とカミングスは言う。

外国企業は経済スパイを送り込み、アメリカの画期的技術を盗んでいる。「企業秘密や特許情報、そしてテクノロジーが、どんどんアメリカから奪われている」とカミングスは言う。「製造権を失い、製品の生産が停止すれば、何億ドルもの税収が失われることになる」

トム・ハリントンの後任として犯罪捜査課長になるまで、ショーン・ヘンリーはFBIのサイバー課を運営し、暫時ワシントン支局長も務めていた。地顔がしかめ面で、夢中になると目を細める癖があるが、ヘンリーは温かい気さくな人柄だ。左の頬にえくぼがあり、ブルース・ウィルスのような禿頭である。

「一〇年前に飛行機でビルに突っ込んだときと同じレベルの衝撃を、今度は電子攻撃によってこの国に与えようとしているテロ組織はたくさんある」とヘンリーは言う。「通信システムの分断、経済基盤への打撃。やつらがそうしたことに興味を抱いていることを、我々は事実として知っている。やつらがそれだけの能力を持っていないとしても、借りてくることはできる。世の中には、専門技術を持っていて、喜んで手を貸そうという連中がいるんだ。だから、今日我々が外国の諜報機関やテロ組織や組織犯罪グループから受ける脅威は、かなりの量になる」

聖戦の大義と結び付いたテログループが実際にサイバー攻撃を仕掛けてきた例もあるとヘンリーは言う。「やつらは我々の生活様式を破壊することに関心を抱いている。そこで我々の重要な社会基盤である、送電網や水処理施設などに目を付けた」

それと同時に、何十もの国がアメリカの軍隊や企業の秘密を知るために「電子的情報収集計画を攻撃対象の選択肢に加えた」とヘンリーは言う。

アメリカにも国家的サイバー戦略が存在するが、「効果のほどは疑問だ」とカミングスは言う。「私なら、企業に対し、何であれ本当に大切なことはインターネットに載せないように忠告する。閉鎖的システムに閉じ込めておくべきだ。インターネットに載せれば、みすみす失うことになるのはわかりきっている。インターネットに載せるということは、事実上、その情報を失っても構わないと宣言するも同じなんだ」

イギリス、カナダ、オーストラリア、ニュージーランドを除く、世界中のほぼ全ての国がアメリカにスパイを送り込んでおり、アメリカもそれらの国々にスパイを送っている。特にロシアは現在、冷戦時代に劣らぬほど活発にスパイ活動を行なっている。

その事実が明らかになったのは、二〇一〇年六月末、FBIがロシアのスパイ一〇人を逮捕したときのことである。彼らはシンクタンクや政府職員と関係を持ち、アメリカの政策や秘密に関する情報を探り出そうと試みていた。一一人目のスパイは、キプロス当局によって拘束された。これらのロシア人はいわゆる非合法諜報員で、外交的口実や自国政府との明白なつながりを持たずに外国をスパイするために送られた、情報機関の職員やスパイだった。

二〇一〇年一一月、ロシアのコメルサント紙は、SVR幹部のシェルバコフ大佐としか身元が明らかにされていない人物がそれらのスパイの名を明かし、FBIによって一〇人のスパイが逮捕される直前にロシアを離れていたことを報じた。さるロシア政府高官が、彼に対する殺害命令を出したことも伝えられていた。しかし後に明らかになったところでは、問題の人物はアレクサンドル・ポテエフ大佐という、SVRの非合法諜報員を統轄するS部門の次長であった。彼はCIAの勧誘を受けていたのである。

このとき明らかにされなかったのだが、実はこの事件の発端は、CIAの工作員がポテエフの勧誘に成功した二〇〇一年にさかのぼる。ポテエフはSVR幹部として、アメリカの他、諸外国に広がるスパイ網の知識を持っていた。そのCIA工作員は、非公式諜報員（NOC）だった。NOCは告発を免れる外交特権を持たないため、逮捕された場合は処刑される可能性もあった。

結局、ロシアのスパイは何の機密情報も入手していなかった。実際のところ、インターネットを利用した方が、より多くの情報をより低コストで得ることができただろう。しかし、FBIはこの事件の捜査を継続した。ひとつには、NOCとその情報源を危険にさらしたくなかったためであり、もうひとつには、スパイを監視することによって、FBIがロシアの諜報手法を監視することができたためである。

ロシアのスパイらは重要情報を何も手に入れることができなかったため、スパイ行為ではなく、外国政府の職員登録を怠った罪や、不正資金洗浄の罪にしか問われなかった。彼らの刑期は最長で二〇年になる見通しだった。

しかし、六月二七日に彼らが逮捕された直後、CIA長官レオン・パネッタはSVR長官ミハイル・フラトコフに電話でスパイ交換を提案した。パネッタはCIA長官就任以来、二〇〇七年にウラジーミル・プーチン首相にSVR長官に任命されたフラトコフと、良好な取引関係を築いていた。両者は一週間にわたって電話で会談を重ね、取引をまとめた。

二〇一〇年七月九日、ウィーン空港で、アメリカはロシア人スパイ一〇名と、スパイ行為でロシアに投獄されていた四名の人物を交換した。この取引がロシア側に有利だという批判も一部で上がったが、ロシアの刑務所から解放された人物のうち二名——アレクサンドル・ザポロジスキーとゲンナジ・ワシレンコ——は、極めて重要な存在だった。

対米諜報部次長となったSVR大佐のザポロジスキーは、諜報筋によると、ロシアの二重スパイとして一九九四年二月二一日に逮捕されたCIA幹部オルドリッチ・エイムズを密告したとされている。

一九九七年、ザポロジスキーは妻と三人の子どもを連れて渡米し、事業を始めた。しかし二〇〇一年、KGBのかつての同僚がKGBの盛大な記念パーティーが催されると言って、彼をモスクワにおびき出した。ザポロジスキーは、自分がCIAに協力したことをSVRは把握していないと考えた。そして、帰国を止めるFBIの忠告を無視した。

「最後にザポロジスキーに会い、ロシアへの帰国を思いとどまるよう説得したアメリカ人は、CIAのスティーヴ・カッペスと私だった。あれはハンセン逮捕の直前、ヴァージニア州北部で昼食を取りながらのことだった」とマイク・ロシュフォードは言う。ロシアのFBIに当たる連邦保安庁（FSB）内部では、彼は「教授」というコードネームで呼ばれている。「彼の身元情報は、ハンセンによって二〇〇〇年一一月一三日にロシア側に報告されていると伝えたのだが、彼はまるで聞く耳を持たずに帰国してしまった」

ロシアに到着するやいなや、ザポロジスキーは空港で逮捕された。彼はスパイ行為で有罪を宣告され、禁固一八年を言い渡された。

ロシアのスパイらと交換されたもう一人の大物スパイのワシレンコは、ハンセンの逮捕に協力した。ロシュフォードがハンセンを密告したSVRの情報将校を勧誘する前、ワシレンコはそのSVRの情報将校を元CIA幹部に紹介した。さらに元CIA幹部は彼をあるアメリカ人実業家に紹介し、その実業家が仕組んだ罠によって、ロシュフォードは彼に「コールド・ピッチ」を仕掛けることができたのである。ロシュフォードはすでにFBIを引退したが、ロシアのFSBでは、彼が海外旅行に出かけるときはスパイの勧誘を行なっているものと、いまだに——誤って

――信じられている。

ザポロジスキーとワシレンコは、ロシアの刑務所で看守らにひどく殴られた。これはFSBのアレクサンドル・ゾモフの直接命令によると言われている。対米諜報部を運営するFSB将軍のゾモフは、エイムズとハンセンを密告したスパイを血眼になって捜していたのだ。

「ゾモフはFBIが情報提供者を勧誘してハンセンを密告させたことについて、個人的に恨みを抱いていた」とある情報提供者は言う。「この点について、彼はザポロジスキーとワシレンコを非難した。なぜなら、FBIにハンセンを密告した情報提供者には手を下すことができなかったからだ。彼は自分の手で痛めつけられる二人に八つ当たりし、ザポロジスキーとワシレンコが刑務所にいる間、確実に苦しみを与え続けた。情報提供者らの話によると、ゾモフは起訴の前も後も、二人がそれぞれ収監されていた五か所の刑務所でも、定期的に彼らを殴るよう看守に命じていた。我々が取引によって身柄を取り戻さなければ、二人とも看守らの手で殺されていたかもしれない」

こうした詳細に加え、決して表に出てこなかった事実がある。交渉の間、ロシア側はロバート・ハンセンとオルドリッチ・エイムズも、スパイ交換の取引に含めようと試みていたのだ。アメリカ側は断固その案を拒絶した。

あのスパイ交換でアメリカはいい取引をした、と元司法省防諜部部長のジョン・マーティンは言う。スパイ交換の評価にかけては、彼に並ぶ者はない。職務上、マーティンは過去に六回のスパイ交換の手配に協力した。最も有名なものは、一九八六年にソ連の反体制派ナタン・シャランスキーらが釈放され、チェコの情報局のスパイ、カレル・ケヘルとハナ・ケヘルがプラハに送還された例である。

マーティンによると、アメリカは、ロシアの非合法課報員らと引き換えに、彼らよりはるかに重要な四人の人物を取り戻すことができたという。交換されたロシアの非合法課報員らは、実にお粗末なスパイだった。彼らは機密情報を全く手に入れることができなかった。このため、FBIの防諜課職員らは、SVRが入手した機密情報を紛失したのか、SVRが前身のKGBに比べて劣った機関なのかと疑ったほどだった。

「スパイ行為で告発されたあの一一人は、崩壊した政権の無用なお荷物だった」とマーティンは言う。「ソ連との冷戦時代の遺物だ。訴訟手続きの一環として、彼らは全てを暴露された。公開の法廷で本名を明かさねばならなかったし、全財産──自宅、車、銀行口座──を差し押さえられ、荷物をまとめて子どもと一緒に祖国ロシアへ送還され、二度とアメリカの土を踏むこともできなくなった」

政府が裁判を続行した場合、ロシア政界の風向きが変化し、あの時点でロシアがスパイ交換に応じなかった可能性もある、とマーティンは指摘する。「鉄は熱いうちに打て、と言うじゃないか」とマーティンは言う。

「捜査の初期段階では、FBIは彼らが何をつかんでいたか知らなかった」とマーティンは言う。「なぜロシア人がそれを追っていたか? 私は知らない。なぜなら、ニュージャージー州モントクレア出身の人間は、ワシントンDCで機密を取り扱うお偉方とは近づきになれないからだ。そして、そうした連中は誰とも近づきになろうとしなかったからだ」

しかし、とマーティンは言う。「ロシア人の被害妄想的精神構造を理解しなければならない。彼らが全てのスパイに指示することのひとつは、戦争の徴候に目を光らせることだ。だから、もしかすると彼らは原始的な早期警戒システムを探っていたのかもしれない。それが彼らの訓練の一環だったのだろう」

その作戦は、政府の官僚たちが上司に対していい恰好をしようとした一例だと、マーティンは

76人ものスパイを起訴した司法省防諜部部長
ジョン・L・マーティンは、ロシアとのスパイ交換は
アメリカにとって良い取引だったと語る。
ロシア側はその取引にロバート・ハンセンと
オルドリッチ・エイムズも含めようと試みた。
(写真提供＝ロナルド・ケスラー)

言う。

「それは策略のための策略だ」とマーティンは言う。「彼らはそれを追うことができたから追っていた。それが彼らの身体に、彼らの官僚主義に、システムの中に染み付いているからだ。そうすれば、自分たちが仕事をしていることを上司に示すことができる。我々はこれらの人物の情報をつかみました、彼らはまだ発見も逮捕もされておらず、至る所に存在します、とボスに報告することができるんだ」と、マーティンは言う。おそらくまだ他にも捕まっていない非合法諜報員が存在することを示唆しているのだ。

「先に始めたのはロシアの方で、FBIじゃない」と彼は言う。「ロシアは国民を訓練し、偽名と偽の書類と、昔ながらのスパイ技術を全て身につけさせて、一人を除いてアメリカに送り込んだ。しかし、スパイ技術は決して古びないものだ」

自らの威信にかけて、FBIは彼らを捕まえた。起訴された一一人のうち、一人はキプロスで保釈中に行方をくらましたため、交換されたのは一〇人のスパイだけだった。

その一〇人のスパイを直ちに交換すべきかどうか決定する際、「政府が直面した問題は、一〇人もの人間を、三つの異なる管轄区域で、三組の異なる判事らによる裁判を受けさせるべきかどうかということだった。そこまでして、見返りに得られるものは何だろう？　あの連中には犯罪記録もなく、機密情報取扱許可も与えられていなかった。多くの者には執行猶予がつくだろうし、それ以外の者もごく軽い刑で済むだろう。それにひきかえ、こちら側には大した見返りがないことを政府は知っていたんだ」

裁判を開くとすれば、「我々は一〇件もの長い裁判を行ない、この情報を手にした方法や、FISAと極秘侵入と我々の監視技術に関する全ての情報を明らかにせねばならない。なぜなら、それらのことは全て秘密審理で行なうことはできないためだ」とマーティンは言う。

この例では、「我々がロシアの刑務所から救い出した人物の価値は、ロシアに送り返した者たちの価値をはるかに上回っていた」とマーティンは言う。

ロシア側がハンセンとエイムズも取引に加えようとしたことに関しては、マーティンは前代未聞だと言う。過去の例において、ロシア側は逮捕されたロシアの情報将校や非合法諜報員を取引に加えようとしたことはあった。しかし、二重スパイとして勧誘したアメリカ人の運命に関しては、何の関心も持たなかったのだ。

「ロシア人は常に、自分たちのためにスパイ行為を働くアメリカ人を使い捨てにし、何の価値も認めなかった」とマーティンは言う。「交渉でロシア側がオルドリッチ・エイムズとロバート・ハンセンの引き渡しを要請したという事実から、ロシア側は彼らにまだ利用価値があると考えているように思われる。ロシア側が彼らを取り戻そうとしているのは、彼らがどのように捕まり、どのように発見され、逮捕され、訴追されたかを調べるためだ。彼らが失敗した経緯に関する疑いを晴らしたいんだ。ソ連のシステム内部にアメリカなどの国の情報機関のモグラが他にも存在し、ハンセンやエイムズの情報を漏らしたのかどうか、知りたがっているんだろう」

実際FBIは一九九〇年代後半に、SVRが「息のかかったロシアのメディア特派員を利用して、収監中のエイムズに接触を図ろうと計画していた」ことを知った、とロシュフォードは言う。

また、スパイ行為で有罪判決を受けた元CIA幹部ハロルド・ジェームズ・ニコルソンの報酬の要求に対し、ロシア側は調子を合わせているだけだとFBIは考えていた。「なぜなら、SVRは彼が刑務所の独房からでも情報を提供できると考えていたからだ。それがロシア内部の別のモグラを見つける役に立つと考えたのだ」とロシュフォードは言う。

ロシア側の試みを理由に、FBIはエイムズに対するマスコミのインタビュー要請を永久的に差し止めた。ハンセンにも接触を図るだろうという推測のもと、FBIはこの二人のスパイに対し、一週間につき一時間を除いた全ての時間を独房に監禁することを含む、特別行政措置を拡大適用した。

ロシアが彼らを取引に含めようとした試みは、彼ら二人に対する弔いの鐘となった、とマーティンは言う。

「万一彼らが連邦裁判所で、例えばアメリカの刑務所からの釈放を求めて控訴したり、仮釈放や恩赦を求めたりしても、もはや政府は、ロシアの情報機関にとって彼らはまだ利用価値があるのだから釈放すべきでないと論じることができるようになった」とマーティンは言う。「図らずも、ロシアはエイムズとハンセンの棺に最後の釘を打ちつけてしまったのだ。二人は決して刑務所を出られなくなった。それで当然だと思うが、もし彼らが、将来政治的風向きが変化して釈放される日が来ることを期待しているとしても、ロシア側はその望みを永遠に潰してしまった」

第31章 ジェロニモ

二〇一〇年一二月、ある大物テロリストと思われる人物を絞り込んだという連絡が、CIAからFBIに入った。最高水準のセキュリティを保つため、当初FBIはそのターゲットの身元を知らされなかった。しかし国家安全保障会議の会合で、ミュラーはそのターゲットがオサマ・ビンラディンであることを知った。それ以降、FBI捜査官は海軍SEALsの訓練に協力し、重要な役割を果たした。作戦中にひとたびビンラディンの隠れ家に入れば、アルカイダに関する証拠集めに専念するよう訓練したのである。

パキスタンの首都イスラマバードから約五六キロ離れたアボッターバードにあるビンラディンの隠れ家にたどりつくまでの道のりは、二〇〇二年のアブ・ズバイダに対する水責めから始まった。ズバイダはビンラディンの側近の一人ラムジ・ビン・アルシブの逮捕につながる情報や、ビンラディンの工作員に関する情報を漏らした。アルカイダのトップでビンラディンの右腕であったアブ・ファラジ・アル・リビは、過酷な尋問の後、工作員に関するより詳細な情報を提供した。同様に、アブ・ズバイダとビン・アルシブから得られた手掛かりによって、九・一一の立案者であるハリド・シェイフ・モハメドにたどりついた。水責めを受けた後、ハリド・シェイフ・モハメドはビンラディンの主要工作員を知っていることを認めたが、その人物がアルカイダに関係していることについては否定し、その人物が本当に重要であるか疑惑を引き起こした。

CIAはこれらの手掛かりやその後浮上してきた事実を追及し、アブ・アハメド・アル-クワイティという偽名を名乗るビンラディンの主要工作員を突き止めた。そして二〇一〇年、その工作員の携帯電話の会話から、NSAがついに居場所の特定に成功した。CIAは監視チームとRQ—170ステルス無人機を用いて彼を追跡した結果、二〇一〇年八月に、オサマ・ビンラディンが二〇〇五年から潜伏していた隠れ家を突き止めた。

当然ながら、SEALsとデルタフォースはFBIの戦術作戦センターと緊密な協力体制を取っていた。戦術作戦センターは、隠れ家にすばやく侵入するための装置や、放射能兵器や化学兵器、生物兵器などの脅威を検知する機器を装備させるなどの協力をした。

「SEALsが目標対象にかけられる時間はわずかだった」と、ルイス・グレーヴァーは言う。「彼らは主として敵地にいる。そこで我々は、彼らがすばやく、密かに、そしてできるだけ安全に、情報を集められるように取り計らう」

アフガニスタンでは、FBI捜査官は急襲部隊として選抜されたSEALsのチーム6を訓練した。特殊部隊の隊員たちに、建物内部に侵入した際に探すべきものや、手に入れた証拠物件の取り扱い方を教え込んだのである。その頃には、FBIのテロ対策課はターゲットの身元を知らされていた。

「彼らは証拠をすばやくつかみ、袋に入れ、ラベルを張り、箱に入れ、封をし、飛行機に積み込んだ」と、ある情報員は言う。ターゲットの建物を襲った時には、ＳＥＡＬｓは「すでにこのような練習を文字どおり何百回も積んでおり、眠っていてもできたことだろう。それらの物件を獲得することは非常に重要だと彼らは知っていた」。ところが、「全ての引き出しを調べ、隠れた隙間を捜す時間はなかった」と彼は言う。

地上部隊を派遣してビンラディンを拘束あるいは殺害する方法も考えられたが、ＣＩＡとＳＥＡＬｓは、ヘリコプターから降下する作戦が最も安全と判断した。

「彼らがヘリコプターを用いたのは、目的地へ大量の人員を迅速に輸送し、撤退させる手段を確保したかったためだ」と、あるテロ対策課職員は言う。「おそらく地上からも容易に侵入することができただろうが、そのような急襲を行なうための大量の人員を、パキスタンの奥地まで内密に連れて行くことは、まず不可能だっただろう」

もしアメリカ軍の急襲が地上から行なわれていたら、ビンラディンの配下は建物の入り口にガソリンを撒いて火を放ち、ＳＥＡＬｓを撃退していたかもしれない。「そこで、上空からファストロープ降下を行なう方がよいと判断されたのだ。そうすれば、全員を迅速に撤退させることもできる」と職員は言う。

急襲はパキスタン時間の二〇一一年五月二日午前一時に決行された。作戦中、ブラックホーク・ヘリコプターが一機エンストして墜落し、飛行不能となったため、二四名のＳＥＡＬｓ隊員は、ワイヤーを伝って母屋に降下する作戦を放棄しなければならなかった。彼らは結局、地上から壁を爆破して屋敷に侵入することになった。もっとも、その閃光と爆音が、隠れ家の住人を驚かせ、混乱させる役にも立った。

オバマ大統領が署名した極秘作戦の下、SEALsは「オサマ・ビンラディンが完全降伏の態度を取らない限り」殺害することになっていた、とその職員は言う。「やつは少しでも隙があれば逃亡を図っていただろう。また、SEALs隊員を人質に取ることもためらわなかったはずだ。あのような結果はUBL（インテリジェンス・コミュニティー内でのオサマ・ビンラディンの呼称）自身が招いたことだ。彼は降伏してみすみす逮捕されることを潔しとしなかった」

SEALs隊員の一人がビンラディンの左目と胸部を銃撃した後、部隊はホワイトハウスに、ジェロニモ――ビンラディンのコードネーム――の殺害を報告した。他にも四人が殺害され、三階の寝室でビンラディンをかばおうとした妻の一人が脚を撃たれた。

三八分間の襲撃の間に、SEALsはスキャナでビンラディンの指紋を読み取り、そのデータをFBIに送った。また、指先をインクパッドに押し付けるという昔ながらの方法でも指紋を採取した。FBIは押収された書類にビンラディンの指紋が発見されることを想定していたが、彼の指紋はなかった。そのためビンラディンの身元は、DNA情報を親族と比較する方法と、彼の顔を顔認証ソフトで特定する方法で確認された。また、銃撃後、ビンラディンの傍らにいた妻が敷地内で彼の身元を確認していた。アルカイダはその後、リーダーを殺害された復讐を誓う声明を発表した。

九・一一テロ以後、アメリカのテロ対策活動が世界全域でつかんだ証拠の全てについて、FB

Iは安全装置の役割を果たしてきた。そのため、アメリカで起訴された場合も他の国で起訴された場合も、証拠の分析過程が管理できるようになった。それに加え、指紋分析やDNA調査、筆跡鑑定などにかけては、FBIは他の機関をはるかに凌いでいた。

FBI研究所には、ビンラディンの隠れ家で押収された証拠物件が一〇〇点以上保管されていた。それらは、ビンラディンが書いた手紙やメモなどの書類や、肩撃ち式火器や拳銃、USBメモリ、ラップトップコンピュータ、コンピュータのハードドライブ、CD、DVD、そして携帯電話などである。データにすれば、小さな大学図書館に匹敵するほどの量がある。DVDには、自分の事件が報道されているテレビニュースに見入るビンラディンの映像が残されていた。

押収されたDVDの中にはプロパガンダ用ビデオの没テイクもあり、それらのビデオが入念な筋書きの下に作られたものであったことが明らかになった。ビンラディンは犯行声明ビデオを撮影するためにわざわざ髯を染め、きれいに刈り込んでいた。そして、タイミングや照明に納得がいくまで、何度も繰り返し撮り直していた。CIAの指示を受け、FBIはそれらの物件の複製や写真をCIAの対テロセンターなどの各機関に配布し、この手掛かりの宝庫を詳しく調査させた。

「それらの書類には指紋が付いていた可能性がある」とテロ対策課の職員は言う。「私的な伝達手段には、指紋やDNA情報が付着している場合がある。実際、何かを扱う際には、DNA情報が伝達される場合が多いんだ」

「急襲の日の終わりには、これはCIAの作戦になっていた」と、急襲後の日々についてその職員は言及した。「あの作戦はＣＩＡにとっての好機であり、作戦行動に関する判断は彼らが下すことになった。通常、国内の事件やアメリカの利益に関わる事件にテロが絡んでいる場合は、ＦＢＩや国土安全保障省に選択権が与えられる。海外の事件や『報復行動』の場合は、友好国の情報機関への情報開示のために、ＣＩＡや国務省が扱うことになる。我々はノルウェーにもフィリピンにも、どこの国にも惨事が起きてほしくない。連合軍が利益と積極的役割を有する作戦区域で何か事件が起きれば、我々は軍事行動に出る」

ビンラディンは五〇〇ユーロと二件の電話番号を衣服に縫い込んでいた。それらの電話番号が発見された事実がマスコミに漏れると、情報部職員は他機関へ証拠物件を輸送する際に、より慎重を期すようになった。

「あの二件の電話番号が暴露されたために、好機がみすみす失われた可能性がある」と、その職員は言う。「それらの番号の所有者を特定し追跡するには、時間が必要だ。電話番号についてひとつ確実に言えることは、簡単に処分して全ての関係を断つことができるということだ」

ＦＢＩやＣＩＡの他、ＮＳＡや国防情報局（ＤＩＡ）も証拠物件の複製を所有し、手掛かりを追及していた。

「それらの機関では、証拠データを自分たちのデータベースと照合する」と、ある情報部職員は言う。「以前も現れたことのある番号や名前など、何らかの指標を捜すんだ。その上で、日々連携して捜査を行なう。彼らが発見した事実はこれ、我々が発見した事実はこれ、という風にね。その中でＣＩＡはリーダー的役割を担い、そのときに情報報告書（ＩＲ）の形式で広まっているものについて、調整や統制が行き届き、FBIなどの適切な機関が適切な行動を取れる状態になっていることを確認している」

やがて、アルカイダの弱点は通信手段の必要性にあることがわかった。証拠物件の保管庫を精査していた分析官らは、ビンラディンは隠れ家を探知されることを防ぐために、アルカイダ工作員への指示を小さなフラッシュメモリにダウンロードしていたことを発見した。側近らがそのフラッシュメモリを別の人物に渡し、その人物らがEメールなどの電子的手段を用いて、指示を受け取る対象にメッセージを届けていたのだ。

「隠れ家から電子信号を出さないためには効果的な方法だったが、それが彼らの弱点にもなった」と、ある情報部職員は言う。「集団を組織化するには、意思の疎通を図らねばならない。ビンラディンは隠れ家で指令書を書き、それを側近が電子媒体の形で持ち出し、Eメールやその他の通信形態で送信していたのだ」

それが本当に指導者からの正当なメッセージかどうか、一部の受け手が疑念を抱いたとしても、「彼らは指示に従うより他になかった」と、ある職員は言う。

現在では、押収された証拠物件により、幅広い情報機関から集まった分析官たちがメッセージを受け取った人物を特定できるようになった。今後それらの人物は、監視下に置かれることになるだろう。

「電話番号やデジタルデータなどの現実的な手掛かりを、通信傍受やスパイの諜報活動から獲得した情報の断片と結び付けることができる」とテロ対策課のある職員は言う。「今やビンラディンまで元をたどっていくことができるようになり、組織のつながりが見えてきた。側近らが実に重要な役割を果たしていたことを、我々はきちんと認識していなかった。彼らは情報を電子的手段で持ち出し、それをオンラインで流していたのだ」

ほぼ即座に、国土安全保障省は各法執行機関に向けて警戒を呼びかけた。九・一一テロの一〇年目にあたる日に、ビンラディンは鉄道を標的にしたテロを計画していたのだ。

「我々がより多くの情報源を開拓すると、彼らは標的に関するより多くの情報を集め、手当たり次第に新たな標的を開拓する。いわゆる『配慮を要する場の捜査活動（SSE）』が、今後二年間でそのような結果に終わると判明するまでに、数か月、あるいは数年かかるかもしれない」とそのテロ対策課職員は予測する。

その過程は、ビンラディンにたどりつくまでの過程に似ている。

「初期の取り調べで明らかにされた情報のように、初めのうちは、それらの情報は互いに結び付かないかもしれない」と、その職員は言う。「しかし時が経つにつれ、全体像が見えてくる。この例では、側近の身元を特定できたことが、ビンラディンの居場所につながった」

急襲から二日後、CIA長官レオン・パネッタは、NBCニュースキャスターのブライアン・ウィリアムズに対し、CIAが水責めを含む過酷な尋問によってビンラディンにつながる情報の一部を入手したことを認めた。

あの急襲で、アルカイダは求心力のある指導者を失い、組織の未来が危ぶまれている。

「オサマ・ビンラディンに代わるカリスマ的指導者が存在するとは思えない」とアート・カミン

グスは言う。「長期的には、それが組織の存続を危うくする要因となるかもしれない」。また、今や「大規模なテロを計画するには、中央集権システムではなく、世界中に分散されたシステムが必要になった。アルカイダは後退し、はるかにおとなしくなっている」。

第32章

最大の脅威

ロバート・ミュラーはFBI長官を務めた一〇年間を振り返り、この地位に就いた当初抱いていた懸念を思い起こした。司法省の犯罪課長を務めていた当時、FBIのコンピュータシステムがひどくお粗末だったために、しばしば必要な情報を手に入れるのに苦労したこと。ルビーリッジやウェイコで証明された欠点。さらに、長官に就任するやいなや、マイクロソフトのワードなどの一般に普及しているソフトウェアがFBIでは全く使えないと知らされたこと。

しかしそれらも、二〇〇一年九月一一日に直面した問題に比べれば、物の数ではなかった。その日彼は、FBIがテロリストについてほとんど無知であること、FBIの情報システムの大部分が依然として紙の書類に基づいていたことを知ったのである。

「私が予期していたことは全て、九月一一日に棚上げされたようなものだった」と、貴重なインタビューの機会に、ミュラーは私に語った。「私がやるつもりでいたことと、やるはめになったことは、必ずしも一致しなかった。就任当初、FBIは情報技術的な問題に取り組まねばならないことはわかっていた。また、命令系統を明確にするという観点から、ルビーリッジやウェイコのような問題の取り扱い方についても懸念を持っていた。国家の重大事件について、必ずしも最適な人材を投入できていないことに、いくらか不安も感じていた。テロという問題が存在することはわかっていたが、それがほんの数日後に襲ってくるとは思いもしなかった」

このインタビューは、FBI本部七階にある長官のオフィスに隣接した会議室で行なわれた。ミュラーはオックスフォードの白いワイシャツに落ち着いた色合いのブルックス・ブラザーズのネクタイという、典型的なGメンのスタイルだった。顔立ちも端整だが、最も印象的なのは、威厳に満ちた態度だ。彼はFBI捜査官らしさと、検事時代に身につけた物腰を併せ持っている。

九・一一テロ以後、FBIの精神構造を、攻撃防止が先で起訴を後回しにする方向へ変化させることが、優先的課題となった。

「FBIは発生したテロ事件の捜査に優れており、一部の攻撃を防ぐことができるとアメリカ市民が考えていたとしても、もはやテロ攻撃の防止が唯一の尺度だった」とミュラーは言う。「後から対応するのではなく、攻撃の可能性を見越して脅威がどこに存在するかを知り、手薄な部分を特定し、それらを情報提供者や通信傍受によって補強せねばならない」

そのために、FBIはCIAやNSAとの関係を改善する必要があった。現在、FBIは一〇〇〇名以上の捜査官をCIAに派遣している。CIAも、FBIの全支局とテロ対策合同タスクフォースに職員を配置している。

ミュラーは九・一一テロ当時を振り返って、CIAがハリド・シェイフ・モハメドとアブ・ズバイダの逮捕に成功したことを引き合いに出し、「アメリカの安全保障に多大な影響をもたらした」

と語る。CIAの情報のおかげで、FBIはアメリカ国内の容疑者を逮捕することができている、とミュラーは指摘する。

現在の最大の脅威は、大量破壊兵器（WMD）による攻撃だとミュラーは言う。

「核兵器による攻撃の可能性は比較的薄いが、完全に否定することはできない。万が一発生した場合には、甚大な被害が出るのだから」とミュラーは言う。「放射能攻撃は、それほどあり得ないことではない。放射性物質は比較的入手が容易で、何らかの種類の簡易爆発物を作ることも難しくないからだ。核兵器の爆発より被害ははるかに少ないものの、その脅威は今日も厳然として存在する」

実際のところ、FBI次官補のヴァヒド・マジディ博士は、将来アメリカが大量破壊兵器による攻撃を受ける可能性は一〇〇パーセントだと述べている。そのような攻撃は、海外のテロ組織からも、単独犯のテロリストからも、あるいは犯罪組織からも受ける可能性があるとマジディは言う。ミュラーが示唆したように、核兵器より、化学兵器や生物兵器、あるいは放射性物質兵器を用いた攻撃である可能性が高い。

実際、アメリカの情報機関には、海外のテロ組織が大量破壊兵器を入手したという報告が年間何百件と入る、とマジディは言う。アメリカ軍がアフガニスタンに侵攻した際、アルカイダが化学兵器や生物兵器を含む、マジディの言う「初期段階の」大量破壊兵器の製造に取り組んでいたことが明らかになった。

これまでのところ、その他の報告に関しては、外国のテロリストが実際に大量破壊兵器を獲得した例は見つかっていない。しかし、マジディが長を務めるFBIの内部機関は毎年一〇件以上も、アメリカ国内で犯罪者が大量破壊兵器を利用しようとした事件の捜査を行なっている。例えば二〇〇八年には、無政府主義に関する論文とリシンを所有していたロジャー・バーゲンドルフがFBIに逮捕されている。リシンはタンパク質の合成を阻害し、細胞を殺してしまう物質だ。もしこの物質を吸引あるいは摂取すれば、肝臓、脾臓、腎臓の機能不全によって数日以内に人は死に至る。

「大量破壊兵器による攻撃が発生することは一〇〇パーセント確実なのだから、後は発生する可能性が低いか高いかということが論点になる」とマジディは言う。「我々は過去に攻撃を受けたし、今後も攻撃を受けることだろう。化学兵器や生物兵器、放射性物質兵器による攻撃があるはずだ」たとえ多くの犠牲者が出なかったとしても、大量破壊兵器攻撃が人々に与える心理的影響は甚大だ。「単独のテロリストが夜の闇にまぎれて研究室に侵入し、ごく少量の物質を使ってほんの数人の人々を負傷させただけでも、アメリカ市民全体に多大な心理的ショックを与えることになる」とマジディは言う。

その可能性のために夜も眠ることができない、とミュラーは言う。「最大の脅威は、アメリカと何らかのつながりがあり、アメリカをよく理解し、個人的にも集団的にも比較的自由にアメリカに入国できる人物だ」とミュラーは言う。

もうひとつの懸念は、アメリカ社会を機能停止に追い込みかねない大規模なサイバー攻撃である。

「遅かれ早かれ、何者かが電力会社のコンピュータを攻撃して送電網に入り込み、シャットダウンさせてしまうだろう」とミュラーは言う。同時に、「中国やロシア、イランなど多くの国々がアメリカの政府団体や非政府団体から情報を引き出すことも、時代の流れというものだ」と言う。ミュラーが長官職に就いていた一〇年の間に、FBIは「インテリジェンス・コミュニティーを理解し、その一員となる長足の進歩を遂げた。インテリジェンス・コミュニティーについて学ぶという観点からも、自らの組織を改善し、情報を開拓して分析し、発信するという観点からも」と言う。

指導者たちを他のインテリジェンス・コミュニティー機関に接触させ、成長させるために、FBIにはさらに努力が必要である。

「アメリカ全土でテロ行為を行なっている人物にとって、CIAがどんな仕事をし、どんな情報を持ち、どのように情報を入手したかを知ることが重要だ」とミュラーは言う。「同じことは、NSAや国防情報局に対しても言える」

ルイス・グレーヴァーが本書のために、FBIの極秘侵入方法を包み隠さず語ったことに、FBI高官らは驚いていた。実際、副長官に次ぐ地位にあるグレーヴァーとのインタビューで、そんな大切な秘密を明かしていいのかと広報担当官が口を挟む一幕もあった。

一部の盗聴機器の性能については公表しても特に差支えはない、とグレーヴァーは答えた。後に彼は、TacOpsについて公表する決断をする前に、ミュラーをはじめとするFBI高官らに相談したと語った。

「大量破壊兵器による攻撃やさまざまな方法によるハイジャックやサイバーテロ」の可能性のため、FBI長官ロバート・S・ミュラー3世は夜も眠ることができない。（写真提供＝FBI）

「ターゲットがその本で明かされる情報だけをもとにして、侵入しようとする我々の試みを阻止することは、不可能ではないにせよ、困難だろう」とグレーヴァーは言う。「アメリカ市民には、政府機関が行なっていること——何に資金を投入しているのか、なぜそのような能力を持つことが重要なのか——について、知る権利がある」

最も厳重に守られてきた秘密を明かすというグレーヴァーの提案を認めた理由を聞かれると、ミュラーは冗談めかして言った。「すでに彼は君にしゃべり過ぎていると思ったのでね」。しかしその後に、「彼が君に何を話したとしても、私はそれを承認するだろう……彼には広い裁量権が認められているのだから」と付け加えた。

オバマ大統領のテロ対策に対する知識と献身をミュラーが高く評価していることは、FBI内部でよく知られていた。それと同時に、二〇一一年一月にガブリエル・ギフォーズ下院議員が銃撃された事件について、長官自らツーソンで陣頭指揮を執るよう求めたオバマの命令に従うべきか、ミュラーは疑問を抱いてもいた。フーヴァー時代以来、FBIがホワイトハウスの政治的影響下にあると認識される危険を冒してまで、大統領がFBIの作戦にここまで直接的に介入することはなかった。

ミュラー自身は、FBIの捜査の指揮を執った経験もなければ、関心もなかった。ミュラーが現場に出向くということは、担当捜査官らが彼に対して報告を行なわねばならなくなり、捜査に集中できなくなることを意味していた。ミュラーはオバマの命令には逆らわなかったが、彼もFBI高官らも、国土安全保障省の長官ジャネット・ナポリターノとは極力距離を置くように努めた。彼女はあまりに政治的すぎる、とミュラーは考えていた。

ミュラーの在任期間中に、ふたつの問題が生じた。ひとつは、国家安全保障文書の発行過程に監視の目が行き届いていないことだった。こうした文書は、国際的テロ事件やスパイ事件の捜査において、電話やEメールがいつどこで送受信されたかに関するデータを獲得するために利用される。マスコミの報道とは異なり、国家安全保障文書は、FBIに電話の盗聴やEメールの内容を盗み見る権限を与えるものではない。

ある監査報告書で、司法省監察官のグレン・A・ファインが、二〇〇三年から二〇〇五年にかけて調査した二九三件の国家安全保障文書のうち、二二件に不備が見つかったと述べている。中には、認められた捜査期間の後に発行された例や、捜査官が捜査中の人物の電話番号の数字を書き誤った例も発見された。

ファインは、厳密にはFBIが意図的に規則を破っていたわけではないと見なしていた。受信者が失敗を犯したという状況を除き、FBIはほとんどの場合、実際に入手する資格のある情報を獲得していた、とファインは断定した。

この報告書が発表されるまでに、ミュラーは問題の解決に乗り出していた。それらの取り組みの中には、国家安全保障文書を記録するための、インターネットベースのデータシステムの導入や、新たな再調査プロセスと追加訓練の実施も含まれていた。

「FBIがそれらの記録を入手するために、細心の注意を払って確認すべき適切な行政的手続きを踏んでいなかったということを、私は知らなかった」とミュラーは言う。

ミュラーの最大の失敗は、紙のファイルに代わる、事件管理コンピュータシステムだった。ほとんどの政府機関と同様に、FBIも既成のソフトウェアを利用せずに、一から新しく開発すべきだと決定した。FBIはどんなシステムが必要かを明確に把握しておらず、次々に異なる要求を出した。

二〇〇八年一二月、ミュラーはFBIの新たな首席情報官にチャド・フルガムを迎えた。「この計画には三二〇人のFBI職員が携わっていた」とフルガムは言う。「そんな話は聞いたことがない。まさに船頭多くしてなんとやら、だ」

フルガムは調達工程を合理化し、主要な問題が解決するまで開発を中断させた。間もなく問題が解決され、システムの完全作動にこぎつけることをフルガムは期待している。

「最初のインターネット・ファイルシステムについては、私は突っ込んだ質問をしなかった」とミュラーは言う。「最新のシステムについては全く問題を思いつかず、ついに請負業者がふたつのシステムを完全に運用段階に持ち込んでくれる運びになった。システムがようやく正しく軌道に乗り始めたことに、私は非常に満足している」

その失敗を除けば、ミュラーはFBIをテロに対する強力な武器に変貌させることに成功した。FBIは数か月ごとに、新たなテロリストの逮捕を発表している。多くの場合は、テロ関連の容疑で逮捕するために何年も待つ代わりに、数年間の刑期か国外退去処分になる軽犯罪容疑でテロリストを告発する。同時に、虐待行為——不法行為や政治的動機に基づいた行為——は、ミュラーの在任期間中に一度も発生していない。

ミュラーはJ・エドガー・フーヴァーやウィリアム・セッションズのように、自らの地位を不当に利用したことは一度もない。ルイス・フリーのように、FBIの捜査と信用を損なう大失態を演じたこともない。ウィリアム・ウェブスターはスパイやマフィアに対する捜査を改善したが、フーヴァー以来FBIをこれほど大きく改善した長官は、ミュラーを措いてはいない。

フーヴァーの職権乱用のために、連邦議会は一九六八年、後にFBI長官に就任する人物に対し、大統領による任命と上院議院での承認を求める法律を制定した。長官の任期は一〇年に制限された。ミュラーはその一〇年の任期を全うした、最初の長官である。彼はフーヴァーに次ぐ長い期間、FBI長官を務めたのだ。

ミュラーは二〇一一年九月に任期が終了するのに先だって、オバマ大統領の要請により、さらに二年間の任期延長を連邦議会に承認されることに同意した。一〇年間の任期を越えて長官職にとどまることを要請されると、ミュラーは非常に驚いたという。数日間の熟考の末、彼は続投に同意した。

FBI内部には、この決定を喜ばない捜査官もいた。七年間支局に勤めた監察官は、本部に転属するか監察官を辞任しなければならないとしたミュラーの方針を、新長官に撤回してもらいたいと望んでいた者たちだ。どこの組織も同じだが、一部の人間は自分の利益を第一に考え、組織全体の利益を二の次に考えている。しかし、ほとんどの捜査官はより広い視野を持ち、九・一一テロ以来FBIがテロ計画の阻止に成功し、アメリカの安全を守り続けていることを、ミュラーの功績と考えている。

ミュラーが長官に就任した六か月後に行なわれた初めてのインタビューのとき、彼の黒髪には白いものが混じり始めたばかりだった。それが現在は、見事な銀髪になっている。しかし、彼の背筋は相変わらずしゃんと伸びている。将来のＦＢＩ長官に忠告したいと思うことはありますか、と私は訊ねてみた。

「この組織について学ぶことだね」とミュラーは言う。「ＦＢＩ以上に愛国的で、献身的で、勤勉で、知識が豊富なプロ集団は他にない。要求水準を高く保ち、有能な人材で周囲を固めることだ」

訳者あとがき

日本に住む私たちの大半がFBIと聞いて真っ先に頭に思い浮かべるのは、ハリウッド映画や海外ドラマシリーズの登場人物だろう。並はずれた知力と体力を有し、正義感にあふれ、不屈の精神力で巨大な悪に立ち向かう彼らの姿に喝采を贈るファンも多いに違いない。しかし、疲れを知らぬスーパーマンというFBI捜査官のイメージが、初代長官J・エドガー・フーヴァーによって作られたものであることを知っている人はどれだけいるだろうか。あるいは、高潔であり英明であるべき歴代FBI長官の多くが一筋縄ではいかない曲者であったことを知っている人は、どれだけいるだろう。さらに、九・一一テロ事件以前のFBIのコンピュータ環境がひどくお粗末で、データ管理の大部分を紙の記録に頼っていたことについてはどうだろうか。

本書は現FBI長官を筆頭とする数百人もの関係者に対して行なったインタビューをもとに、初代長官フーヴァーの時代から二〇一一年五月のオサマ・ビンラディン殺害までのFBIの歴史を描き出した労作である。この本がFBIを取り上げた他の諸々の書物とはきっぱりと一線を画しているのは、FBIの許可と全面的な協力のもとに多数の関係者から直接情報を引き出している点だろう。しかも、ごく一部の例外を除いてすべて実名で情報源が明記されている。アメリカの法執行機関の頂点に立つ組織が、これほどまでに赤裸々に内部事情を明かしている事実には、驚きを禁じ得ない。ジャーナリストとして数々の賞を獲得してきた著者ロナルド・ケスラーの仕事が、それだけ高い評価と信頼性を得ているということなのだろう。

優れた実績とインタビュアーとしての才に恵まれたケスラーの前では、誰もが滑らかに口を開くようである。歴代長官の性向や重要事件の捜査の内幕、プロファイリングの極意、訓練の実態、インテリジェンス・コミュニティー内部の小競り合い……映画やドラマでは窺い知ることのできない、等身大のFBIがここに描き出されている。

中でも驚嘆に値するのは、本文中にケスラー自身も驚きを込めて語っているように、戦術作戦部隊（TacOps）という組織の存在と情報収集目的の極秘侵入の手法の数々が、FBI史上初めて明らかにされていることだ。犯罪捜査機関のエリート中のエリートが、押し込み強盗よろしく夜な夜な住宅やオフィスに忍び込んでいようとは、にわかには信じ難い。信じ難いが、しかし事実なのだ。そうした極秘侵入は年間四〇〇件に上るというから、毎日どこかの家に、オフィスに、大使館に、FBI捜査官たちが忍び込んでいる計算になる。

極秘侵入は入念な調査と綿密な計画に基づいて実行される。スパイ映画さながらの変装や工作、特殊機器も用いられる。しかしFBI捜査官もやはり人間、ときには手ごわい番犬に手を焼くことも、ターゲットを見失うことも、隣人に見咎められることもあるようだ。ユーモラスな失敗談を語る彼らの口調は軽いが、一歩間違えば銃撃を受ける可能性のある危険な任務である。そのような仕事に一年三六五日携わる生活は、想像を絶する過酷さだ。

このような組織の存在をＦＢＩが明かしたという事実は、彼らの決意表明と見ていいだろう。司法省の一部局としてスタートし、フーヴァーによって巨大な法執行機関に育てられたＦＢＩは、九・一一テロを境にいまや大きく変貌を遂げようとしている。本文で繰り返し述べられているように、起きてしまった犯罪を捜査する機関から、犯罪を未然に防ぐ機関へと、徐々に方針転換を図っているのだ。彼らは本書を通じて、自由を守るためには自由を制限しなければならないという逆説を受け入れるよう、アメリカ市民に求めているのかもしれない。

中村佐千江

ま

ら

わ

た

な

さ

索引

ロナルド・ケスラー ❖ Ronald Kessler

1943年、ニューヨーク市生まれ。『ワシントン・ポスト』と『ウォールストリート・ジャーナル』の事件記者として、ジョージ・ポーク賞の国内報道部門をはじめ、これまでジャーナリズム賞を17回受賞。『シークレットサービス』（並木書房）や『テロリストの監視』『CIA』などの著書でニューヨーク・タイムズ紙のベストセラーリスト入りを果たしている。現在はオンラインニュースサービスのニュースマックスドットコムの首席ワシントン特派員を務める。メリーランド州ポトマックに妻パメラと在住。

中村佐千江 ❖ なかむら・さちえ

1969年、石川県金沢市生まれ。京都大学教育学部卒業。おもな訳書に『潜入工作員——イスラエル対テロ特殊部隊員の記録』『ダークヒストリー2図説ヨーロッパ王室史』『ダークヒストリー3図説ローマ皇帝史』（いずれも原書房）、翻訳協力作品に『戦闘技術の歴史3 近世編』（創元社）などがある。兵庫県加古川市在住。

FBI秘録《ひろく》

2012年3月10日　初版第1刷発行

著者……ロナルド・ケスラー

訳者……中村佐千江《なかむらさちえ》

発行者……成瀬雅人

発行所……株式会社原書房

〒160-0022東京都新宿区新宿1-25-13

電話・代表03（3354）0685

http://www.harashobo.co.jp

振替・00150-6-151594

装幀……伊藤滋章

本文組版・印刷……新灯印刷株式会社

製本……株式会社小高製本

 ISBN978-4-562-04783-3 Printed in Japan
